LA CRÉATURE DES BOIS

STEVEN CUVELLIEZ

Édition : BoD – Books on Demand, info@bod.fr
Impression : BoD – Books on Demand,
In de Tarpen 42, Norderstedt (Allemagne)
Impression à la demande
ISBN : 978-2-3224-5139-5
Dépôt Légal : Octobre 2022

La Brigade des Affaires Paranormales

Affaire #001 – La créature des bois

Steven Cuvelliez

Avertissement

L'auteur de ces lignes tient à vous informer de l'horreur des faits relatés dans ce récit. Les évènements de cette histoire vous sont retranscrits tels qu'ils ont été vécus par les protagonistes.

Âmes sensibles, passez votre chemin. En tournant les pages de ce livre, vous découvrirez que vos pires cauchemars ne se cachent pas uniquement dans vos songes. Ils peuplent notre monde et infligent les pires atrocités à de pauvres innocents. Heureusement pour nous, une équipe d'enquêteurs se dévoue au quotidien pour faire la lumière sur ces drames et rendre justice aux victimes.

La Brigade des Affaires Paranormales, ou BAP, affronte vos plus grandes peurs pour vous permettre de poursuivre votre existence dans l'ignorance la plus totale. En poursuivant votre lecture, vous ne serez plus en mesure de nier la vérité.

Vous pouvez encore refermer ce livre et poursuivre votre vie comme si de rien n'était.

Chapitre 1

— Combien de fois vais-je devoir te répéter que Bart n'est qu'un ami ? Il ne s'est absolument rien passé entre nous.

Isabella poussa un long soupir en constatant qu'Alan ne la croyait toujours pas. Il avait cette manie de secouer lentement la tête à chaque fois qu'il pensait déceler un mensonge de sa part.

Son fiancé était bien des choses, mais il n'était absolument pas perspicace.

— Je dis juste que ce type te regarde comme un affamé regarderait un morceau de steak, lui rétorqua Alan, aux commandes de la Golf GTI dont il était si fier.

À sa manière de caresser le volant à chaque ligne droite qui s'éternisait, Isabella se demandait vraiment s'il n'aimait pas sa voiture plus qu'il ne l'aimait, elle.

Tu n'es pas encore mariée, Iz. Tu peux encore faire tes valises.

Cette pensée traversait souvent l'esprit de la jeune femme ces dernières semaines. Elle ne mentait pas lorsqu'elle disait que Bart n'était qu'un ami. Il ne lui plaisait absolument pas. Mais il y avait d'autres hommes. Il y avait Dan.

— J'aimerais que tu arrêtes de le voir, annonça Alan, la sortant de ses pensées.

— Que j'arrête de voir Bart ? cria-t-elle, outrée. Mais tu vas pas bien, mon grand. T'es revenu au siècle dernier ? Tu n'as pas à m'interdire de voir qui que ce soit.

Quel enfer… Quel enfer…

Isabella lança un regard noir à son fiancé, certaine que s'il lui sortait encore une connerie de ce genre, leur couple ne survivrait pas à ce week-end de la dernière chance. C'était comme ça que l'avait appelé Alan. *Le week-end de la dernière chance.* Comme s'ils étaient dans une espèce de jeu télévisé, devant l'ultime épreuve qui leur permettrait de rafler la mise ou leur ferait perdre tous leurs gains. Sauf qu'à ce stade, Isabella avait du mal à savoir quelle était la meilleure issue possible pour elle : la liberté ou le mariage ?

Néanmoins, la perspective d'un mariage semblait fondre comme neige au soleil. Après une randonnée chaotique sur les bords du fleuve Missouri, où elle s'était tordu la cheville et avait fini trempée par une averse inattendue, ils traversaient à présent le Montana pour se rendre à Helena, la capitale de l'État, où les attendait la superbe suite réservée quelques semaines plus tôt par Alan. Seul problème… Alan était totalement perdu, même s'il refusait de l'admettre.

— Quand est-ce que tu vas te décider à mettre le GPS ? lui lança Isabella, rompant le silence de mort qui régnait dans le véhicule.

— Pour la *centième* fois, je n'ai pas besoin de GPS. Il suffit de continuer tout droit sur cette route, et on sera arrivés à Helena dans moins d'une heure.

— Tu es paumé, Alan ! On est au beau milieu de nulle part.

Cela faisait au moins une demi-heure qu'ils n'avaient pas vu un seul panneau de circulation. La seule chose qui les entourait, c'était cette immense forêt qui semblait ne jamais s'arrêter, tapie dans un brouillard si épais qu'ils ne voyaient pas à cent mètres devant eux. Isabella avait l'impression qu'ils étaient pris au piège d'une boucle infernale, condamnés à rouler au milieu des pins jusqu'à la fin de leurs jours.

C'est un peu comme ma vie de couple finalement, pensa-t-elle en décidant de lâcher l'affaire.

Elle laissa retomber sa tête contre la vitre côté passager et se perdit dans la contemplation des nappes de brume illuminées par la lueur jaune des phares. C'était un spectacle assez hypnotisant. Peut-être allait-elle finir par s'endormir, permettant ainsi à Alan d'allumer discrètement le GPS sans se sentir atteint dans sa foutue fierté masculine. Le seul problème, c'était qu'elle était bien trop énervée pour trouver le sommeil.

Je savais que j'aurais dû rester à Seattle ce week-end. Je serais sûrement en train de boire des coups en ville avec Amy et Lisa à l'heure qu'il est. Et Dan serait sûrement là. J'aurais pu lui lancer des petits regards pour l'inviter à me rejoindre dans les toilettes. Je n'aurais rien fait de mal, juste une petite…

— Attention ! hurla soudain Isabella.

Alan appuya immédiatement sur la pédale de frein et fit un tour complet avec le volant pour éviter l'animal qui leur barrait la route. Sa fiancée ferma les yeux en s'agrippant au cuir de son siège. Noyée dans l'obscurité, elle n'entendit plus que le crissement assourdissant des pneus sur l'asphalte. Les cliquetis métalliques et les secousses qui suivirent lui donnèrent l'impression d'être dans une vieille attraction de fête foraine, secouée de toutes parts dans sa nacelle rouillée. Isabella crut que sa dernière heure venait d'arriver, qu'elle ne reverrait plus jamais la lumière du jour, ses amies, ou même Dan, dont le visage s'invita dans ses pensées malgré elle.

Finalement, après quelques secondes de ce violent manège, le véhicule quitta la route et alla subitement finir sa course dans un fracas de tôle qui donna à Isabella l'impression de s'être démis la nuque.

Elle ouvrit finalement les yeux, découvrant face à elle un immense tronc camouflé derrière des volutes de fumée noire. Un seul phare éclairait désormais la prison de branches et de brume qui les entourait. L'autre n'avait pas survécu au choc.

— Oh mon dieu, laissa-t-elle échapper, à bout de souffle. C'était quoi ce truc ?

— Je… je… bafouilla Alan.

La jeune femme tourna la tête vers son fiancé. La douleur qui irradia derrière son épaule gauche lui fit l'effet d'un électrochoc, mais elle l'oublia vite en voyant la traînée de sang le long de la joue d'Alan.

— Oh merde, souffla-t-elle. Alan, tu saignes.

L'homme passa ses doigts sur son front, répandant la substance écarlate sur toute sa longueur. Il abaissa la main pour l'observer d'un œil hagard. Il était clairement sous le choc.

— Alan ! cria sa fiancée pour le ramener à lui.

Il sursauta en tournant tout son buste vers elle.

— C'était quoi ce truc ? répéta-t-elle.

— J'en sais rien ! répondit Alan, semblant reprendre peu à peu ses esprits. Un cerf, ou… j'en sais rien.

— La voiture est morte ?

— Sans déconner, réagit le jeune homme. Ça va me coûter une blinde de tout faire réparer.

Tu n'auras qu'à utiliser les économies que tu feras quand on annulera le mariage, ducon.

— Qu'est-ce qu'on fait, maintenant ? demanda-t-elle. On appelle un taxi ?

Alan sortit son portable de la poche de son jean. L'écran était fêlé mais il fonctionnait toujours. Il composa rapidement le 911, tachant l'écran d'empreintes rouges et gluantes avant de porter le téléphone à son oreille.

Au moins, il prenait les choses en main. C'était déjà une bonne nouvelle.

— Merde, dit-il après quelques secondes en laissant retomber son bras sur ses genoux. Pas de réseau.

Isabella s'empressa de sortir son téléphone dans l'espoir d'avoir plus de chance, mais celle-ci ne semblait pas être de son côté ce soir. Après avoir réprimé un cri de rage, elle laissa finalement sa tête retomber contre l'appui-tête de son siège. Ainsi installée, elle passa de longues secondes à regarder la fumée s'échapper du capot, totalement hébétée. À ses côtés, Alan semblait tout aussi absent.

Soudain, ils furent sortis de leur torpeur par un choc brutal à l'arrière de la voiture. Celle-ci fut secouée par un impact violent, comme s'ils venaient de se faire rentrer dedans par un véhicule invisible.

Isabella poussa un hurlement glaçant, s'agrippant de nouveau au cuir de son siège.

— C'était quoi, ce bordel ? cria-t-elle.

— J'en sais rien, lui répondit Alan dans un rugissement tout aussi paniqué. Mais arrête de crier, putain !

— Tu peux parler ! rétorqua-t-elle en le fusillant du regard.

Une nouvelle secousse les poussa immédiatement à se taire. Isabella tourna la tête de gauche à droite pour déterminer l'origine de ces coups, ignorant la douleur atroce qui se propageait dans son dos.

— Va voir ce que c'est, dit-elle finalement à son fiancé d'une voix discrète.

— Quoi ? souffla-t-il. Pourquoi moi ?

— T'as des couilles ou pas, Alan ?

Elle savait que ce genre d'atteinte à sa virilité allait fonctionner. Sans surprise, Alan secoua la tête et tendit le bras vers la boîte à gants devant sa compagne. Il en sortit une lampe torche et un petit spray au poivre qu'il agrippa fermement.

— Du poivre ? lui lança Isabella, les sourcils levés. Vraiment ? Tu pourrais pas avoir un flingue, comme tout le monde ?

Foutus démocrates, pensa-t-elle à cet instant.

Mais face au silence de son fiancé, elle décida de se taire aussi, avant qu'il ne lui propose de le suivre hors de la voiture. Elle était très bien dans son abri de tôle, et elle ne comptait certainement pas mettre un pied dehors tant qu'il n'avait pas trouvé ce qui rôdait autour d'eux.

Alan dut s'y reprendre à deux fois pour réussir à ouvrir sa portière, mais parvint finalement à la forcer dans un grand fracas métallique.

— Qui est là ? cria-t-il d'une voix chevrotante, à peine eut-il posé un pied dehors.

— Sérieusement ? marmonna Isabelle dans sa barbe.

Alan sortit prudemment de la voiture, avançant à pas feutrés dans la nuit noire, aidé de sa lampe torche qui n'éclairait rien à plus de trois mètres devant elle. Isabella le suivait du regard à travers la vitre brisée de la portière arrière. Elle se dit qu'il n'en menait pas large et que, dans une telle situation, Dan s'en serait bien mieux sorti. Il faisait vraiment peine à voir, progressant lentement sur ses jambes chancelantes.

Isabella commençait à s'impatienter, le voyant s'éloigner de plus en plus dans l'obscurité. La chose qui les avait percutés ne devait pas être si loin que ça. Agacée, elle lança :

— Tu vois quelque…

Elle n'eut pas le temps de finir sa phrase, interrompue par une chute d'Alan qui poussa un cri tout sauf viril, disparaissant de son champ de vision. À cet instant, elle ne sut plus trop si elle devait éclater de rire ou paniquer. L'homme censé la protéger et la sortir de cette galère n'arrivait même pas à tenir debout.

— Alan ? Ça va ? lui demanda-t-elle, un large sourire amusé sur les lèvres.

Pour seule réponse, une chouette hulula au loin dans les bois. Le sourire d'Isabella s'évapora peu à peu. Son fiancé était-il en train de lui faire une blague stupide ? C'était sa spécialité, après tout. Durant leurs vacances au ski, il lui avait fait croire qu'il était poursuivi par un énorme grizzly assoiffé de sang. Si son humour avait charmé Isabella au début de leur histoire, elle avait fini par s'en lasser. Dan, au moins, était bien plus subtil en matière de blagues. Et dans tous les autres domaines, d'ailleurs.

— Alan ! lança-t-elle, agacée. Arrête tes conneries !

Cette fois, un cri perçant lui répondit. Elle reconnut le timbre d'Alan, mais quelque chose n'allait pas. Ce hurlement, qui s'éloignait de plus en plus profondément dans les entrailles de la forêt, semblait teinté d'horreur, de folie.

Soudain, Isabella n'eut plus du tout envie de rire.

— Alan ! hurla-t-elle, prise de panique, lorsque le cri s'étouffa au loin. C'est pas drôle, Alan !

Les larmes lui montèrent aux yeux. Devait-elle fuir en courant ou rester tapie au fond de son siège ? Machinalement, elle attrapa son téléphone dans l'espoir d'avoir retrouvé une miraculeuse barre de réseau. Il fallait qu'elle appelle quelqu'un. Dan, la police, Amy, Lisa. N'importe qui. Elle devait s'échapper d'ici.

Mais le miracle n'arriva pas. Elle était seule face à une chose affreuse qui venait d'emporter Alan au loin, et personne n'allait lui venir en aide.

Un craquement de feuilles brisa le silence à l'endroit où Alan s'était écroulé. Une partie d'elle avait envie de croire qu'il lui avait véritablement fait une blague et qu'il allait réapparaître avec un sourire d'imbécile sur les lèvres. Oh, ce fichu sourire. Elle aurait fait n'importe quoi pour le revoir à cet instant. Mais une partie bien plus rationnelle de son esprit n'y croyait plus.

— Allez-vous-en ! dit-elle d'une voix tremblante qui se voulait menaçante. J'ai un flingue !

C'était du bluff. Alan avait emporté la fichue bombe de spray au poivre en sortant de la voiture, laissant sa fiancée totalement désarmée.

La chose qui rôdait laissa échapper une longue expiration. Le souffle glaçant d'une bête sauvage. Peut-être qu'un ours s'en était véritablement pris à Alan cette fois.

Quelle foutue ironie…

La respiration profonde se rapprochait, tapie dans l'ombre. Prise de panique, Isabella se jeta sur la portière du côté conducteur, bien décidée à la refermer pour se barricader dans son abri de fortune. Mais elle vit soudain les yeux perçants de la bête.

Un regard terriblement profond.

Meurtrier.

Elle relâcha immédiatement la poignée sans même la tirer vers elle, préférant se saisir de celle qui se trouvait du côté passager.

Isabella ouvrit la portière en grand et tenta de se jeter hors du véhicule. Mais sa ceinture lui comprima la poitrine lorsqu'elle essaya de prendre la fuite. Elle se débattit quelques instants avec la lanière tandis que, de l'autre côté, la bête donnait des coups puissants et réguliers contre la carrosserie.

Ce n'est qu'un stupide animal… Trouve une branche et cogne-le. Il fuira, c'est certain.

Aussi paniquée que déterminée, la jeune femme parvint à sortir du véhicule et se mit à filer à travers la forêt, tout juste éclairée par le phare gauche de la Golf d'Alan. Son regard parcourut le sol à une vitesse folle, en quête d'un morceau de bois qui pourrait lui permettre de se défendre.

Derrière elle, les bruits avaient cessé. Elle aurait aimé prendre cela pour une bonne chose, mais elle se doutait que l'animal était encore à ses trousses.

Soudain, elle apparut sous ses yeux ; une branche suffisamment large pour lui servir d'arme. Elle se jeta dessus comme s'il s'agissait d'un fusil à pompe. En l'attrapant, elle s'assura qu'elle était suffisamment lourde et solide pour blesser la bête et la faire fuir.

Armée de son arme improvisée, Isabella fit volte-face, prête à affronter l'ours, ou le loup, qui en avait après elle. Sous la lumière du phare, elle ne vit rien d'autre qu'un tapis de feuilles inanimé. Seule sa respiration saccadée et tremblante couvrait le silence de la nuit. Mais elle ne comptait pas abandonner, ni se laisser surprendre par cette stupide bestiole.

Alan était du genre à fuir les problèmes. Elle était du genre à leur mettre une raclée.

— Viens par-là, petit, petit… appela-t-elle, comme si elle s'adressait à un yorkshire.

Mais il n'y avait plus rien. Plus un bruit. Plus un mouvement.

L'espace d'un instant, elle crut que l'animal avait fui, qu'elle était saine et sauve.

Mais soudain, une immense patte lui entoura le cou par sa droite. Elle sentit des griffes tranchantes s'enfoncer sous sa peau, et rapidement, un filet de sang chaud s'écoula au creux de son cou. Dans un réflexe dopé par l'énergie du désespoir, elle pivota sur elle-même et lança le bras en arrière pour asséner un coup violent à la bête. Mais de son autre longue patte puissante et poilue, celle-ci envoya valser la branche au loin telle une vulgaire brindille. À nouveau, Isabella fut ensorcelée par son regard terrifiant. Les yeux jaunes de la bête lui semblèrent s'enfoncer en elle, diffusant un souffle glacial jusqu'au plus profond de son être.

Le monstre resserra sa prise autour du cou de sa victime, et Isabella sentit ses griffes acérées s'enfoncer un peu plus dans sa peau, tranchant sa chair sans aucune difficulté. Le flux de sang accéléra encore, s'écoulant le long de ses bras. Dans un geste désespéré, elle tendit la main pour se saisir de la patte de la bête. Mais elle ne sentit que la tension de ses muscles puissants, dont l'unique objectif était de l'exécuter.

Elle était à court de solutions, à court d'idées. À court d'espoir.

— Pitié… souffla-t-elle.

Mais la bête n'avait aucune pitié.

Chapitre 2

— Salut, les gars !

La voix enjouée d'Alicia résonna aux oreilles de Connor comme une douce mélodie qui l'éveilla de sa torpeur matinale. La jeune femme pénétra dans les locaux de la Brigade des Affaires Paranormales de son habituelle démarche assurée. Un doux parfum de café l'accompagnait. Comme tous les lundis, elle avait fait une halte au *diner* pour y récupérer quatre gobelets de café encore fumant. Elle en déposa un sur le bureau de Will en lui adressant un sourire chaleureux, avant de s'avancer jusqu'à celui de Connor pour lui en tendre un à lui aussi.

Il la remercia d'un signe de tête en laissant son regard s'attarder sur les traits délicats de la jeune femme. Du haut de ses vingt-sept ans, elle avait des allures de poupée de cire. Sa chevelure blonde, qui retombait en mèches lisses le long de ses épaules, et ses pommettes saillantes la rendaient absolument ravissante. Pourtant, derrière son apparence si douce se cachait une femme coriace qui avait grandi entourée d'hommes et qui pratiquait le karaté depuis bientôt dix ans. En d'autres termes, pas le genre de femme à se laisser marcher sur les pieds par le sexe opposé.

— David est occupé ? demanda-t-elle à Connor en pointant le doigt vers la porte sur laquelle était apposée l'inscription DIRECTEUR en lettres dorées.

— Au téléphone, répondit Connor de sa voix rauque du matin.

— Je crois bien qu'une nouvelle affaire nous attend, compléta Will. Ça fait dix minutes qu'il est en ligne. S'il dépasse les cinq minutes, on sait tous que ce n'est pas sa nièce ou un ancien camarade de l'armée qui est au bout du fil.

Alicia et Connor hochèrent simultanément la tête d'un air entendu. David était un type adorable, mais il n'était pas du genre bavard. S'il pouvait réduire une conversation à son strict minimum, il le faisait. Une seule chose activait le moulin à paroles qui sommeillait en lui : le paranormal. C'était pour cette raison qu'il avait monté ce bureau cinq ans plus tôt. Sa passion pour les esprits et les créatures de l'ombre était devenue si dévorante qu'il avait décidé d'en faire son métier. D'abord vu comme un malade mental par les gens du coin, il s'était vite aperçu que la demande était forte en matière de surnaturel. Au bout d'un mois d'activité, il s'était retrouvé avec cinq affaires sur le dos. Il avait donc décidé de monter une équipe pour l'épauler. C'était ainsi que Connor et Will s'étaient retrouvés à travailler à la BAP. Alicia, rusée, diplomate et animée par la même passion que son patron, était arrivée deux ans plus tard au cours d'une étrange affaire de magasin d'électroménager hanté. Les garçons avaient passé trois mois à lutter contre le fantôme des lieux, alors qu'il avait suffi d'une semaine à Alicia pour le convaincre de passer dans l'au-delà. Elle était née pour ce boulot, ils le savaient tous. Tout comme ils étaient persuadés qu'elle finirait sûrement par prendre la tête du bureau un jour ou l'autre.

— Vous avez pu choper des infos ? demanda-t-elle en faisant un signe de tête vers le bureau du directeur.

— J'ai cru l'entendre prononcer les mots « attaque », « mort » et « loup-garou » à travers la porte, répondit Will avec un sourire en coin.

— Oh, un massacre bien sanglant comme on les aime, alors.

Alicia était vraiment guillerette en *toutes* circonstances.

Elle partit s'installer à son bureau, rangé de manière méthodique, contrairement à ceux de Will et Connor, sur lesquels une tempête semblait s'être abattue au cours du week-end. Les garçons aimaient dire qu'ils travaillaient dans un « bordel organisé ». À vrai dire, Connor aurait été incapable d'y retrouver le moindre stylo si on le lui demandait. Son organisation se résumait à : tout ce qui est en haut de la pile est important, le reste attendra plus tard. Will, en revanche, semblait réellement capable de s'y retrouver dans son bazar. Cet homme avait une mémoire de dingue, et savait exactement où il avait rangé quoi, même s'il n'y avait pas touché depuis des mois. En plus de ça, ses connaissances en matière de paranormal dépassaient presque celles de David. Certains jours calmes, il leur arrivait de se défier dans des quiz, et ils finissaient régulièrement ex-aequo.

Alors que Connor s'apprêtait à reprendre la rédaction du compte-rendu de leur dernière affaire, une sombre histoire d'ex-époux sorcier, la porte du bureau s'ouvrit sur la mine ravie du directeur. David, en plus de ne pas être un grand bavard, n'était pas non plus très souriant. Ce coup de fil devait *vraiment* lui avoir fait plaisir.

— On met les voiles, mes amis, annonça-t-il à ses trois employés en faisant un geste du bras.

Malgré le fait qu'il ait soufflé ses cinquante bougies le mois dernier, ce type conservait un dynamisme à toute épreuve, qu'il consacrait en grande partie à son travail. Il n'était pas du genre à passer le week-end allongé sur le canapé pour regarder des films débiles à la télé. Il préférait traverser le pays pour assister à une convention consacrée au paranormal ou dévorer des recueils de légendes urbaines ou des revues de parapsychologie à la bibliothèque.

— Qu'est-ce que tu nous as déniché, boss ? l'interrogea Will en portant son stylo à sa bouche, son éternel tic lorsque l'impatience le prenait.

— Il semblerait qu'une bête sauvage terrorise les habitants de Lewistown dans le Montana.

— Le Montana ? J'adore ce coin, réagit Will, des étoiles dans les yeux.

— Mais les bêtes sauvages, ce n'est pas plutôt du ressort de la protection animale ? répliqua Alicia.

— Pas quand la bête sauvage a des griffes aussi énormes qu'un couteau de boucher et se balade aussi bien dans les arbres qu'au sol.

— Un loup-garou, alors ? proposa Will avec un sourire de plus en plus large.

— Probablement. Ça collerait avec le fait que la dernière attaque a eu lieu samedi dernier.

David n'eut pas besoin de préciser qu'il s'agissait d'une nuit de pleine lune. Toute l'équipe connaissait le calendrier lunaire sur le bout des doigts. C'était un prérequis pour travailler dans ce milieu. Les gens n'imaginaient pas à quel point le cycle lunaire pouvait influencer toutes sortes de créatures meurtrières.

— On décolle quand ? demanda Connor, d'une voix beaucoup plus posée que celle de Will.

— D'ici une heure. Finissez vos cafés, préparez le camion et on prend la route. On a un trajet de dix heures qui nous attend.

— À ce propos… démarra Alicia en se levant vers son patron pour lui tendre le dernier gobelet de café. Est-ce que tu penses qu'on sera rentrés pour vendredi ?

David fronça les sourcils face à sa question. Il fallait dire que leur métier impliquait énormément de déplacements à travers le pays. Leur bureau avait beau être installé à Denver dans le Colorado, il n'était pas rare qu'ils doivent prendre l'avion pour se rendre sur la Côte Est du pays, voire au Canada. C'était l'inconvénient d'être l'équipe de détectives privés la plus reconnue du pays en matière de paranormal.

— C'est que… reprit Alicia d'une voix gênée. Je me marie le mois prochain, tu sais bien. Et je fais l'essayage de ma robe vendredi après-midi.

— Tu peux rester ici si tu préfères, lui répondit David avec toute la bienveillance qu'il pouvait dégager, malgré sa voix rauque.

— Non, non, j'ai vraiment envie de venir. C'est juste que… Philip va me détester si je loupe encore un autre rendez-vous. J'ai déjà manqué la visite de la salle de réception et la rencontre avec le traiteur.

— Écoute, Alicia… Je ne tiens pas à ce qu'il te largue par ma faute. Si jamais l'enquête s'éternise, tu pourras prendre le premier vol vendredi matin et être à l'heure pour ton rendez-vous. Ça te va ?

Du coin de l'œil, Connor repéra immédiatement le soulagement dans les yeux bleu azur d'Alicia.

— Ce serait parfait. Merci beaucoup, David.

Elle s'apprêta à le prendre dans ses bras, mais se ravisa rapidement en se rappelant que leur directeur n'était vraiment pas du genre à apprécier les gestes d'affection.

— Si personne n'a d'autre demande à me formuler, je retourne m'enfermer dans mon bureau. Ce foutu coup de fil m'a interrompu dans ma lecture du journal.

Il se retourna vers la porte de son bureau. Dos à ses employés, il ajouta :

— Merci pour le café, Alicia.

Puis il referma la porte derrière lui. Il ne ressortirait probablement pas de la pièce avant leur départ. Le trio appelait le bureau *L'antre de David*. Il pouvait passer certaines journées sans en sortir une seule fois. Un véritable loup solitaire.

— Alors, le grand jour approche ?

La voix de Will brisa le silence dans la pièce.

— Vingt-sept jours… et quatre heures, lui répondit Alicia.

Alicia et Philip s'étaient rencontrés deux ans plus tôt dans le cadre d'une enquête. Philip avait été témoin de l'apparition d'une banshee sur un chantier où il travaillait comme charpentier. Ils s'étaient recroisés quelques semaines plus tard dans un bar où ils avaient tous deux leurs habitudes, et ils avaient fini par passer leur soirée ensemble au comptoir. Puis en boîte. Puis dans le lit d'Alicia.

Depuis, ils filaient le parfait amour. Connor évitait de discuter de ce sujet-là avec Alicia, étant donné que… eh bien, ils avaient eu une vague aventure d'un mois quelques années plus tôt. Ça n'avait rien de gênant, évidemment. Connor ne voulait juste pas… s'immiscer, et mettre Alicia mal à l'aise. Rien de plus.

— Stressée ?

Will, en revanche, n'avait aucun problème à mettre les deux pieds dans le plat.

— Un peu, répondit Alicia. Comme tout le monde, j'imagine. C'est beaucoup d'organisation, une tonne de dépenses… et du stress. *Beaucoup* de stress. C'est étrange comme sensation. J'appréhende d'y être, mais j'ai vraiment hâte que ce soit fait.

Will hocha la tête, son crayon toujours coincé entre ses doigts, ses lunettes de lecture remontées sur sa tignasse brune ondulante. Il avait des allures de psychologue lorsqu'il prenait cette pose, accoudé sur son bureau, scrutant son interlocuteur du regard. Will était l'oreille attentive de la BAP. Il sentait immédiatement quand quelque chose n'allait pas chez l'un d'entre eux, et il parvenait sans difficulté à les pousser à la confidence. De ce fait, il était au courant de la courte histoire d'amour entre Connor et Alicia, et avait même joué les médiateurs pour éviter que leur rupture ne détruise leur relation de travail. Bien plus qu'un simple collègue, Will était un ami aux yeux de Connor. Probablement son meilleur ami.

— J'imagine que c'est normal de ressentir ça, reprit-il en retirant sa paire de lunettes pour la déposer sur son bureau. C'est un jour important… et un engagement considérable.

En plus d'être à l'écoute de ses amis, Will savait toujours trouver les mots justes pour les rassurer. De toute l'équipe, il était le plus doué pour les interactions sociales, alors que Connor était plutôt du genre mystérieux et solitaire, et qu'Alicia faisait beaucoup trop facilement confiance aux autres. Ça lui avait d'ailleurs valu quelques déconvenues par le passé. Quant à David… c'était David. Plus il pouvait éviter les relations sociales, mieux il se portait. Seuls ses employés semblaient faire exception à cette règle d'or, certainement parce qu'ils aimaient autant que lui discuter de faits divers étranges et de légendes urbaines angoissantes.

— Je vais charger Christine, indiqua Connor, aussi bien pour être prêt à temps que pour écourter cette discussion.

Christine était le pick-up de l'équipe. Une vieille épave qui aurait dû rendre l'âme depuis bien longtemps, mais qui continuait de les transporter à travers tout le pays sans montrer de signes de faiblesse. Elle avait appartenu personnellement à David, avant qu'il achète une plus petite voiture pour ses déplacements personnels et qu'il confie le pick-up qu'il aimait tant à la brigade.

Connor se leva d'un bond et s'avança vers la sortie de son éternelle démarche nonchalante. Ce voyage dans le Montana aurait au moins le mérite de leur faire parler d'autre chose que de la future union d'Alicia avec Philip.

Et puis, quoi de mieux qu'un loup-garou pour se changer les idées ?

Chapitre 3

— Les victimes se nomment Alan Taylor et Isabella Douglas, expliqua David en parcourant ses notes. Tous deux âgés de vingt-deux ans. Ils passaient le week-end dans le Montana pour fêter leurs deux ans de relation. Malheureusement, tout ne s'est pas passé comme prévu. Après une sortie de route au beau milieu de nulle part, ils se sont visiblement fait attaquer par notre créature. Le corps d'Isabella a été retrouvé à quelques mètres du véhicule. Visiblement, ce n'était vraiment pas beau à voir. Celui d'Alan reste toujours introuvable, malgré une battue dans la zone hier. Sa famille a envie de croire qu'il est encore en vie, mais selon le shérif adjoint Sheperd, notre interlocuteur sur place, la quantité de sang retrouvée sur les lieux ne laisse planer aucun doute. Alan Taylor est bien mort.

Au volant de la voiture, Will hochait la tête en écoutant attentivement son voisin de droite. Alicia et Connor avaient tendance à négliger ce genre de briefing et à n'en retenir qu'une quantité infime d'informations. Will, en tant qu'expert en mythologie urbaine, voyait les choses différemment. Selon lui, la théorie était le socle de la vérité. L'histoire des victimes, les témoignages ou l'expérience des témoins sur place étaient tout aussi importants pour résoudre l'affaire que les indices ou les prélèvements.

Rien que dans ces bribes d'informations énoncées par David, il avait déjà repéré quelques détails intéressants.

— Est-ce qu'on sait ce qui a causé la sortie de route ?

À l'arrière du véhicule, Connor et Alicia étaient déjà passés à autre chose. Alicia avait sorti son téléphone, certainement pour reprendre les préparatifs de son mariage à venir, et Connor se contentait de fixer le paysage d'un air mystérieux car c'était Connor.

— Les experts automobiles appelés sur place… c'est-à-dire les garagistes du coin, n'ont repéré aucun problème technique pouvant expliquer la sortie de route. Il leur semble donc très probable qu'ils aient tenté d'éviter un animal.

— Peut-être notre créature alors, supposa Will.

« Créature » était le nom générique qu'ils donnaient au fauteur de troubles tant qu'ils n'avaient pas déterminé avec certitude sa nature. Certes, dans cette affaire, tout portait à croire qu'il s'agissait d'un loup-garou, mais les apparences pouvaient être trompeuses. Surtout en matière de paranormal. De nombreuses espèces surnaturelles peuplaient les États-Unis. Certaines étaient entrées dans la légende, comme le Bigfoot ou le Chupacabra, tandis que d'autres demeuraient totalement inconnues des néophytes.

— C'est une possibilité, oui.

— Si elle leur a barré la route, on peut penser que notre créature savait ce qu'elle faisait. Elle aurait donc encore des capacités de réflexion élevées, même lorsqu'elle est au stade animal.

— Ce qui correspond à un loup-garou, en déduisit David.

— Effectivement.

Will s'engagea sur la bretelle d'accès à la voie rapide. Comme d'habitude, il avait un mal fou à passer la quatrième sur ce vieux levier de vitesse rouillé. Contrairement au FBI ou à la CIA, la BAP n'avait rien d'une grande institution gouvernementale, puisqu'elle n'était ni grande ni gouvernementale. S'il fallait la comparer à une autre organisation célèbre, il valait mieux regarder du côté du Scooby-gang. Une petite équipe sans le sou qui voyageait dans un vieux pick-up rouge cabossé pour chasser les créatures surnaturelles. Il ne leur manquait que le chien qui parle pour être au complet. Un instant, Will imagina rallier le loup-garou du Montana à leur cause et mener les prochaines enquêtes affublé d'un collègue à quatre pattes. Cette idée saugrenue disparut vite de son esprit lorsqu'il se fit klaxonner par un camion qui n'appréciait visiblement pas que leur véhicule mette autant de temps à atteindre les cent kilomètres à l'heure. Finalement, le routier les doubla en leur adressant un geste obscène, auquel Connor répondit par un signe tout aussi chaleureux.

— Gros con, marmonna-t-il depuis le siège arrière.

Cette remarque fit sourire Will. Derrière sa carapace d'éternel râleur, le brun ténébreux à la chevelure plaquée en arrière digne d'une comédie musicale des années cinquante cachait un grand cœur. Si qui que ce soit osait s'attaquer à un membre de son équipe, il sortait immédiatement les crocs. Lorsqu'ils étaient arrivés à la BAP cinq ans auparavant, Will était un jeune homme de vingt-trois ans extrêmement timide et renfermé. Il passait le plus clair de son temps devant son ordinateur à jouer à des jeux en ligne ou à animer d'obscurs forums consacrés à l'étude du paranormal et des affaires criminelles non résolues. Toute sa vie sociale se faisait à travers un écran. Alors, il s'était montré un peu rouillé. Et ça, Connor l'avait immédiatement remarqué. Il avait tenté de le mettre à l'aise, de ne pas juger ses silences embarrassants, ou de ne pas trop le brusquer. Will lui en avait toujours été reconnaissant. Même lorsque Connor avait tenté de lui faire du charme et que Will lui avait révélé son asexualité, son collègue et ami ne l'avait pas jugé ou ne s'était pas offusqué de cette réponse. Will cherchait une relation platonique dépourvue d'érotisme. Connor cherchait seulement à s'envoyer en l'air. Ils n'étaient pas compatibles. Fin de l'histoire. Depuis, leur relation amicale s'en était d'ailleurs grandement renforcée.

Dans le rétroviseur, Will adressa un sourire amusé à son ami. Celui-ci lui répondit par un clin d'œil discret.

— Et le shérif adjoint Sheperd, que sait-on de lui ? reprit Will, une fois l'incident du camionneur définitivement clos. Son rapport au paranormal ? Ses convictions ?

Travailler dans le paranormal, ce n'était pas si différent que d'avoir une identité de genre ou une orientation sexuelle qui sortait de la norme. Il fallait y aller à tâtons au départ, afin de chercher à connaître l'opinion de son interlocuteur sur la question. Qu'il s'agisse d'un homophobe assumé ou d'un agnostique convaincu, il valait mieux le savoir en avance pour éviter quelques déconvenues.

— Sheperd ne nous posera pas de problèmes. Il a déjà eu affaire à des fantômes dans sa jeunesse, il est donc plutôt enclin à croire au paranormal. Je serais plus méfiant envers le shérif. Un certain Peterson. Un vieux de la vieille qui ne semble visiblement pas très heureux de notre arrivée. Selon lui, notre petit couple aurait été attaqué par un lynx ou un loup. Rien d'autre.

Will grimaça. Un collaborateur récalcitrant, c'était un peu comme un oncle raciste à un repas de famille. Vous pouviez l'ignorer autant que possible, il n'avait de cesse de vous rabâcher ses croyances rétrogrades.

— Je vais faire des recherches à propos de ce shérif quand on fera une pause, intervint Alicia, levant enfin les yeux de son téléphone.

En plus d'être une détective talentueuse, Alicia était douée pour la pêche aux informations. Il leur arrivait régulièrement de passer au peigne fin l'historique de ce genre d'alliés. Car qui représentait un meilleur suspect que le type qui s'obstinait à mettre des bâtons dans les roues des enquêteurs ?

— Pas de pause, leur annonça David d'une voix mêlant une pointe de gêne et un concentré d'autorité.

— Quoi ? réagit rapidement Connor. Dix heures de trajet sans pause ?

— On s'arrêtera pour changer de conducteur et pour prendre des burgers, mais c'est tout. Il faut à tout prix qu'on y soit ce soir. La police locale est sur les dents, nous devons calmer le jeu le plus vite possible.

— On a beau enquêter sur le paranormal, on n'est pas non plus des magiciens, répliqua Connor. Pourquoi tu ne leur as pas dit qu'on n'allait pas pouvoir accomplir de miracle ?

— À cause du chèque qu'ils m'ont promis.

La réponse de David fit mouche. Connor se contenta de hocher lentement la tête avant de reprendre sa contemplation du paysage. Même si c'étaient surtout David et Will qui se chargeaient de la trésorerie de la brigade, ce n'était un secret pour aucun d'eux qu'elle était régulièrement au bord de la faillite. Chasser les créatures surnaturelles n'avait rien d'une activité abordable. Il fallait constamment se procurer du matériel dernier cri, ou remplacer celui qui avait été mis hors service par une créature hostile, voyager d'un bout à l'autre du pays, sans compter la location de leurs locaux et toutes les autres dépenses annexes. La BAP était sur la brèche, et tout le monde savait qu'ils ne pouvaient pas se permettre de refuser un chèque avec plus de trois zéros à la fin, même si cela nécessitait quelques sacrifices de leur part.

— Tu te sens de conduire encore une heure ou deux ? demanda David à son voisin de gauche.

Will hocha la tête. Il adorait faire de la route. Et puis, il devait bien avouer qu'entre Connor qui manquait de s'endormir à chaque fois qu'il prenait le volant, et Alicia qui ne se souciait jamais de respecter les limitations de vitesse, il préférait garder les commandes le plus longtemps possible.

— Ça va le faire, répondit-il en adressant un sourire à David.

Chapitre 4

Il était vingt-deux heures passées quand Alicia referma enfin la portière du pick-up derrière elle. Ses jambes étaient en compote, tout comme son dos, et elle rêvait de prendre un bon bain pour détendre tous les muscles de son corps. Mais, à en juger par le vieux motel miteux digne du film *Psychose* dans lequel David leur avait réservé des chambres, elle ne risquait pas d'avoir accès à une baignoire ce soir. Peut-être même pas à de l'eau chaude.

Le parking était désert. En plus de l'énorme pancarte du *Red Motel* qui trônait sur le bord de la route, un néon rouge clignotait au-dessus de l'entrée, leur souhaitant la « Bienvenue », ou plutôt la « Benvene », puisque le i et le u n'émettaient plus aucune lumière. De chaque côté de la cabine d'accueil, les chambres sans âme aux façades brunes décrépies s'alignaient, totalement semblables les unes aux autres. Après avoir fait craquer sa nuque de chaque côté, David se dirigea directement vers l'accueil pour y récupérer les clés.

Connor contourna la voiture pour contempler les lieux à côté de sa collègue.

— Je vois que David nous a encore installés dans un palace, remarqua-t-il avec un sarcasme palpable.

— Tu connais sa philosophie…

— *Mieux vaut dormir sur un matelas pourri que perdre son boulot*, lancèrent-ils en chœur.

— Tu veux que je t'aide à décharger tes... démarra Connor, avant d'être interrompu par la sonnerie du téléphone d'Alicia.

Dust In The Wind. C'était la chanson qu'elle avait attribuée à Philip. La chanson préférée de la jeune femme, que son fiancé avait interprétée au karaoké lors de leur troisième rendez-vous. C'était ce soir-là qu'elle était définitivement tombée sous son charme. Ce n'étaient pas ses prouesses vocales qui l'avaient séduite, puisqu'il chantait comme une casserole. Mais il avait su la faire rire et profiter de l'instant, ce qui était assez incroyable pour une femme aussi sérieuse et disciplinée qu'Alicia.

— Désolée, lança-t-elle à son ami en faisant la moue.

Elle fit quelques pas avant de sortir le téléphone de sa poche pour décrocher.

— Oui, mon chéri ? lança-t-elle d'une voix fatiguée.

— Tu es bien arrivée ? lui demanda Philip.

— On vient tout juste de se garer au motel. David est parti chercher les clés des chambres.

— Très bien, lui répondit son fiancé d'une voix sèche.

Alicia ne connaissait que trop bien ce petit ton. Il ne pouvait signifier qu'une chose : il lui en voulait. Toutefois, elle ne savait absolument pas pourquoi.

— Quelque chose ne va pas ? l'interrogea-t-elle d'une petite voix innocente.

— Non, non. C'est juste que...

Et c'est parti.

— Juste que... ? l'encouragea-t-elle à poursuivre, malgré son envie folle de raccrocher pour éviter tout conflit.

— Le loueur de la salle de réception m'a appelé. Il m'a dit qu'il n'avait jamais reçu le chèque de caution que tu devais lui envoyer la semaine dernière.

Eh merde.

Alicia se sentit rougir et commença à frotter la paume de sa main gauche contre sa hanche.

— Je… je suis désolée, mon chéri. Je n'ai pas eu une seconde à moi, avec cette affaire de chien possédé, et puis j'avais accumulé du retard dans les comptes-rendus. Ça m'est complètement sorti de la tête.

La détective entendit un soupir presque imperceptible de l'autre côté de la ligne. Elle avait merdé, elle le savait. Elle savait aussi que ses justifications ne feraient qu'agacer encore plus Philip, mais elle ne pouvait pas s'empêcher de s'expliquer. Son travail représentait une grande partie de sa vie, il l'avait toujours su et ne lui avait jamais reproché cette passion dévorante. Pourtant, à l'approche de leur mariage, cela semblait représenter une source de tension grandissante au sein de leur couple.

— Je m'en occuperai demain, lui annonça-t-il finalement d'une voix lasse. Repose-toi bien, et passe le bonjour au reste de l'équipe.

— Merci beaucoup. Je t'…

Il avait déjà raccroché.

Alicia rangea son téléphone dans sa poche, partagée entre colère et culpabilité. Elle avait le sentiment que Philip attendait de plus en plus d'investissement de sa part, alors que de son côté, elle se sentait de moins en moins capable de lui offrir cela. Elle se retourna vers le motel, désireuse de se mettre au travail pour oublier cette conversation et toutes les sensations désagréables qu'elle avait éveillées en elle.

Elle s'arrêta net en découvrant Connor qui l'attendait à quelques mètres de là, dans la nuit noire et silencieuse.

— Tu as tout entendu, pas vrai ? lui demanda-t-elle.

— Ça résonne pas mal par ici, tenta-t-il de se justifier avec un sourire gêné, avant de finalement reprendre un air sérieux. Ça va aller ?

— Moi ou mon couple ?

— Les deux.

— On verra bien, répondit-elle laconiquement. En attendant, j'ai du boulot qui m'attend. Dis-moi que tu as au moins récupéré la clé de ma chambre avant de laisser traîner tes oreilles par ici ?

Il sortit une clé de sa poche arrière, accrochée à une petite lanière de cuir sur laquelle était inscrit le nombre 23. Il la lui tendit en disant :

— C'est pour ça que je venais te voir à la base.

Elle attrapa la clé en lui adressant un sourire reconnaissant. Même s'il lui arrivait d'avoir une attitude assez étrange quand il s'agissait de la vie sentimentale d'Alicia, Connor ne s'était jamais montré mal intentionné envers elle. Au contraire, il avait toujours été prévenant à son égard. Depuis leur brève histoire quelques années plus tôt, il s'était comporté comme un grand frère avec elle. Toujours très protecteur et soucieux de son bonheur, il était un vrai gentleman. C'était une facette qu'il n'avait d'ailleurs dévoilé qu'après leur rupture. Peut-être se cachait-il derrière des artifices pour séduire ses conquêtes. Que ce soit le cas ou non, Alicia préférait amplement le

Connor qu'elle avait découvert lorsqu'ils avaient décidé de n'être que des amis.

— Merci beaucoup, lui dit-elle en désignant la clé. Je serais bien restée discuter, mais il faut vraiment que je me mette au travail. Et que je dorme. Une grosse journée nous attend demain.

— Tu as raison, je vais faire pareil. Le connaissant, David risque de tous nous réveiller à cinq heures du matin.

La remarque de son collègue fit sourire Alicia. Elle passa devant lui en lui caressant délicatement l'avant-bras. Elle eut l'impression qu'il en eut la chair de poule. Mais c'était sûrement son imagination.

— Bonne nuit, Connor.

— Bonne nuit, Alicia.

* *

Il n'y avait effectivement pas de baignoire dans la chambre d'Alicia. Ni grand-chose d'autre, d'ailleurs : un lit queen-size au sommier creusé au milieu, un néon poussiéreux au plafond et une lampe de chevet à peine plus puissante qu'une veilleuse. Dans la salle d'eau, une minuscule douche côtoyait des toilettes à la propreté discutable et un lavabo qui dégageait une légère odeur de canalisations. Le strict minimum. Peut-être même moins que ça. Heureusement, le radiateur fonctionnait. Elle l'avait donc mis à fond avant d'aller prendre sa douche, profitant de la chaleur apaisante lorsqu'elle vint s'installer sur le lit, vêtue de son fin peignoir bleu.

Elle sortit son ordinateur de la pochette posée au pied du lit, et mit quelques minutes avant de trouver le code du Wifi.

Après avoir réussi à se connecter au réseau, dont le signal était affreusement faible, elle se mit au travail.

Sa mission de la soirée : recueillir un maximum d'informations sur ce shérif Peterson qui risquait de les gêner dans leur travail dès le lendemain. Une rapide recherche Google lui suffit pour découvrir les fondamentaux. Le shérif Jeffrey Peterson Junior, âgé de cinquante-trois ans, occupait son poste depuis dix-huit ans après avoir été adjoint pendant six ans. Il avait grandi à Lewistown et n'en était jamais parti. Marié à une certaine Catherine, épicière en centre-ville, il était l'un des piliers de sa communauté, actif aussi bien auprès de la municipalité que de l'équipe de baseball du coin.

La pire situation possible pour la BAP. Cet homme faisait la pluie et le beau temps à Lewistown. S'il décrétait qu'il n'aimait pas David et son équipe, cela n'allait clairement pas leur faciliter la tâche. Il fallait donc parvenir à charmer ce cher Jeff.

Alicia creusa encore, interrogeant les bases de données de la police, fouillant sur les réseaux sociaux du shérif et ceux de ses proches. Elle y trouva des informations intéressantes et potentiellement utiles. Peterson était fan de bon vieux rock. Il vénérait notamment *The Eagles* qu'il avait vus au moins trois fois en concert, à en croire les multiples photos qu'il avait postées sur Facebook. Il avait un penchant pour la chasse et les barbecues, qu'il partageait avec un fidèle groupe d'amis. Que des hommes bedonnants, une bière à la main sur toutes les photos qu'elle dénichait. Son casier judiciaire était irréprochable, à l'exception d'une amende pour excès de vitesse trois ans plus tôt, qu'il était parvenu à faire disparaître grâce à ses contacts. Mais quel policier ne le faisait pas, après tout ?

Au final, ce type avait tout du cliché du shérif de province. Chasseur du dimanche, viandard, investi dans sa communauté et doté de valeurs visiblement bien ancrées. Il s'était même fait tatouer *Protect and Serve* sur le bras gauche. Rien de tout ça n'était réellement utile pour Alicia, sauf si elle débarquait au poste le lendemain avec une entrecôte grillée sous le coude et une casquette de police sur la tête.

Désespérée par ses recherches infructueuses, elle décida de se pencher sur l'histoire paranormale du Montana. Elle connaissait désormais par cœur les sites spécialisés sur la question, qu'il s'agisse de forums remplis de témoignages plus ou moins vraisemblables ou bien de sites bien plus sérieux répertoriant les faits divers d'origine mystique.

Après quelques minutes de recherche, elle atterrit sur une page particulièrement intéressante.

— Bingo, dit-elle en se redressant, un large sourire sur le visage.

L'article qu'elle venait de dénicher datait d'avril 2003. Il était intitulé : *Des loups-garous dans la région de Roundup ?* Cette ville de moins de deux mille habitants n'était située qu'à une heure de route de Lewistown. Près de vingt ans plus tôt, elle avait semble-t-il été le cadre d'une mystérieuse affaire de disparitions inquiétantes. Les disparus, ou plutôt ce qu'il en restait, avaient tous été retrouvés au bout de quelques jours dans des états affreux. Certains étaient démembrés, d'autres éventrés, mais tous avaient été sauvagement tués. Les ours avaient d'abord été suspectés, avant qu'une empreinte contradictoire soit découverte sur les lieux d'une nouvelle disparition. Certains experts du surnaturel avaient dès lors suspecté la présence de loups-garous dans la région. Les attaques avaient mystérieusement pris fin au bout de trois mois, et les choses étaient depuis revenues à la normale. Peut-être que la personne responsable de ces tueries avait mis fin à ces jours, ou peut-être avait-elle trouvé un moyen de se contrôler les nuits de pleine lune. La dernière hypothèse était qu'elle s'était retranchée dans les bois, comme le faisaient régulièrement les lycanthropes. Était-il possible que, pour une raison ou pour une autre, le tueur soit récemment revenu à la civilisation ?

Alicia trépignait sur son lit, prête à passer les prochaines heures sur Internet en quête d'ermites revenus vivre dans les environs ces derniers mois. Mais un coup d'œil à son réveil calma ses ardeurs. Il était déjà minuit passée. Comme l'avait fait remarquer Connor un peu plus tôt, il y avait de gros risques pour que David vienne les réveiller à cinq heures tapantes. Il fallait qu'elle aille se coucher si elle voulait être efficace dans son travail le lendemain. Une grosse journée les attendait certainement.

Elle referma à contrecœur son ordinateur portable et le posa au pied du lit, avant de retirer son peignoir pour se glisser sous les draps. La fraîcheur du coton contre sa peau la fit frissonner, mais très vite, elle oublia cette déconvenue pour se laisser aller à toutes sortes de théories sur leur affaire du lendemain. Et si le shérif était leur loup-garou ? Et si la créature était revenue ici dans un but précis ? Pour se venger, peut-être ? Et s'ils n'avaient pas affaire à un loup-garou, mais à tout autre chose ?

Les questions bouillonnaient dans sa tête, et elle était impatiente de découvrir le fin mot de l'histoire. C'était ce qu'elle aimait le plus dans son métier : la quête de réponses. Ces quelques jours où tout pouvait arriver, où rien n'était certain.

Elle s'endormit en continuant de réfléchir à tous ces mystères qui ne demandaient qu'à être éclaircis. Elle ne pensa pas un seul instant à Philip et à ses histoires de loueur de salle.

Le loup-garou était bien plus intéressant.

Chapitre 5

Connor avait eu tort lorsqu'il avait affirmé que David viendrait tous les réveiller à cinq heures du matin. Leur patron avait eu la politesse d'attendre cinq heures et demie.

C'était donc dans un état de somnolence tenace qu'il quitta le brouillard matinal de la rue déserte pour entrer dans le poste de police de Lewistown en compagnie du reste de l'équipe. C'était une petite caserne en briques rouges dressée sur un seul niveau, partagée avec les pompiers de la ville. Rien d'aussi luxueux que ce dont l'équipe avait l'habitude dans une ville comme Denver, mais la peinture blanche du hall semblait avoir été refaite dernièrement, cachant quelque peu l'état vieillissant des locaux. Les néons au plafond scintillaient d'une lumière bien trop agressive pour les yeux encore endormis du détective.

Dans l'entrée, un bureau vide, sur lequel était posée une petite pancarte RÉCEPTION, dont les lettres en relief étaient encerclées de poussière, fut leur seul comité d'accueil. David jeta un coup d'œil de chaque côté, mais il n'y avait pas âme qui vive dans le petit espace. Finalement, une porte s'ouvrit derrière le bureau, et un homme la franchit. Et quel homme !

Salut, toi !

Les yeux de Connor s'ouvrirent en grand, et un sourire s'invita sur son visage lorsque l'agent de police croisa son regard. Sheperd était *sexy* ! Sa mâchoire carrée et ses larges épaules, mises en valeur par son uniforme parfaitement taillé, lui donnaient des allures de garde du corps. À côté de ça, ses pommettes saillantes, son regard ambré pétillant et son épaisse chevelure blonde mal peignée le faisaient presque passer pour un jeune homme innocent. En d'autres termes, c'était totalement le type d'homme de Connor.

— Bonjour à tous, les salua le beau policier d'une voix rauque et puissante qui fit un peu plus craquer le détective. Désolé du retard, c'est un peu la course, ce matin.

— Bonjour, shérif adjoint Sheperd, s'élança Connor sans laisser le temps à son patron de démarrer les présentations. Je suis le détective Connor Danton. Voici mon responsable, David Tanner. Et ici, ce sont Alicia et Will, mes collaborateurs.

Il tendit le bras vers le policier, qui lui répondit par une poignée de main ferme et assurée.

Ouais, totalement mon genre.

— Ravi de vous recevoir, dit-il à l'équipe en hochant poliment la tête. Vous pouvez m'appeler Tom, c'est comme ça que la plupart des gens ici m'appellent.

— Enchanté, Tom.

Le sourire de Connor s'élargit un peu plus, mais l'adjoint ne le remarqua pas, trop occupé à serrer les mains des autres membres de l'équipe.

— C'est un soulagement de vous voir, reprit Tom, une fois les formalités terminées. Depuis ce week-end, toute la ville est sous tension. Il faut vraiment qu'on tire cette affaire au clair, et vous êtes en quelque sorte notre dernier recours.

David et ses employés échangèrent un regard entendu. Le « dernier recours », c'était une expression qui revenait souvent lorsque les autorités faisaient appel à eux. En termes d'investigation, la BAP se trouvait tout en bas de l'échelle alimentaire, sous les mentalistes et autres médiums en tous genres. Quand certains policiers se moquaient ouvertement d'eux, d'autres se montraient simplement méfiants à leur égard. Parfois même les deux. Leurs relations avec les autorités n'étaient donc pas toujours des plus cordiales, et aux vues des informations qu'Alicia avait communiquées à l'équipe concernant le shérif du coin, Connor était certain que Lewistown n'allait pas faire exception à la règle.

Tom ne sembla pas remarquer l'échange de regards qui se jouait face à lui puisqu'il fit simplement volte-face en indiquant :

— Si vous voulez bien me suivre.

L'équipe lui emboîta le pas dans un long couloir qui menait, d'un côté, vers la caserne des pompiers, où étaient stockés tous les véhicules, visibles derrière de larges vitres, et, de l'autre, vers des bureaux. Tom s'arrêta devant la porte de l'un d'eux, sortant un trousseau de clés de la poche de son pantalon pour la déverrouiller.

Visiblement impatient de se mettre au travail, le shérif adjoint les invita à s'installer autour de la table en bois laqué à l'intérieur de la petite salle de réunion, et s'avança vers un classeur à tiroirs dans le fond de la pièce. Un dossier était posé dessus, et le policier s'en saisit, avant de reprendre la parole de sa voix aussi éraillée que mélodieuse :

— Je vous ai déjà donné les détails de l'attaque de samedi soir au téléphone, mais vous n'êtes pas sans savoir que nous avons essuyé deux autres événements du même type au cours des trois derniers mois.

Il leur tendit à chacun une dizaine de feuilles reliées par un trombone. Il était visiblement très méthodique dans son travail.

Est-il capable d'un peu plus de folie dans sa vie intime ?

Connor secoua discrètement la tête, tentant de balayer ses idées salaces pour se concentrer sur l'enquête. Il aurait largement le temps de draguer le beau flic après sa journée de travail. Il devait bien y avoir un bar dans ce trou paumé. Après quelques verres, Connor était certain que le shérif adjoint parviendrait à se décoincer.

Loin de se douter des images qui traversaient l'esprit du détective, Tom s'installa face à ses invités avant de reprendre son compte-rendu :

— La première attaque a eu lieu fin août. Deux adolescents qui s'étaient retrouvés au bord du lac pour se siffler quelques bières loin de leurs parents. Nous n'avons jamais retrouvé la tête du premier ni ses entrailles, et le deuxième avait perdu tous ses membres sauf le bras gauche.

Connor eut la mauvaise idée de tourner la première page du dossier pour illustrer les propos de l'agent. Plusieurs photographies des deux corps lacérés remplissaient la feuille suivante, que Connor s'empressa de recouvrir. Il n'avait aucune envie de vomir son café du matin devant le beau flic, surtout s'il tenait à conserver l'espoir de le ramener dans son lit avant la fin de l'enquête.

— La seconde attaque s'est déroulée il y a trois semaines, le soir d'Halloween. Un peu cliché, si vous voulez mon avis.

Connor poussa un ricanement prononcé pour soutenir la tentative d'humour de leur interlocuteur. Malheureusement pour lui, tous les autres restèrent de marbre, même Tom, qui le dévisagea d'un air embarrassé. Face au silence qui s'installa dans la pièce, Connor se racla la gorge en lançant d'une voix assurée :

— Je vous en prie, poursuivez.

— Merci beaucoup, détective Danton.

Le remerciait-il pour le soutien qu'il avait apporté à sa blague ratée ou pour lui avoir rendu la parole ? Dans les deux cas, Connor adorait la manière dont ce « détective Danton » résonnait sur la langue de Tom.

Peut-être qu'il l'appellerait aussi comme ça lorsqu'ils seraient tous les deux nus dans sa chambre au motel.

— Donc… le soir d'Halloween, reprit le policier. Deux jeunes femmes âgées de vingt-quatre et vingt-huit ans. Elles n'étaient pas du coin. Elles revenaient d'une soirée chez une amie à elles qui s'est installée en ville il y a quelques mois. Elles rentraient à pied jusqu'au Red Motel, mais ne sont jamais arrivées à destination. On a retrouvé leurs corps deux jours plus tard dans les bois, leurs entrailles vidées et la plupart de leurs membres arrachés. La ressemblance entre l'état des corps dans chaque affaire était vraiment troublante, ce qui nous a conduits à établir un lien entre elles.

Cette fois, Connor ne rouvrit pas le dossier et se contenta de croire le shérif adjoint sur parole.

— Les deux adolescents tués lors de la première attaque étaient-ils de la région ? l'interrogea Will sans lever les yeux du dossier qu'il consultait attentivement.

Visiblement, il n'était pas gêné par les illustrations qui se trouvaient à l'intérieur. Derrière ses lunettes à large monture noire, il disséquait chacune des photos avec intérêt, hochant la tête en lisant les légendes sous chaque cliché.

— Nés et élevés à Lewistown, lui répondit Tom. Ils étaient scolarisés au lycée de la ville. Des élèves assez discrets, pas forcément les plus populaires, mais tous les ados du coin ont été bouleversés d'apprendre leur mort à quelques jours de la rentrée. Pourquoi cette question ?

Will leva enfin les yeux du dossier, adressant son regard le plus sérieux à l'adjoint.

— Aucune des autres victimes ne vivait à Lewistown. Les deux jeunes femmes d'Halloween étaient ici pour une soirée, et le couple de ce week-end n'avait même pas prévu de s'arrêter. Si notre créature est bien un habitant de la région, il semble avoir une préférence pour les personnes extérieures. À l'exception des deux adolescents, visiblement.

Tom lui lança un regard qui dégageait autant d'admiration que d'incompréhension.

— Vous êtes en train de me dire que le responsable de tous ces massacres pourrait être un *habitant* de la ville ? Impossible. C'est une petite bourgade ici, tout le monde se connaît. Et je peux vous assurer que personne n'est capable de commettre des horreurs pareilles.

Il balaya l'hypothèse d'un revers de main en secouant la tête. Ça aussi, c'était une réaction typique lorsqu'ils débutaient une enquête. Les gens étaient enclins à croire au paranormal quand il allait dans le sens de ce qu'ils voulaient entendre. Mais dès l'instant où l'un des membres de la BAP mettait en avant une théorie qui ne leur convenait pas, ils se braquaient immédiatement.

Les détectives avaient l'habitude. Et ils savaient tous que, dans ce genre de cas, c'était David qui prenait les rênes. Leur responsable se pencha donc en avant tout en prenant sa voix la plus compatissante :

— J'ai conscience que beaucoup de nos suggestions vous paraîtront farfelues, voire totalement folles par moments. Mais en matière de paranormal, ce sont souvent les théories les plus folles qui s'avèrent les plus proches de la vérité. Si nous avons bien affaire à un loup-garou, comme nous le craignons, il y a fort à parier qu'il s'agisse d'un habitant de Lewistown. L'hypothèse de Will est loin d'être absurde.

— Pour autant, intervint Connor sous le regard réprobateur de ses collègues, il faut que vous gardiez à l'esprit que celui ou celle qui a fait ça n'était pas dans son état normal lors des attaques. Un lycanthrope sous sa forme animale peut parfois garder un fond de conscience humaine, mais c'est toujours le loup qui est aux commandes.

Tom lui répondit par un timide sourire reconnaissant. Connor avait marqué des points en volant à son secours, et les regards de ses collègues se détournant de lui en étaient la meilleure preuve. Certes, il avait pris une initiative contraire à leur méthode habituelle, mais il avait fait mouche.

— Avez-vous repéré des comportements suspects chez l'un de vos concitoyens ? lui demanda Alicia avec cet air sérieux et cet imperceptible froncement de sourcils que Connor affectionnait tant. Des bagarres à répétition, des troubles à l'ordre public, ou bien des comportements déplacés. Les lycanthropes ont tendance à avoir une libido… particulièrement développée.

Elle en savait quelque chose. Le dernier loup-garou auquel ils avaient eu affaire n'avait pas arrêté d'essayer de la peloter durant tout son interrogatoire. Elle avait fini par le rembarrer sèchement.

Elle était tellement sexy quand elle s'est énervée, se rappela le détective. *Bon sang, Connor ! Elle va se marier, lâche l'affaire.*

— Je n'ai rien remarqué de particulier, répondit Tom après un court instant de réflexion. Jeff pourrait certainement vous donner une réponse plus précise, mais…

Il s'interrompit, se frottant l'arrière de la nuque d'un air gêné.

— Le shérif Peterson n'a pas vraiment envie de collaborer avec nous, pas vrai ? termina Alicia à sa place.

En observant leur échange, Connor ne sut plus où donner de la tête. À ses yeux, cette discussion était aussi agréable à regarder que si sa collègue et le flic s'étaient battus à moitié nus dans la boue.

— Ne le prenez pas mal, réagit immédiatement l'adjoint en tendant les mains devant lui. C'est juste que… on est plutôt du genre terre-à-terre par ici. À part pour faire flipper les gamins dans la rue les soirs d'Halloween, on évite les histoires de fantômes et de loups-garous. Le surnaturel et tout ça, ce n'est pas vraiment notre domaine.

— C'est pour ça que nous sommes là, pas vrai ? lui répondit Connor, un sourire enjôleur dessiné sur ses lèvres.

S'il voulait arrêter de ressasser son passé avec Alicia, il devait se trouver une distraction. Et quoi de mieux que de séduire un charmant flic pour se changer les idées ?

— Sûrement, lui répondit ce dernier d'une voix blanche.

Visiblement, le charme de Connor n'avait pas l'effet escompté sur le bel agent de police. Celui-ci fronça les sourcils, bien plus intéressé par l'affaire que par le détective.

— Qui a découvert le corps de la femme ? demanda David en consultant le dossier face à lui. Isabella Douglas ?

— Angela Ford, elle est secrétaire médicale en ville. Elle passait sur cette route le dimanche matin, c'est là qu'elle a trouvé la voiture accidentée. Elle s'est arrêtée pour voir ce qui s'était passé et elle a aperçu le corps quelques mètres plus loin dans la forêt.

— Et Alan Taylor ?

— Toujours introuvable, répondit Tom en secouant lentement la tête. Une nouvelle battue est organisée cet après-midi.

— Est-ce qu'il serait possible qu'on y participe ? lui demanda Alicia.

— Tous les volontaires sont les bienvenus. Plus nous serons nombreux, plus nous aurons de chances de le retrouver.

— Parfait, conclut David avant de se tourner vers son équipe. En attendant, nous nous rendrons sur les lieux de l'accident ce matin. Pouvons-nous aller interroger la femme qui a retrouvé la voiture ?

— Angela a pris quelques jours de repos, elle est particulièrement chamboulée par toute cette histoire. Vous pourrez lui rendre visite à son domicile. Laissez-moi juste lui passer un coup de fil pour la prévenir.

— Parfait. Will et Connor, vous irez voir madame Ford. Alicia et moi nous rendrons sur les lieux de l'accident.

Tous les membres de l'équipe hochèrent la tête de concert. Alors que chacun se levait déjà de sa chaise, Connor se tourna vers le policier, bien décidé à lui décrocher un sourire avant la fin de cette réunion.

— Merci pour votre accueil, Tom.

Ce dernier leva à peine la tête du dossier posé devant lui pour lui marmonner :

— Pas de souci.

Attirer son attention n'allait clairement pas être une mince affaire.

Chapitre 6

Au volant de la voiture de fonction prêtée par le shérif adjoint, Will et Connor arrivèrent au domicile d'Angela Ford sur les coups de dix heures. La charmante maison en bois à la façade jaune pâle rappelait à Will la maison dans laquelle il avait grandi, et où il vivait toujours. Mais, alors que la sienne se trouvait dans les vieux quartiers résidentiels de Denver, celle-ci était entourée de champs et de forêts à perte de vue. Seule une grange attenante à la maison, occupée par deux imposants tracteurs et un établi de travail, déteignait dans ce décor naturel. Cet isolement n'avait pas empêché l'occupante des lieux de décorer la façade de sa maison avec soin, puisque des fleurs coloraient les rebords des fenêtres et le porche.

Les deux détectives sortirent de leur véhicule pour s'engager sur l'allée de gravillons tracée entre deux carrés de verdure.

— Notre témoin a un mari ? demanda Will en pointant du doigt les engins agricoles dans la grange, curieux de comprendre ce qu'ils pouvaient bien faire au domicile d'une secrétaire médicale.

— Aucune idée, répondit laconiquement Connor. Dis-moi, Will…

— Non, rétorqua ce dernier sans attendre la suite.

— Je n'ai encore rien dit, se défendit Connor, visiblement outré par la réponse expéditive de son collègue.

— Tu veux draguer le shérif adjoint. On l'a *tous* remarqué dès notre arrivée au poste. Et je répète : non. C'est une très mauvaise idée, qui ne fera que compliquer une affaire qui s'annonce déjà assez délicate.

Will n'avait pas deviné cela grâce à des dons de médium cachés. C'était juste que… Connor avait certaines tendances. Notamment celle de ne pas pouvoir s'empêcher de draguer leurs beaux et jeunes collaborateurs. Depuis qu'ils avaient tous les deux démarré à la BAP, le grand brun avait réussi à séduire une détective privée du Massachusetts, une policière de l'État de New-York, et même la victime d'une affaire d'esprits vengeurs. Il était incapable de se contrôler et de se retenir d'user de ses charmes. Ces histoires s'étaient toutes finies aussi vite qu'elles avaient commencé. Si la détective et le témoin s'étaient largement contentés d'une nuit sans lendemain, la policière n'avait pas lâché l'affaire. Elle avait même débarqué un jour dans leur bureau pour étaler son linge sale devant toute l'équipe. Au sens propre comme au figuré, puisqu'elle lui avait jeté au visage le boxer qu'il avait oublié chez elle la veille.

Depuis ce jour, Will s'était juré de tout faire pour empêcher Connor de fricoter pendant leurs enquêtes. Malheureusement pour lui, son collègue ne résistait jamais à l'appel de la chair.

— S'il te plaît, l'implora Will en s'arrêtant au milieu de l'allée. Laisse Tom tranquille. Il n'est clairement pas intéressé, et on doit mettre toute notre énergie dans cette enquête. Tu as entendu David, on a besoin de cet argent.

Connor se passa une main derrière la nuque en lançant un regard de chien battu à son ami.

— Mais Will…

— C'est non.

Sans laisser le temps à son coéquipier de donner d'autres arguments, Will reprit sa marche. La maison dégageait une aura apaisante. De chaque côté du porche, des jardinières de fleurs tapissaient le sol. Parmi celles-ci, Will reconnut directement des monardes roses, ces fleurs à l'apparence et à l'arôme si particulier. Il n'avait pas spécialement la main verte, mais sa mère lui avait transmis quelques connaissances lorsqu'il était petit. C'était une passionnée de plantes, et la simple vision de ces monardes lui décrocha un sourire.

— Ça va, Will ? l'interrogea Connor.

Il se rendit alors compte qu'il s'était arrêté devant les marches pour admirer les fleurs.

— Oui, oui… Allons-y, répondit-il en s'essuyant discrètement la paupière.

Connor donna trois coups secs à la porte. Selon lui, il fallait se montrer ferme et déterminé face aux témoins. Connor croyait dur comme fer à cette théorie, mais Will était un peu plus sceptique. À ses yeux, la meilleure manière de convaincre un témoin de leur venir en aide, c'était l'honnêteté.

Leurs philosophies diamétralement opposées pouvaient leur jouer des tours durant les entretiens qu'ils menaient ensemble, mais généralement, elles les rendaient plutôt complémentaires. À la manière de la stratégie du « bon flic, mauvais flic ».

Une silhouette apparut derrière le carreau de verre opaque au centre de la porte. Angela Ford entrouvrit l'entrée pour les accueillir avec un sourire poli.

— Bonjour madame Ford, démarra Will. Nous sommes…

— Oui, je sais qui vous êtes, l'interrompit-elle sans perdre son large sourire. Tom m'a appelé tout à l'heure pour me prévenir de votre arrivée. Je vous en prie, entrez.

Elle ouvrit grand la porte et tendit le bras vers l'intérieur de la maison pour les inviter à y pénétrer. Connor passa devant, poursuivant son numéro de détective plein d'assurance. Will, quant à lui, hocha poliment la tête en adressant un sourire sympathique à leur hôtesse. Il ne tenait pas à rouler des mécaniques comme son collègue.

L'intérieur de la maison était tout aussi charmant que l'extérieur. Le mobilier était agencé à la perfection, il n'y avait pas la moindre trace de poussière, et la décoration avait été réalisée avec beaucoup de goût, mêlant des motifs floraux à des teintes claires qui illuminaient l'entrée. Lorsqu'ils pénétrèrent dans la salle à manger, Will découvrit même un bouquet de roses fraîches déposé dans un vase sur la table. Angela les invita à s'installer sur les chaises en bois sur lesquelles reposaient d'élégants coussins vert pâle.

— Voulez-vous un café ou un thé ? leur demanda-t-elle en se dirigeant déjà vers la cuisine, jouant son rôle d'hôtesse idéale à la perfection.

— Un café, répondit fermement Connor.

— La même chose pour moi, s'il vous plaît, nuança Will d'une voix plus chaleureuse.

Du coin de l'œil, ce dernier remarqua le regard agacé que lui lançait son ami. Connor ne supportait pas qu'il fasse preuve d'autant de complaisance avec les témoins, comme si se montrer sympathique était un signe de faiblesse.

Quelques minutes plus tard, Angela réapparut dans la pièce, un plateau à la main. Elle le posa sur la table et en retira deux soucoupes, leurs tasses de café et une assiette de cookies certainement faits maison.

— Voilà pour vous, messieurs, leur dit-elle sans perdre son charmant sourire.

Elle s'installa face à eux, le dos bien droit sous son tablier à fleurs. Derrière sa frange brune, la secrétaire médicale d'une cinquantaine d'années dégageait des allures de femme au foyer idéale. Accueillante et parfaitement apprêtée, elle semblait presque *trop* parfaite aux yeux de Will. Cela cachait forcément quelque chose. Il leur restait à découvrir de quoi il s'agissait.

— Madame Ford…

— Angela, l'interrompit-elle. Appelez-moi Angela.

— Très bien. Alors, Angela… parlez-nous du moment où vous avez retrouvé le véhicule du couple de victimes.

— C'était dimanche matin, commença-t-elle en tapotant la table du bout des ongles. Je passais par là quand j'ai découvert la voiture sur le bord de la route. Elle était encastrée dans un arbre, j'ai tout de suite pensé au pire.

— Quelle heure était-il ? l'interrogea Connor.

— Je… je ne sais pas, répondit-elle d'une voix désolée. Je dirais huit heures, huit heures trente.

— Que faisiez-vous sur cette route un dimanche matin à huit heures ? insista Connor.

Le sourire se dissipa sur le visage d'Angela, et celle-ci lança un regard interrogateur en direction du détective.

Oh merde, Connor, tu vas la braquer.

— Ce que mon collègue veut vous dire, intervint Will en lançant un regard appuyé à son coéquipier, c'est qu'il nous faut un maximum d'informations. Certains détails qui pourraient vous sembler insignifiants sont parfois très révélateurs, vous savez.

— Oh oui, lui répondit Angela en retrouvant le sourire. Je comprends bien.

Elle se tut quelques instants, le regard perdu vers la fenêtre qui donnait sur la grande cour à l'arrière de la maison. L'espace d'une seconde, Will crut déceler une profonde tristesse en elle, comme une vive douleur qu'elle camoufla aussitôt derrière un nouveau sourire.

— Je me rendais en ville pour y récupérer une commande chez le boucher. Je devais recevoir de la famille ce midi-là et j'avais prévu de préparer de l'agneau, alors il fallait que je m'y mette tôt.

Elle poussa un ricanement timide, visiblement toujours gênée par la « prestance » de Connor. Will lui adressa un sourire compatissant en lui répondant :

— J'imagine que c'est beaucoup de boulot. Je ne suis vraiment pas un bon cuisinier.

— J'ai dû tout annuler finalement, précisa-t-elle. Cette découverte m'a… chamboulée.

— D'ailleurs, revenons-en au véhicule des victimes, intervint Connor.

— Oui, bien sûr, c'est pour ça que vous êtes ici après tout. Comme je vous le disais, il était aux environs de huit heures quand je suis passée devant la voiture. Bien évidemment, je me suis arrêtée pour voir s'il y avait encore quelqu'un dedans. Les deux portières étaient ouvertes, mais il n'y avait plus personne à l'intérieur. J'ai appelé autour de moi pour voir s'il y avait quelqu'un, mais personne ne m'a répondu. Et c'est là que j'ai…

Elle marqua une pause. Son visage s'était refermé au fil de son récit, comme si raconter cet événement la ramenait face à l'horreur de sa découverte. Elle semblait à présent au bord des larmes, ses ongles parfaitement manucurés plaqués contre le bois de la table comme pour la retenir à la réalité, l'empêcher de se faire happer par ce souvenir terrible.

— Qu'avez-vous vu ? l'encouragea Will.

— Il y avait une tache de sang par terre. Pas grand-chose. Juste quelques gouttes, mais ça a suffi à me donner froid dans le dos. J'ai sorti mon téléphone pour appeler la police, et c'est là que j'ai vu le corps un peu plus loin dans la forêt.

Elle s'arrêta de nouveau. Son regard se tourna encore vers l'extérieur, vers son jardin aussi entretenu que sa maison, puis plus loin encore, vers les bois qui masquaient l'horizon à une centaine de mètres de là.

— Elle était… étendue sur le sol. Complètement…

Elle agita sa main devant son visage, semblant incapable de décrire avec des mots l'horreur de cette vision.

— Défigurée ? proposa Connor.

Angela acquiesça d'un hochement de tête.

— Vous croyez vraiment que c'est un monstre qui lui a fait ça ? demanda-t-elle d'une voix tremblante.

— Vous pensez vraiment qu'un animal serait capable de commettre une chose pareille ? lui rétorqua Connor.

Angela baissa la tête sans répondre. Elle observait d'un œil absent le doigt qu'elle faisait glisser au bord de la table. Cette femme était traumatisée, Will le savait. Les enquêteurs de la BAP étaient tellement habitués à côtoyer le pire au quotidien qu'ils oubliaient parfois l'effet qu'il pouvait avoir sur les autres. L'une de ses premières affaires lui avait provoqué un traumatisme semblable. Ils enquêtaient sur un esprit qui, chaque nuit, prenait possession de l'un des membres d'une riche famille pour lui infliger les pires sévices. Il n'avait jamais vu de créature aussi démoniaque. Et les cadavres… La vision de ces corps écorchés, défigurés, torturés jusqu'à la mort, lui avait causé d'horribles cauchemars pendant des semaines. Il avait presque failli poser sa démission. Sans le soutien de Connor, qui l'avait conduit de force jusqu'au cabinet d'un psychologue, il ne ferait plus partie de cette équipe à présent.

— Réussissez-vous à trouver le sommeil depuis cette découverte, Angela ? lui demanda-t-il d'une voix compatissante.

Angela releva les yeux vers lui. Ils étaient injectés de sang, entourés de cernes noirs. Il était certain qu'elle n'avait pas fermé l'œil depuis deux jours, et qu'elle avait sûrement beaucoup pleuré. Mais plutôt que d'avouer cette terrible vérité, Angela se contenta de hausser les épaules d'un air presque nonchalant, avant de redresser la tête en disant :

— Prenez un cookie, messieurs. Je les ai réchauffés avant votre arrivée.

Touché par cette femme et son traumatisme indicible, Will tendit le bras pour attraper un biscuit. Il le dégusta en silence, tandis que Connor tapait du pied sous la table, perdant clairement patience. Leur hôtesse, quant à elle, reprit la contemplation silencieuse de son jardin.

— Ils sont très bons, la gratifia Will, tentant plus de briser le silence que de flatter son interlocutrice.

Elle lui répondit par un sourire poli. Rien de plus.

— Avez-vous autre chose qui pourrait nous être utile, madame Ford ? tenta Connor, espérant sûrement la sortir de son mutisme.

— Je…

Elle laissa sa phrase en suspens quelques instants avant de reprendre :

— Non, je ne vois rien.

La déception et l'agacement se lisaient nettement sur le visage de Connor. Cet entretien ne leur avait pas apporté autant de matière qu'ils l'avaient espéré. Will se dit qu'il était temps de conclure l'échange, autant pour le bien d'Angela que de Connor.

— Merci beaucoup de nous avoir reçus, dit-il en sortant une carte de visite de sa veste. Si quoi que ce soit vous revient, n'hésitez surtout pas à me contacter à ce numéro. Je suis joignable à tout moment.

Il lui tendit la carte avant de se relever, rapidement imité par les deux autres. Angela contourna la table pour les raccompagner jusqu'à la sortie. Sans un mot de plus, elle marcha jusqu'à la porte d'entrée qu'elle ouvrit sans attendre.

— Merci de nous avoir reçus, lui lança Will en passant devant elle.

Connor se contenta d'un hochement de tête et d'un sourire crispé.

Une fois dehors, le regard de Will se perdit un instant sur les monardes roses avant de se tourner vers les engins agricoles dans la grange face à eux.

— Une dernière chose… démarra-t-il en se tournant vers leur hôtesse. Ces tracteurs, ils sont à vous ?

— Pourquoi cette question ? se crispa Angela.

— Simple curiosité. Mon grand-père était agriculteur, et j'ai gardé un certain intérêt pour ce métier.

Angela hocha doucement la tête en lui adressant un sourire triste.

— Ils étaient à mon mari. Ça fait des mois que je dois les revendre, mais je n'ai toujours pas eu le courage de le faire.

— Votre mari est décédé, Angela ?

— L'été dernier, lui confirma-t-elle. Cancer du foie.

— Je suis terriblement désolé.

— Merci, détective. Si quoi que ce soit me revient, je ferai en sorte de vous contacter.

Will hocha la tête, alors que la porte se refermait déjà sur Angela. Il se doutait bien que ces tracteurs n'étaient pas là par hasard. Et il savait que ce genre de petites questions, ou bien les compliments qu'il avait pu lui faire sur ses cookies, étaient autant de moyens de s'attirer la sympathie des témoins et de s'assurer qu'ils les contacteraient s'ils avaient de nouveaux éléments à leur fournir. Will culpabilisait toujours d'utiliser des stratégies de ce type pour se mettre ses interlocuteurs dans la poche, mais si son empathie naturelle pouvait lui permettre de résoudre une affaire, il ne comptait pas s'en priver.

Connor, au contraire, n'était pas très doué dans ce domaine. Tellement peu soucieux de faire bonne impression, il reprenait déjà le chemin de la voiture en maugréant.

— Tu m'as l'air de bon poil, lui lança Will sur un ton ironique.

— Désolé si j'ai du mal à rivaliser avec tes courbettes et tes flatteries, le tacla son ami.

Will déverrouilla la voiture, et Connor n'attendit pas un instant pour s'y installer et refermer la portière derrière lui.

— Qu'est-ce qui te prend ? l'interrogea Will, une fois installé à son tour sur le siège conducteur.

— C'était une perte de temps monumentale, cette femme n'a clairement rien vu d'intéressant.

— Et ça t'autorise à te braquer comme ça ?

— Non, c'est juste que… commença Connor avant de laisser sa phrase en suspens.

— Juste que quoi ?

— Juste que rien.

— Connor, qu'est-ce qui t'arrive depuis ce matin ? D'abord, tu fais du charme à notre seul interlocuteur sur place, et maintenant tu envoies bouler un témoin. Je ne dis pas que ça m'étonne de toi, je pense seulement que ça cache quelque chose.

— Le mariage, marmonna-t-il finalement.

Ces deux mots jetèrent instantanément un froid dans la voiture. Connor n'avait pas besoin d'en dire plus pour que son ami de longue date comprenne ce qui se cachait derrière cet aveu : la relation tumultueuse entre Alicia et lui. Leur terrible rupture qui avait mis à mal toute l'équipe et qui avait définitivement transformé Connor en séducteur incapable d'ouvrir son cœur. Et cette blessure jamais totalement refermée.

Ces deux mots ne voulaient dire qu'une chose…

Les problèmes commencent.

Chapitre 7

David coupa le moteur du pick-up sur le bord de la route qui s'enfonçait dans la pinède. La bande d'asphalte perdue au milieu de nulle part était semblable à des dizaines d'autres dans la région. À leur gauche, des arbres. À leur droite, encore plus d'arbres. Il n'y avait pas âme qui vive dans les environs, et rien ne distinguait cette portion de la route de toutes les autres, si ce n'était le véhicule encerclé par un bandeau de police jaune, laissé là telle une relique du drame survenu trois jours plus tôt.

Le directeur de la BAP ne prit même pas la peine de stationner Christine dans l'herbe qui bordait la voie. Tout d'abord, parce que le risque qu'un autre véhicule emprunte cette route dans les minutes suivantes était infime, mais surtout pour ne pas altérer les preuves.

Alicia sortit du pick-up et observa les environs d'un œil attentif. Plus loin, un corbeau piquait le sol de son bec affuté, y récoltant un minuscule ver de terre qui s'agita dans son bec avant de disparaître au fond de sa gorge. Le volatile, qui croassa d'un air satisfait, se trouvait à l'endroit exact où avait été retrouvé le corps d'Isabella Douglas, délimité par un autre bandeau de police.

Foutus charognards… pensa Alicia lorsque l'oiseau prit son envol pour disparaître entre les conifères.

— Qu'est-ce que ce couple est venu faire sur cette route en pleine nuit ? demanda-t-elle à son patron en parcourant du regard la cime des immenses arbres.

— C'est toujours la même raison. Ils se sont perdus, ce qui a fait d'eux les proies idéales pour notre créature.

Alicia hocha pensivement la tête. Cette explication semblait être la plus vraisemblable. Elle s'avança vers la voiture à la teinte rouge étincelante et à la coupe sportive. Son pare-chocs était enfoncé contre un arbre, et ses portières avaient été laissées ouvertes par les policiers. Avec un peu de chance, ils avaient été vigilants à maintenir la scène de crime intacte. Ce n'était pas toujours le cas avec les policiers des petites villes. La détective enfila une paire de gants en latex et s'approcha à pas feutrés de la voiture, observant longuement le sol avant d'y poser le pied. Son regard se fixa sur le capot de la voiture, gondolé après avoir fini sa course contre l'immense pin qui lui faisait face.

— Le choc n'a pas dû être très violent, observa-t-elle. Les airbags ne se sont même pas activés.

David, qui enfilait à son tour une paire de gants, la regardait attentivement en hochant la tête, attendant visiblement la suite de ses déductions.

— Ce qui peut donc nous laisser penser que nos deux victimes étaient indemnes après l'accident, poursuivit-elle. Un tel choc n'aurait même pas de quoi leur tordre la cheville. On a donc affaire à une créature extrêmement rapide et furtive, qui est parvenue à se fondre sans difficulté dans l'environnement. Ils ont été pris par surprise, ils n'ont pas eu le temps de se défendre ou de fuir bien loin.

Pour illustrer son propos, elle agita le bras vers là où s'était trouvé le corbeau quelques instants auparavant. Là où le corps d'Isabella Douglas avait été abandonné par la créature.

Sous les yeux impressionnés de son patron, Alicia continua de scanner la zone. Soudain, son regard s'arrêta sur le tronc d'un arbre, quelques mètres plus loin.

— Là, dit-elle en pointant du doigt le conifère.

David et elle s'avancèrent ensemble vers le large tronc, dont l'écorce était marquée de deux larges marques d'une quinzaine de centimètres chacune.

— Qu'est-ce que c'est, à ton avis ? la questionna David, à la manière d'un professeur interrogeant son élève.

— Ça peut être n'importe quoi. Des crocs, des griffes, des bois. Je vais sortir le kit de prélèvements, et je demanderai à Will de faire des analyses. Avec un peu de chance, notre créature vient de nous offrir son identité sur un plateau d'argent.

— Tu ne crois pas à la théorie du loup-garou ? lui demanda David.

L'expression sur son visage ne trompait plus Alicia. Il cherchait à la tester, à comprendre sa façon de raisonner. Même après deux ans passés au sein de la BAP, Alicia avait l'impression de devoir continuer à faire ses preuves auprès de son patron. Peut-être parce qu'elle n'avait aucune expérience préalable d'enquêtrice. Peut-être parce que c'était une femme, même si elle n'avait jamais décelé une once de misogynie chez son supérieur. Ou peut-être, et c'était de loin son hypothèse favorite, que David décelait en elle un potentiel intéressant.

— Je ne crois en aucune théorie, répondit-elle après une rapide réflexion. Les seules choses auxquelles je crois, ce sont les preuves.

David lui sourit en hochant la tête. Elle avait donné la bonne réponse. Elle se retourna rapidement, ne voulant pas dévoiler à son patron le petit sourire fier qui se dessinait sur ses lèvres et le rougissement de ses joues. David était un mentor pour chacun des membres de la BAP. Il les avait formés avec une patience parfois surhumaine, croyant en eux malgré leur expérience quasi-nulle dans le domaine du paranormal.

Elle se mit à repenser à son premier jour au sein de la brigade, au stress qu'elle avait ressenti en pénétrant pour la première fois dans ce vieux bureau étroit qu'elle affectionnait tant désormais. Mais ses réminiscences prirent fin subitement lorsqu'elle posa les yeux sur la carrosserie du côté conducteur de la Golf des victimes. Elle se figea et plissa les yeux en analysant sa découverte.

— Ces plis n'ont pas été causés par l'accident, affirma-t-elle d'une voix suffisamment forte pour se faire entendre de David, resté à observer le tronc d'arbre.

— Quoi ?

— Ces plis, juste là, répéta-t-elle en pointant du doigt le milieu de la portière passager. Ce n'est pas l'accident qui les a causés. C'est un autre choc. Un coup.

— Notre créature ? l'interrogea David en se rapprochant d'elle pour observer la tôle éraflée.

— Peut-être. Il faudrait interroger leurs proches pour connaître l'état du véhicule avant leur départ. Ça pourrait très bien être dû à un accident préalable.

— Passe un coup de fil aux proches si tu veux, commença David en se penchant devant la portière. Mais je peux t'assurer que ces marques n'étaient pas là avant.

Face au regard circonspect de son enquêtrice, David agita le doigt devant les éraflures en expliquant :

— Une telle voiture n'était pas juste un moyen de locomotion pour son propriétaire. Les sièges et le volant ont été personnalisés, tout comme les jantes. Hormis les marques de l'accident, la peinture de la carrosserie est parfaite. Cet homme tenait *vraiment* à sa voiture. Il n'aurait jamais laissé de telles éraflures sur un bijou pareil.

— Impressionnant, réagit Alicia. Dans ce cas, je vais aussi faire des prélèvements sur la carrosserie.

Alicia se pencha et sortit son téléphone pour prendre quelques photos des indices, en vue de les analyser plus tard. Les pixels pouvaient parfois dévoiler des détails que l'œil nu était incapable de percevoir. Elle resta cependant figée devant son écran en voyant la notification inscrite sous ses yeux.

🖂 **PHILIP** – *Je suis passé déposer la caution au loueur de la salle. Pas la peine de me remercier…*

À la lecture du message, la mâchoire de la jeune femme se crispa immédiatement. Philip était un expert dans l'usage de formules passives-agressives. Et puis, il savait que ça avait le don d'exaspérer sa fiancée au plus haut point. Lorsqu'il les utilisait, c'était *clairement* pour l'agacer.

— Un problème ? l'interrogea David, debout à côté d'elle.

Alicia balaya directement la notification pour ouvrir l'appareil photo.

— Rien de grave, répondit-elle évasivement. L'organisation du mariage. Une vraie galère.

Elle tentait d'avoir un ton détaché, ne tenant pas à partager avec son patron ses déboires sentimentaux et son désir grandissant d'arracher les yeux de son futur mari.

Sa réponse laconique sembla fonctionner. David se mit à lui raconter ses propres difficultés dans l'organisation de son mariage vingt-trois ans auparavant, avant de dériver sur le fait qu'il fallait chérir nos êtres chers puisqu'ils pouvaient nous quitter à tout moment.

L'équipe de la BAP était coutumière de ce genre de discours de sa part. Il avait créé la brigade quelques mois après le décès de sa femme, et il assumait parfaitement le fait de s'être noyé dans le travail pour oublier sa peine. Mais parfois, lorsque l'opportunité d'aborder celle qu'il avait tant aimé se présentait, il s'en saisissait pour rappeler à ses employés à quel point Helen avait été une épouse merveilleuse et une mère aimante pour leur fils Peter, décédé à ses côtés dans un terrible accident de voiture six ans plus tôt.

— Tu verras, conclut-il après trois longues minutes. Le mariage est un voyage extraordinaire, mais souvent semé d'embûches.

Avait-elle réellement envie de faire ce voyage avec Philip ? La question lui traversait de plus en plus l'esprit ces derniers jours. Cet homme merveilleux qui l'avait charmée par son humour et son insouciance dévoilait, depuis plusieurs mois, un nouveau visage beaucoup plus sérieux. *Trop* sérieux à son goût. Le travail avait toujours été la priorité d'Alicia, et Philip l'avait très bien compris dès le début. Ils s'étaient même rencontrés grâce à la BAP, il comprenait donc mieux que personne que son métier la passionnait. Mais, à présent, il semblait moins enclin à accepter cette réalité. Il lui parlait de plus en plus de la possibilité de réduire ses heures, de prendre des vacances, de trouver des loisirs qu'ils allaient pouvoir faire à deux. Pire encore, il abordait de plus en plus régulièrement l'idée de fonder une famille. Alicia ne voulait *absolument pas* fonder de famille. Elle n'avait jamais voulu avoir d'enfants, et elle savait que cela ne changerait pas. Elle avait toujours été claire sur ce point avec Philip.

Ça ne l'empêchait pourtant pas d'aborder régulièrement le sujet, parfois sans aucune subtilité. Comme cette fois, un mois plus tôt, où il l'avait traînée dans une boutique pour jeunes parents, prétextant vouloir offrir un cadeau à sa cousine qui venait d'accoucher. Il avait profité de cette sortie pour lui rappeler tout le bonheur que procurait la naissance d'un enfant, et à quel point il avait hâte d'en avoir. Préférant éviter toute dispute, Alicia avait joué la carte de l'humour afin de botter en touche. Mais elle savait que le problème était bien plus complexe et finirait par les rattraper.

La détective chassa ces idées angoissantes de son esprit pour se concentrer sur ses prélèvements. Elle grimpa à l'arrière de Christine et sortit son trousseau de clés pour déverrouiller la large caisse en métal qui contenait tout l'équipement de valeur de l'équipe. Elle y récupéra la mallette qui contenait tout leur matériel de prélèvement, avant de rejoindre la scène de crime.

Alicia adorait cette partie-là de son travail. Elle avait l'impression d'être une experte de la police scientifique, comme ceux qu'elle voyait dans les séries de son enfance. Jamais elle n'aurait imaginé être à leur place. Et encore moins pour traquer des créatures surnaturelles.

Après avoir sorti le nécessaire de la valise, elle appuya un écouvillon le long de la carrosserie arrachée, déjà impatiente de voir ce que Will allait découvrir lors de son analyse. C'était lui, le scientifique de la bande. Ses études en pharmacologie et ses connaissances ahurissantes dans le domaine du paranormal étaient des avantages considérables lors de bon nombre de leurs enquêtes.

Elle glissa délicatement la longue tige dans un sachet de prélèvement qu'elle referma soigneusement, puis se tourna vers David, qui terminait lui aussi d'effectuer les prélèvements sur le tronc de l'arbre à quelques mètres de là.

— On retourne au poste ? proposa-t-elle à son responsable.

— C'est parti, répondit-il d'un air guilleret. Allons voir ce qu'ont découvert nos deux amis.

David manifestait l'insouciance d'un enfant lorsqu'il se rendait sur le terrain pour enquêter. Et même Alicia, qui n'avait aucune envie de devenir mère, devait bien admettre que cette désinvolture avait quelque chose de touchant.

Parfois, elle regrettait de ne pas lui ressembler davantage.

Chapitre 8

Le mariage.

Ces deux mots avaient suffi à jeter un froid dans la voiture durant tout le trajet jusqu'au poste de police. Will avait bien cherché à en savoir plus, mais son collègue s'était contenté de lui répondre « tu sais bien ce que je veux dire » avant de se plonger dans le mutisme le plus total, se contentant d'observer les rangées d'arbres qui bordaient la route de campagne.

Oui, Will savait pertinemment ce qu'il voulait dire. Même s'il ne l'avait jamais avoué ouvertement, son ami ne s'était jamais véritablement remis de sa rupture avec Alicia. Il avait verrouillé son cœur et refusé toute relation amoureuse depuis, que ce soit avec les femmes ou les hommes. Il était devenu ce stéréotype du Don Juan qui ne jurait plus que par la séduction et les plaisirs de la chair, incapable d'envisager une relation plus longue qu'une seule nuit sur l'oreiller.

Will ne savait donc pas comment réagir à cet aveu. Pour la première fois, Connor lui avait montré sa vulnérabilité. Pour quelle raison ? Avait-il envie de mettre en péril le futur mariage d'Alicia et Philip ? Était-il prêt à passer à autre chose ? Ne supportait-il plus de vivre dans le déni ? Impossible à dire à ce stade.

S'il voulait en découvrir plus, Will allait devoir ruser. Il allait devoir enfiler sa casquette de détective et utiliser ses compétences en matière d'investigation. Première étape : le faire passer aux aveux.

— On va boire un verre en ville ? demanda-t-il nonchalamment tandis qu'ils traversaient le centre paisible de Lewistown. J'ai vu un bar tout à l'heure qui avait l'air sympa. Le *Sixties*, je crois.

— Celui avec un *rainbow flag* sur la devanture ? T'as décidé de mettre ton asexualité de côté et de céder aux plaisir de la chair ?

Connor avait repéré le bar en question. C'était bon signe. Cela signifiait qu'il n'était pas fermé à l'idée d'y faire un tour.

— Non, rien n'a changé à ce niveau-là. Et je suis asexuel, pas eunuque. Je peux avoir envie de draguer de beaux inconnus, moi aussi, réagit Will en lançant un sourire complice à son passager. C'est juste que je suis curieux de voir à quoi ressemble un bar gay friendly dans un coin paumé du Montana. Et puis… Peut-être qu'on y croisera le bel adjoint au shérif.

C'était un coup bas de la part de Will. Appâter son ami en lui donnant l'espoir qu'il pourrait séduire le beau Tom n'était clairement pas le choix stratégique dont il était le plus fier. Mais s'il voulait que Connor sorte enfin de sa coquille, il allait devoir sortir l'artillerie lourde.

— Je croyais que c'était une très mauvaise idée que je drague le bel adjoint, répliqua Connor, l'air méfiant.

Il ne comptait visiblement pas mordre à l'hameçon aussi facilement.

— Dans le cadre de l'enquête, je maintiens que c'est une idée terrible. Mais si vous voulez passer toutes vos nuits à user les lattes de ton lit, je n'y vois aucun inconvénient. Au contraire, tu seras sûrement plus concentré sur le terrain ensuite.

— Hum, souffla Connor, pensif. Tu n'as peut-être pas tort.

Bingo !

— On y va pour vingt heures ? proposa Will, bien décidé à refermer le piège derrière son ami.

— Ça me va.

Un bar gay friendly, de l'alcool, des confidences gênantes et potentiellement un beau shérif adjoint à draguer… Qu'est-ce qui pourrait mal tourner ?

* *

En attendant de pouvoir obtenir les aveux de Connor, Will devait rester concentré sur l'enquête. Dès leur arrivée dans la salle de réunion où ils s'étaient installés le matin-même, Alicia bondit de sa chaise et fonça vers son collègue, un sachet de prélèvement à la main.

— J'ai besoin que tu m'analyses ça dès que possible, déclara-t-elle de la voix surexcitée qu'elle prenait lorsqu'elle suivait une piste prometteuse.

Elle tendit la pochette à Will. Celui-ci s'en saisit, découvrant les deux tubes à essai remplis chacun d'un écouvillon.

— Ça sort d'où ? lui demanda-il en hochant simplement la tête pour confirmer qu'il s'en occuperait au plus vite.

— Le premier prélèvement a été effectué sur le véhicule de nos deux victimes. Un possible choc avec la créature. Le second a été réalisé sur un tronc d'arbre marqué par une éraflure suspecte. Si on ne détermine pas avec certitude l'origine de notre bestiole avec ça, je pose ma démission.

— Ne t'emballe pas trop, l'avertit Will. Je ne pourrai rien faire d'autre qu'une recherche d'agents infectieux.

— Parfait, répondit Alicia d'une voix enjouée.

Elle repartit s'assoir sans perdre sa démarche et son expression surexcitées. Du coin de l'œil, Will remarqua le sourire qui relevait légèrement le coin des lèvres de Connor lorsqu'il la regarda repartir. Se rendait-il compte à quel point il était épris d'elle ?

— Comment ça s'est passé avec notre témoin ? leur demanda David, installé au fond de la petite salle.

Will s'approcha de la table, y déposa les échantillons et se courba légèrement en posant ses poings fermés sur la surface de bois.

— Pas vraiment concluant, répondit-il. On a surtout affaire à une femme traumatisée par ce qu'elle a découvert. Le corps d'Isabella Douglas était visiblement dans un état déplorable lorsqu'elle l'a trouvé. Ça semble l'avoir marquée. À part ça, elle n'a rien pu nous signaler de particulier.

— Connor ? demanda David en tournant la tête vers le détective.

David avait pour habitude de toujours envoyer deux personnes s'entretenir avec les victimes ou les témoins. Selon lui, cela permettait de mieux cerner la personne qu'ils avaient en face d'eux, de remarquer des détails qui auraient pu échapper à l'un ou l'autre s'il avait été seul. C'était souvent Connor et Will qui se chargeaient de mener ces interrogatoires. Leur complicité, mêlée à leurs approches diamétralement opposées, faisait d'eux le duo parfait. Les Starsky et Hutch du paranormal.

Après quelques secondes de réflexion, Connor fit un pas en avant pour répondre :

— Je ne sais pas quoi en penser. Cette femme n'a rien d'une lycanthrope. Elle n'a fait preuve d'aucun accès de colère et elle sait parfaitement se maîtriser. Un peu trop, peut-être.

Will hocha la tête pour valider les propos de son collègue.

Les loups-garous, ou lycanthropes pour les initiés, manifestaient certains comportements, même lorsqu'ils reprenaient forme humaine : une vigilance accrue aux sons et aux mouvements, une forte agitation, des crises de colère plus ou moins violentes. Aucun de ces symptômes ne correspondait à ce qu'ils avaient observé chez Angela. Bien au contraire.

— Cette femme est la femme au foyer parfaite, compléta Will. Elle a le sens de l'accueil, fait preuve d'une politesse extrême. Elle nous a même servi des cookies maison. Mais derrière ça…

Will laissa sa phrase en suspens pour inviter Connor à reprendre la main. Son collègue n'hésita pas une seconde :

— Derrière ça, tout sonne faux. Son regard fuyant, ses réponses évasives. Tout cela n'est qu'une façade, et nous ne tirerons rien d'elle tant qu'elle n'aura pas retiré son masque.

— Il faut dire qu'elle a perdu son mari il y a quelques mois, ajouta Will. Ça pourrait peut-être expliquer le fait qu'elle soit aussi fermée.

Will savait à quel point la perte d'un être cher pouvait être bouleversante. Au décès de sa mère, le jeune enquêteur, alors âgé de vingt-quatre ans, avait complètement perdu pied. Leur relation fusionnelle avait toujours été le pilier de sa vie. Et quand celui-ci s'était effondré alors qu'il entrait tout juste dans la vie adulte, Will avait sombré dans une profonde dépression. Il avait tout tenté pour remonter la pente, de l'automédication à des solutions beaucoup plus extrêmes. Il avait même envisagé d'en finir avec la vie pour la rejoindre.

— Je ne peux pas m'empêcher de la trouver louche, lança Connor, sortant son ami de ses obscures pensées.

— N'hésitez pas à demander à Tom ce que lui ou le shérif Peterson en pensent. Si quelque chose continue de vous sembler suspect, gardez un œil sur elle. Mais, à l'heure actuelle, rien ne laisse à penser qu'elle est atteinte de lycanthropie.

Les deux détectives hochèrent la tête à l'unisson. Au moins, sur ce point, ils étaient tous d'accord.

Ce dossier désormais clos, Will récupéra les prélèvements effectués par Alicia et se tourna vers sa collègue.

— Ils ont un laboratoire par ici ? lui demanda-t-il sans trop d'espoir.

— Je ne suis même pas sûre qu'ils aient une autre salle de réunion que celle-ci, lui répondit-elle. Mais Tom nous a précisé qu'on pouvait utiliser son bureau si nécessaire, tu pourrais peut-être y installer ton matériel.

Will hocha la tête. Cette réponse ne le ravissait pas vraiment. Devoir sortir son matériel d'analyse du pick-up et l'installer dans un bureau qui n'était absolument pas prévu pour ce genre de recherches était toujours compliqué. Mais l'une des premières choses qu'il avait apprises au sein de la BAP, c'était l'adaptabilité. N'importe quelle pièce pouvait devenir un labo avec assez d'imagination et d'ingéniosité.

* *

Une heure plus tard, alors que son ventre commençait à gargouiller sérieusement, Will finit enfin d'installer son matériel dans le bureau du shérif adjoint. Par chance, une petite table vide prenait la poussière dans un coin de la pièce. Le meuble blanc sommaire s'avéra tout de même suffisamment large pour qu'il installe son équipement : l'imposant extracteur d'ADN et tout le matériel stérile nécessaire à la manipulation des échantillons.

Après avoir enfilé une paire de gants en latex, il sortit délicatement le premier écouvillon de sa pochette et commença la préparation des tests. Will adorait cette partie de son travail. Faire parler les preuves était, selon lui, la meilleure méthode pour résoudre une enquête. Et il ne pouvait s'empêcher de frissonner à chaque fois qu'il attendait fébrilement que la machine lui dévoile l'identité de la créature qu'il recherchait.

Tandis qu'il préparait la solution dans laquelle il plongerait le premier prélèvement, quelqu'un frappa à la porte du bureau. Il se retourna, prêt à aller ouvrir, mais la personne à l'extérieur le devança. La lumière agressive des néons s'immisça dans la pièce derrière la jeune femme qui se tenait dans l'encablure de la porte. Elle était blonde et relativement petite, mais son dos bien droit et son air sérieux lui octroyaient une certaine prestance sous son chemisier bleu marine. Un épais dossier sous le bras, elle fit un pas dans la pièce avant de se rendre compte que quelque chose clochait.

— Vous… bafouilla-t-elle. Vous n'êtes pas Tom ?

Will sourit de sa remarque.

— Effectivement, répondit-il d'une voix amusée. Vous devez être enquêtrice, non ?

La jeune femme poussa un petit rire aigu et doux. De la véritable musique pour les oreilles de Will, plus habituées à entendre l'agitation permanente qui rythmait le quotidien de la BAP. A contrario, l'inconnue dégageait une aura apaisante.

— Non, je… je suis la secrétaire du shérif et de son adjoint, dit-elle avant de marquer une pause. Et vous êtes ?

Will retira son gant d'un geste expert et tendit sa main à la secrétaire.

— Will Arling, Brigade des Affaires Paranormales. Mon équipe et moi sommes arrivés ce matin.

La secrétaire lui répondit par une poignée de main délicate, aussi douce que son rire.

— Anna Paxton, secrétaire du sh… je l'ai déjà dit il y a vingt secondes, réagit-elle d'une voix embarrassée.

Will lui adressa un sourire bienveillant. Il avait toujours apprécié ces personnes à l'aura solaire mais qui n'osaient jamais vraiment laisser briller l'éclat qui les animait. Anna ne devait pas avoir plus de vingt-cinq ans, il était donc plutôt logique qu'elle ne se sente pas tout à fait légitime à se mettre en avant et à s'affirmer. Mais Will savait que le jour où elle le ferait, cette jeune femme apporterait sûrement beaucoup de belles choses à ceux qui l'entouraient.

— Vous ne sauriez pas où est Tom, par hasard ? demanda-t-elle en soulevant légèrement le paquet de feuilles qu'elle tenait sous son bras. Le shérif ne supporte pas la paperasse, alors c'est souvent lui qui s'en charge.

— Désolé, lui répondit Will avec une moue embarrassée. Je lui ai seulement emprunté son bureau.

Le regard d'Anna se posa sur l'extracteur ADN installé derrière lui. Une lueur de curiosité anima ses yeux l'espace d'un instant, avant qu'elle ne secoue rapidement la tête en reprenant une posture parfaitement droite.

— Désolée, vous êtes sûrement très occupé. Je vais vous laisser.

— Oh non, vous ne me gênez pas du tout, réagit immédiatement Will en tendant les mains devant lui. Au contraire. J'adore parler de mes gadgets. Si ça vous intéresse, évidemment.

— Beaucoup, répondit simplement Anna en hochant doucement la tête.

Will se retourna vers le bureau et pointa le doigt vers la machine semblable à une grosse imprimante en jetant un œil à la secrétaire par-dessus son épaule.

— Cet appareil, c'est un extracteur d'ADN. Il peut servir à déterminer l'identité d'un individu ou diagnostiquer certaines maladies. Et c'est exactement ce que je cherche à faire aujourd'hui.

Il souleva un bécher à moitié rempli pour le montrer à la secrétaire, poursuivant d'une voix sérieuse d'enseignant s'adressant à son élève :

— Ce liquide permet d'extraire et de purifier l'échantillon ADN récupéré par ma collègue sur la scène de crime. Si elle avait pu prélever du sang ou un poil de la créature, j'aurais peut-être pu déterminer son identité. Mais avec ce que j'ai là, je vais seulement pouvoir tester la présence de l'infection qui l'a transformée. De toute évidence, nous avons ici affaire à un cas de lycanthropie.

— C'est passionnant, murmura Anna en se penchant plus près de la machine, presque hypnotisée. Comment ça se fait que de telles preuves scientifiques ne permettent pas de confirmer l'existence de créatures surnaturelles ?

Will émit un petit rire face à la remarque de la jeune femme. Cette question, les détectives de la BAP y avaient été confrontés un nombre incalculable de fois. Et la réponse était presque toujours la même.

— Parce que personne n'a envie de croire en l'existence des monstres cachés sous le lit, répondit-il d'une voix grave. Pas même la police.

Après quelques manipulations, Will démarra l'extracteur pour y insérer l'échantillon prêt à être analysé. En quelques clics sur l'écran tactile de l'appareil, il lança la recherche, et la machine se mit à émettre un vrombissement régulier que le détective avait toujours trouvé apaisant. À ses yeux, c'était le son de la vérité.

— Croyez-moi, reprit-il, j'aimerais que tout le monde nous croie. Cela rendrait notre travail bien plus simple. Mais au lieu de ça, on est appelés en dernier recours par l'adjoint d'un shérif qui ne veut même pas entendre parler de nous.

— Mais comment est-ce possible que le paranormal reste caché aux yeux de tous ? l'interrogea Anna, désormais hypnotisée par la machine qui poursuivait ses analyses.

— Derrière chaque phénomène paranormal se cache toujours un homme ou une femme. Un loup-garou n'est qu'un être humain rongé par un mal plus fort que lui, un fantôme n'est qu'un mort qui n'a pas fait la paix avec ceux qu'il a laissés derrière lui, une personne possédée ne commettra de méfaits que sous l'emprise d'un démon. Souvent, on accuse les êtres humains d'être responsables de drames qui les dépassent, simplement pour préserver le statu quo. La BAP est là pour rétablir la justice et préserver l'intégrité des humains et des créatures surnaturelles. Croyez-moi sur parole quand je vous dis que ça n'a vraiment rien de drôle d'être un fantôme.

— Vous pensez qu'il s'agit d'un loup-garou, c'est bien ça ? l'interrogea Anna.

— C'est notre théorie la plus logique. Le Montana est historiquement connu pour abriter des lycanthropes, qui peuvent même se déplacer en meute. Ici, je pense que nous avons affaire à un sujet isolé. Un homme ou une femme qui aurait été mordu et qui serait tombé malade ensuite. La lycanthropie met parfois plusieurs mois à apparaître, et il arrive que la personne n'ait même pas conscience de sa transformation.

— Vous voulez dire qu'elle… se transformerait chaque nuit en loup-garou et qu'elle ne s'en souviendrait pas le lendemain matin ?

— Uniquement les soirs de pleine lune, la rectifia-t-il. Mais oui, ça s'est déjà vu.

— C'est incroyable, réagit Anna tout bas.

L'extracteur émit un petit tintement, affichant le message « Analyse terminée » au centre de l'écran.

— Il est temps de découvrir si nous avions vu juste, lança le détective sans parvenir à masquer son excitation.

En deux clics, la réponse apparut sous leurs yeux. L'analyse s'était avérée concluante, révélant que la créature était…

Oh non.

Will resta bouche bée devant l'écran de l'appareil, son emballement se transformant soudain en inquiétude.

— De quoi s'agit-il ? demanda Anna, regardant à son tour les résultats sans comprendre toute la portée de la révélation inscrite sous ses yeux.

Sans même entendre la question de la secrétaire, Will sortit précipitamment son téléphone de sa poche pour passer un coup de fil à Connor.

Une sonnerie.

Deux sonneries.

Décroche, Connor. Décroche.

Trois sonneries.

Allez ! Décroche, putain !

Quatre sonneries.

Répondeur.

Merde !

Will se retourna d'un bond vers Anna. La jeune femme semblait complètement perdue.

— À quelle heure commence la battue ? l'interrogea-t-il.

— À treize heures.

— Et il est ?

Anna regarda rapidement sa montre, écarquillant les yeux avant de répondre :

— Treize heures trente.

Merde !

C'était pour cette raison que Connor ne décrochait pas. Il laissait toujours son téléphone dans le pick-up lorsqu'ils partaient enquêter. Peut-être qu'il aurait plus de chance avec Alicia. D'une main tremblante, il s'empressa donc de composer le numéro de sa collègue et porta le téléphone à son oreille.

Répondeur.

— Il y a du réseau dans cette forêt ? demanda-t-il brusquement à Anna.

Celle-ci semblait peu à peu se décomposer. Elle était perdue, c'était évident. Mais l'urgence n'était plus de lui expliquer son travail, elle était de mettre en sécurité toutes les personnes présentes à la battue.

— Je… Non, je ne… bafouilla-t-elle. Will, il faut vraiment que vous m'expliquiez ce qui se passe.

Le jeune homme fit glisser une main sur son front moite avant de répondre d'une voix qui révélait toute l'ampleur du danger :

— Ce qui se passe, c'est qu'une créature meurtrière rôde dans ces bois. Elle n'a plus rien d'humain. Et si elle tombe sur la battue, elle pourrait bien faire un massacre.

Chapitre 9

Connor était aux anges.

En arrivant sur le parking à l'orée des bois où devait démarrer la battue organisée par Tom, celui-ci avait décidé de composer des binômes pour ratisser une zone aussi large que possible. Puisque Will était resté faire ses analyses au poste, ils n'étaient que trois membres de la BAP sur place. En gentleman, il avait laissé Alicia se mettre en duo avec David. Enfin… Pas tout à fait en gentleman, puisqu'il voulait surtout éviter que sa collègue ne lui reparle de son mariage et fasse de nouveau émerger les doutes qui l'animaient depuis la veille.

Avide de se saisir de cette opportunité en or, il s'était donc avancé vers Tom en arborant son air le plus embarrassé. Il lui avait alors expliqué qu'il n'avait aucun binôme pour les recherches et qu'il ne se sentait pas à l'aise à l'idée de se retrouver avec un habitant de la ville. Et comme il l'avait prévu, Tom s'était généreusement proposé qu'ils se mettent ensemble.

Ce fut ainsi que, cinq minutes plus tard, Connor crapahutait dans la forêt avec le beau shérif adjoint, parvenant difficilement à camoufler un sourire satisfait.

— Ça fait longtemps que tu travailles à la BAP ? lui demanda Tom alors qu'il grimpait un talus en s'accrochant aux racines humides couvertes de terre.

— Ça va faire cinq ans, lui répondit le détective en se hissant à son tour au sommet de la butte. Je suis arrivé en même temps que Will.

Tom hocha la tête en lui pointant du doigt la direction qu'ils devaient emprunter. Contrairement à Connor, il était véritablement investi dans cette battue et semblait garder espoir de retrouver le corps d'Alan Taylor. Connor en était beaucoup moins convaincu. Il avait déjà eu affaire à des loups-garous par le passé, et il savait pertinemment qu'ils seraient chanceux s'ils retrouvaient ne serait-ce qu'un morceau d'os. Le reste avait sûrement déjà été digéré par la créature.

— Et tu y fais quoi, exactement ? reprit l'adjoint lorsqu'ils rejoignirent un petit sentier si étroit qu'ils furent forcés de marcher l'un derrière l'autre.

Connor suivait tout de même son guide de près, percevant les effluves de l'eau de toilette musquée qu'il connaissait bien. L'un de ses ex la portait aussi. Comment s'appelait-elle déjà ? Fleur des bois ? Homme des bois ? Ou des forêts ? C'était quelque chose comme…

— Connor ? le relança Tom en jetant un coup d'œil par-dessus son épaule.

— Euh, désolé. J'ai… j'ai cru avoir vu quelque chose, mais en fait non, bafouilla-t-il sans grande conviction, et surtout sans parvenir à masquer sa gêne.

Généralement, Connor n'était pas du genre maladroit lorsqu'il tentait de séduire quelqu'un, homme ou femme. Mais ce flic, derrière son air mystérieux, son sérieux imperturbable et son regard si profond, avait le don de lui faire perdre tous ses moyens.

Bon sang, il avait l'impression d'être de retour au collège, lorsqu'il avait tenté de séduire Cynthia Jones au cours de la sortie aux jardins botaniques de Denver.

— C'est quoi ton rôle au sein de la BAP ? reformula-t-il.

— On a tous la casquette de détective, et on travaille généralement en équipe sur de nombreuses étapes de l'enquête. Mais moi, je suis spécialisé dans l'infiltration et la filature. Donc, si tu as besoin de suivre une personne ou d'infiltrer un gang, je suis ton homme.

— C'est bon à savoir, répondit Tom d'une voix distraite, plus intéressé par la forêt que par les explications du détective.

— Enfin, pas que pour ça, hein. Je suis doué dans plein d'autres domaines.

Mais ferme-la, Connor ! Ça se passait bien. Pourquoi tu gâches tout ?

Tom se contenta de lui répondre par un petit rire poli, clairement gêné par les tentatives de flirt de son binôme.

Au fil des années, et après son échec initial avec Cynthia Jones, Connor avait développé ses talents de séducteur. Il pouvait désormais se vanter de savoir draguer sans difficulté. Sauf que, d'habitude, il le faisait en terrain conquis. Il ne se lançait qu'après s'être assuré qu'il plaisait à la personne en face. Mais, cette fois, c'était différent. Lorsqu'il avait vu Tom pour la première fois, quelque chose s'était produit. Évidemment, le fait que le shérif adjoint était beau comme un dieu avait joué. Mais il dégageait autre chose, comme une aura qui avait immédiatement charmé Connor. Il s'en retrouvait totalement déstabilisé, perdant tous ses moyens face à ce type qui n'était pourtant pas plus impressionnant que celles et ceux qu'il avait tenté de séduire par le passé.

Se pouvait-il que ce soit… Un coup de foudre ?

Non, c'est ridicule !

— Arrête-toi ! lui ordonna soudain Tom.

La tête ailleurs, Connor n'eut pas les réflexes suffisants et acheva sa course en percutant Tom, qui ne bougea pas d'un centimètre malgré l'impact. Une véritable armoire à glace posée en plein milieu du sentier.

— Là-bas, souffla-t-il en pointant le doigt sur leur droite.

Connor regarda dans la direction indiquée par son binôme, n'y voyant rien d'autre que de larges conifères mêlés à quelques arbustes. Hormis des champignons poussant aux pieds des arbres et un écureuil grimpant sur l'un des troncs, il ne remarqua rien d'anormal. Jusqu'à ce que…

Un mouvement derrière un arbuste. C'était presque imperceptible, mais c'était bien là. Connor se pencha en avant et plissa les yeux pour mieux distinguer de quoi il s'agissait. Il reconnut le pelage brun et touffu de la bête.

— Qu'est-ce que c'est ? chuchota-t-il à Tom.

— Peut-être un sanglier, peut-être un ours. Peut-être… autre chose.

Connor ne savait absolument pas comment réagir face à un ours ou un sanglier. En revanche, les « autres choses », il en connaissait un rayon. Il attrapa lentement le fusil chargé de balles en argent pendu à son dos et le serra fermement de ses deux mains. Il avait pris la liberté de récupérer l'arme à l'arrière de Christine et d'y insérer deux balles, au cas où une telle situation se présenterait.

Il garda toutefois le fusil pointé vers le sol. Il n'y avait aucune raison de tirer à ce stade. Les loups-garous n'apparaissaient que les soirs de pleine lune. Les chances qu'il s'agisse réellement du meurtrier d'Isabella Douglas et Alan Taylor étaient donc infimes. Pour autant, il valait mieux rester prudent.

Les créatures surnaturelles étaient toujours pleines de surprises.

— On recule, ordonna Tom tout bas, avec une autorité qui ne tolérait aucun refus.

— Pas question, rétorqua Connor en tentant d'être aussi discret que le flic. S'il s'agit bien de notre créature, on a l'opportunité de mettre fin au massacre. Tu ne comptes pas t'en saisir ?

Tom arbora une moue hésitante, semblant peser le pour et le contre, avant de finalement dégainer lui aussi son arme.

— Elle ne te servira à rien, lui dit Connor en baissant les yeux vers le revolver du policier. Il te faudrait des balles en…

La créature derrière l'arbuste se mit soudain à bouger. Dans un même mouvement, Tom et Connor se tapirent derrière un buisson pour éviter d'être repérés par la bête. Le shérif adjoint glissa sa tête derrière les feuilles pour tenter d'apercevoir la créature qui n'était qu'à quelques mètres à peine. Connor l'imita, ne parvenant à voir qu'une espèce de touffe brune derrière un autre buisson.

— Je vais tirer, dit-il tout bas à son coéquipier.

La réaction de Tom ne se fit pas attendre. Il écarquilla les yeux en secouant vivement la tête de gauche à droite. Il n'y avait aucun doute sur le fait qu'il n'était pas d'accord avec ce plan. Pourtant, Connor savait que, s'il s'agissait d'une créature surnaturelle, elle était très certainement bien plus rapide et réactive qu'eux. Leur seule véritable chance de la blesser était de la prendre par surprise alors qu'elle était encore immobile.

Alors, Connor ne réagit pas aux mouvements de tête frénétiques de son camarade et leva son fusil chargé de balles d'argent. Il ne savait pas exactement ce qu'il visait mais il connaissait la position de la créature. Tant que la balle touchait une partie du corps de sa cible, cette dernière serait déstabilisée et affaiblie. Alors, une fois son arme pointée sur le buisson face à eux, il appuya sur la détente et une puissante détonation résonna dans la forêt, occasionnant des sons de battements d'ailes et des mouvements dans les arbres. Mais, très vite, un autre son se fit entendre face à eux. Plus fort. Plus énervé. Une espèce de grognement guttural. Ce n'était pas le bruit d'un loup-garou. Ni même de n'importe quelle autre créature surnaturelle.

— À terre ! lui cria Tom, ne cherchant visiblement plus à rester discret.

La bête sortit du buisson, filant droit sur Connor avec une rage bestiale dans le regard. C'était un sanglier. Et pas vraiment un petit modèle, en plus. Pour couronner le tout, il ne semblait absolument pas blessé. Les yeux du détective croisèrent ceux de la bête, tandis que ses jambes semblaient incapables de répondre à aucun de ses ordres. Comme se mettre à courir, par exemple. Il pouvait affronter un loup-garou ou un esprit vengeur tous les jours sans difficulté, mais un animal sauvage, c'était bien au-delà de ses compétences.

— À terre ! répéta Tom, en joignant cette fois le geste à la parole.

Il se jeta sur le détective et le plaqua au sol, l'écrasant de tout son poids lorsqu'ils atterrirent sur la terre humide. Le sanglier se jeta à travers le buisson, à l'endroit précis où Connor était encore deux secondes auparavant, et poursuivit son chemin à toute vitesse sans plus se soucier de celui qui avait manqué de le tuer.

— Merci…

— Chut, souffla Tom. Il y en a peut-être d'autres.

Connor se rendit alors compte que le corps du shérif adjoint reposait entièrement sur lui, ses mains posées à plat contre son torse et sa cuisse frôlant de très près l'intimité du détective. Il sentit le rouge lui monter aux joues, sans trop savoir si c'était dû à la gêne ou à une certaine excitation. Il pouvait à présent savourer les effluves du parfum de Tom puisque son nez n'était qu'à quelques centimètres de sa nuque.

Ce doux moment ne dura pourtant pas assez au goût de Connor. Après quelques secondes de silence, Tom se releva d'un bond avant de tendre le bras vers le détective pour l'aider à se relever. Celui-ci l'accepta, bien content de profiter encore d'un contact avec le beau flic.

— Tu ne t'es pas fait mal ? l'interrogea Tom en le regardant de haut au bas.

Son regard traduisait plutôt l'intérêt scientifique d'un médecin soucieux de soigner son patient plutôt que celui plus lubrique d'une rencontre éméchée en boîte de nuit à quatre heures du matin. Mais, au moins, il le regardait. C'était un début.

— Non, je ne crois pas, répondit-il en frottant son jean pour en retirer les feuilles mortes accrochées à ses jambes. Juste un caillou qui m'est rentré dans la fesse droite, mais j'ai connu pire.

Tom se contenta de lui répondre par une moue embarrassée.

Mais non, mais… C'est pas ce que je voulais dire…

Alors qu'il cherchait à rectifier le tir par une réponse qui ne contiendrait aucun double sens, la radio de son coéquipier se mit à grésiller, et une voix féminine s'en échappa.

— Tom ?

L'adjoint attrapa immédiatement l'appareil à sa ceinture, certainement pressé de mettre fin à ce moment de malaise.

— Anna, je suis là, répondit-il.

— Tom, il faut annuler la battue sur-le-champ et faire évacuer les bois au plus vite, lui dit la femme à l'autre bout de l'appareil d'une voix tendue.

— Vous courez tous un grave danger, ajouta une voix masculine que Connor reconnut directement malgré le grésillement qui altérait sa voix.

— Will ? C'est toi ?

— Connor ? réagit son collègue de l'autre côté de la radio. Quittez tout de suite la forêt. On… est… pés.

La radio semblait avoir des difficultés à capter un quelconque signal au milieu de ces bois. Pour régler le problème, Tom revint sur ses pas et se hissa au sommet d'un talus, suivi de près par son binôme.

— Vous pouvez répéter, Will ? lui demanda l'adjoint. On vous reçoit très mal.

— Je disais qu'on s'est trompés.

— Comment ça, « on s'est trompés » ? répéta Connor en se rapprochant de la radio.

— Notre créature. Ce n'est pas un loup-garou. C'est un wendigo. Je répète : c'est un…

— Oui, j'ai bien compris, lui répondit Connor d'une voix désormais plus tendue.

Tom se tourna vers le détective, qui n'eut pas besoin de dire quoi que ce soit pour lui faire comprendre la gravité de la situation. D'un simple regard, Connor lui transmit toute l'inquiétude qui le parcourait, et le flic rappuya sur le bouton de la radio pour annoncer :

— Très bien, j'annule tout immédiatement.

Si Connor et Will étaient aussi alarmistes, c'était parce qu'il y avait une différence majeure entre les loups-garous et les wendigos. Si les premiers étaient encore des humains qui se transformaient uniquement les soirs de pleine lune, les seconds s'étaient définitivement transformés en créatures surnaturelles et vivaient dans les bois de jour comme de nuit. Ce qui signifiait que la créature qui avait tué Alan Taylor, Isabella Douglas et tous les autres n'était peut-être qu'à quelques mètres de là.

Et qu'en organisant une battue, Tom venait de lui offrir une dizaine d'encas potentiels sur un plateau d'argent.

Chapitre 10

Le shérif Peterson ressemblait parfaitement à ce qu'Alicia s'était imaginée. Un quinquagénaire bourru à la voix rauque et au regard rude, dont le ventre rond ne laissait aucun doute sur le fait qu'il finissait certainement toutes ses journées de travail en dégustant une ou deux pintes avec ses collègues. En somme, l'archétype du shérif d'une petite ville perdue au fin fond du Montana.

Malgré tout, la détective devait bien avouer qu'il en imposait. Debout face à l'équipe de la BAP et à son adjoint qu'il avait convoqués en urgence dans la salle de réunion, il semblait animé d'une rage sourde qui les poussait tous à garder les yeux baissés, attendant silencieusement qu'il prenne la parole. Même David n'en menait clairement pas large.

— Vous n'êtes là que depuis vingt-quatre heures à peine, démarra-t-il d'une voix cinglante. Et vous me demandez déjà de condamner la forêt parce que vous pensez qu'elle abrite un… vertigo, c'est bien ça ?

— Un *wendigo*, rectifia Will dans sa barbe.

— Pardon ? répliqua Peterson.

Will baissa un peu plus les yeux. Un silence de plusieurs secondes s'ensuivit, durant lequel personne ne parut décidé à reprendre la parole. Finalement, Tom vola au secours de ses invités :

— C'est moi qui ai demandé l'annulation immédiate de la battue, lança-t-il d'une voix assurée. Et j'ai demandé qu'on verrouille l'accès à la forêt jusqu'à ce qu'on en sache plus sur la chose qui a déjà tué *six* innocents. Ça ne me paraît pas absurde, aux vues des circonstances.

— Ce qui est absurde, mon cher Tom, c'est que ces gens soient parvenus à te convaincre de leurs conneries. Un monstre qui tue des gens dans la forêt ? Dans mon monde, on appelle ça un loup ou un ours ! Pas un loup-garou ou un *verdingo* !

— Si je puis me permettre… intervint David d'une voix beaucoup moins résolue que celle de Tom.

Le shérif riva ses yeux verts globuleux sur le responsable de la BAP, ses pupilles ressemblant à deux lance-flammes prêts à libérer un brasier ardent. Mais il ne dit rien, se contentant d'attendre que David poursuive son plaidoyer en le fusillant du regard.

Ce dernier se racla la gorge avant de reprendre :

— Je comprends que ça puisse être rassurant de croire que nous avons affaire à un loup ou un ours. Mais nous avons désormais des preuves scientifiques qui attestent qu'il s'agit bien d'un wendigo. C'est irréfutable. Et laisser vos habitants se promener dans une forêt habitée par une telle créature serait un acte de négligence, shérif Peterson.

— Vous êtes en train d'insinuer que je fais mal mon travail ? gronda le flic, alors qu'une veine commençait à gonfler sur son front de plus en plus rouge.

— Je suis en train de dire que vos croyances, ou plutôt votre absence de croyances, vous poussent à prendre des décisions qui pourraient causer un drame au sein de votre communauté.

David semblait avoir fait mouche. Malgré sa mâchoire serrée et son regard meurtrier, le flic finit par plisser les yeux en annonçant :

— Vous avez quarante-huit heures pour mettre la main sur votre monstre. Après ça, je rouvre l'accès à la forêt, et les recherches pour retrouver notre disparu reprendront. Compris ?

Dans un même mouvement, tous les autres hochèrent la tête.

— Tom, lança-t-il à son adjoint. Je te laisserai appeler le club des chasseurs pour leur expliquer qu'ils n'ont pas le droit de foutre les pieds dans les bois jusqu'à vendredi. Et tâche d'être convaincant. La dernière chose dont j'ai besoin, c'est que Johnny déboule ici pour m'emmerder.

Tom acquiesça sans broncher. À en juger par le visage encore rouge du shérif, il ne valait mieux pas le contredire.

Sans dire un mot de plus, Peterson quitta la salle de réunion d'un pas lourd en marmonnant quelque chose à propos de « ces illuminés qui croient aux fantômes », ponctuant sa phrase d'une ou deux insultes particulièrement fleuries.

Une fois le shérif suffisamment loin, Tom releva la tête.

— Désolé que vous ayez dû subir ça, dit-il d'une voix navrée. C'est pour cette raison que je n'avais pas spécialement envie d'impliquer Jeff. C'est un type assez terre-à-terre.

Alicia l'aurait plutôt défini comme un sale con, mais terre-à-terre fonctionnait aussi.

— Qu'est-ce qu'on fait maintenant ? demanda-t-elle en regardant tour à tour David et Tom. Quarante-huit heures, c'est très peu.

— Pour commencer, il va falloir que vous m'expliquiez exactement ce qu'est un wendigo. Je ne vais pas pouvoir vous aider sans en savoir un minimum sur ce que nous cherchons.

Les regards des membres de la BAP se tournèrent tous vers Will. Quand il s'agissait de parler de créatures surnaturelles, il était le plus calé d'entre eux.

— J'imagine que c'est à moi de m'en charger, supposa-t-il avec un petit sourire amusé.

— Arrête, Will, répliqua Connor. On sait tous que t'en meurs d'envie.

Malgré le majeur qu'il leva en direction de son collègue avec un sourire taquin, Will ne tarda pas à expliquer :

— Le wendigo trouve son origine dans la culture amérindienne. Les premiers spécimens connus sont apparus au sein de tribus indiennes, bien avant l'arrivée des européens. Aujourd'hui, il en existe de moins en moins. Dans le domaine du surnaturel, il s'agit d'une espèce en voie de disparition.

— En voie de disparition ? s'étonna Tom. Comme les ours polaires et les pandas ?

— Tout à fait, lui répondit Will en hochant la tête. Pas vraiment pour les mêmes raisons, cependant. Les wendigos ont subi de plein fouet l'exode rural et la déforestation. D'une part, parce qu'ils se nourrissent presque exclusivement d'humains, et qu'il est plus compliqué de se fournir en chair fraîche quand celle-ci a déserté la nature, et d'autre part, parce que leur environnement se trouve de plus en plus limité. Ces créatures se tapissent à l'ombre des arbres, elles ont une faible résistance à l'ensoleillement et ont donc besoin de s'en protéger. Hors des forêts, un wendigo ne survivrait pas plus de deux ou trois jours. C'est pour ça qu'ils se font rares de nos jours, et que leur espérance de vie est bien souvent limitée.

— Mais qu'ont-ils de surnaturel, exactement ? l'interrogea Tom, visiblement curieux d'en apprendre plus.

— À l'origine, les wendigos sont des humains rongés par la solitude ou l'addiction. Très souvent, les deux. La transformation démarre comme une simple grippe. De la fièvre, des courbatures, une fatigue extrême. Et puis, le corps se met à changer. Les os s'allongent, le visage se déforme. Certains ont même des bois qui leur poussent au sommet du crâne. Visiblement, c'est le cas de notre créature puisque les traces laissées sur la voiture ne semblent pas provenir de griffes ou de crocs.

— Et comment va-t-on réussir à l'éliminer ?

— C'est très complexe, répondit Will en grimaçant. Les wendigos restent cachés tant qu'ils n'ont pas besoin de se nourrir. La bonne nouvelle, c'est que plus ils mangent de chair humaine, plus ils ont besoin de s'alimenter. Notre créature devrait donc prendre de plus en plus de risques pour trouver de nouvelles proies. La mauvaise, c'est… ça aussi. La meilleure solution serait de lui tendre un piège, mais nous parlons là de créatures très malines. Certains wendigos conservent une conscience et une intelligence humaine.

— Tu veux dire qu'elles se souviennent de leur vie d'avant ? devina Tom. C'est horrible.

— Les wendigos étaient des gens profondément malheureux avant leur transformation. Dans beaucoup de cas, ils souffraient de dépression. La souffrance fait partie d'eux, elle leur donne la force de partir en chasse. Et, d'après les témoignages que j'ai pu consulter, le sentiment de bien-être procuré par l'absorption de chair humaine est incroyable. Il dépasse l'effet de n'importe quelle drogue dure. C'est pour ça que les wendigos sont susceptibles de massacrer des dizaines de personnes à la suite. Ils ne sont jamais rassasiés, et l'effet de manque est de plus en plus difficile à gérer au fil du temps.

Tom grimaça, paraissant perturbé par les explications de Will. Finalement, d'une voix tendue, il demanda :

— Quand tu parles de témoignages, tu veux dire que…

— Dans de rares cas, les wendigos gardent une conscience humaine si importante qu'il est possible de discuter avec eux. Certains wendigos ont été capturés et ont fini par accepter de partager leur expérience.

— J'ai déjà parlé avec un wendigo, confessa David d'une voix tremblante.

Tous les regards se tournèrent vers lui. Si Connor et Tom semblaient choqués de cette révélation, Alicia et Will adressaient un regard peiné à leur supérieur. Alicia pouvait aisément deviner à quel point cette expérience avait marqué David.

Lorsque les forces surnaturelles s'emparaient d'un humain, elles rongeaient son âme de l'intérieur, et rares étaient ceux qui arrivaient à se reconstruire après une telle expérience. Pour les wendigos, c'était encore pire. À ce jour, il n'existait aucun remède. Toute personne infectée par ce mal n'avait le choix qu'entre une vie de chasse ou la mort.

— C'était terrible, poursuivit David. Il s'appelait Joseph. C'était un bon père de famille jusqu'à la mort de sa femme et de sa fille dans un accident de voiture. Il a alors sombré dans l'alcool et la drogue, puis s'est réveillé un jour avec des douleurs atroces et une violente fièvre. Sa transformation n'a pris que six jours. Après ça, il n'a pas su résister à l'appel de la chair et a tué dix-huit personnes au total, dont son meilleur ami de l'époque. Quand il m'a raconté tout ça, il m'a dit qu'il savait qu'il irait en Enfer après sa mort, mais que l'Enfer n'était rien comparé à tout ce qu'il avait vécu dans sa peau de wendigo.

Alicia sentit sa gorge se serrer. L'histoire de cet homme condamné à une existence horrible la toucha plus qu'elle ne l'avait imaginé. Sans dire un mot, Tom fit glisser un mouchoir sur la table qu'elle attrapa en le remerciant d'un hochement de tête.

— Ce qui est arrivé à toutes les victimes du wendigo est absolument affreux, reprit David. Mais notre mission est aussi de mettre un terme aux souffrances de la personne infectée par ce mal.

— Et comment peut-on s'y prendre ? lui demanda le shérif adjoint, dont le visage s'était peu à peu voilé de tristesse au fil du récit.

— Les wendigos aiment vivre dans un environnement qui leur était familier quand ils étaient humains. Si notre créature a décidé de vivre aux abords de Lewistown, ce n'est pas pour rien. Alors, il va falloir chercher parmi les personnes décédées ou portées disparues quelques semaines avant la première attaque. Cherchez principalement les personnes isolées, celles atteintes de dépression ou d'une dépendance. Ce mal s'en prend à ceux qui subissent une solitude profonde.

— Très bien, je fouillerai dans les registres des décès, lui répondit Tom. Quant à vous, prenez votre soirée. Il vaudrait mieux que vous fassiez profil bas tant que je n'ai pas convaincu Jeff de l'intérêt de votre venue.

— Très bien, accepta David. De toute façon, je pense que mon équipe a bien besoin de repos après une telle journée.

Les mines fatiguées des membres de la BAP parlaient à leur place. Leurs traits tirés et les cernes noirs sous les yeux de chacun d'eux témoignaient du début de semaine harassant qu'ils venaient de vivre.

Et puis, Alicia avait une autre affaire à régler : son couple.

* *

De retour au motel, Alicia avait rejoint sa chambre sans s'attarder avec ses collègues, préférant s'isoler. L'air froid et sec du Montana ne lui convenait pas du tout, et elle s'était dit qu'une bonne douche brûlante était exactement ce qu'il lui fallait avant d'appeler Philip. Malheureusement pour elle, l'eau chaude était visiblement très limitée au motel, et la température n'avait fait que baisser après seulement cinq minutes. Elle en sortit en claquant des dents, enroulant l'épaisse serviette autour de sa poitrine.

Après avoir troqué la serviette pour son peignoir tout aussi duveteux, elle récupéra son portable sur la table de chevet pour passer son coup de fil.

Au bout de trois sonneries, la voix grave de Philip l'accueillit sans enthousiasme.

— Bonsoir, Alicia.

— Bonsoir, mon chéri, lui répondit-elle en essayant d'adopter une voix douce et chaleureuse. Comment s'est passée ta journée ?

Au bout du fil, son fiancé poussa un léger soupir las. Elle ne savait pas vraiment s'il était lié à la fatigue ou à son appel imprévu.

— On est à la bourre sur notre dernier chantier, donc j'ai encore fait beaucoup d'heures aujourd'hui. D'ailleurs, je viens seulement de rentrer.

Alicia jeta un coup d'œil à sa montre. 20h30. Philip venait de terminer une journée de douze heures, tout comme elle.

— Et puis il y a eu cette histoire de caution… ajouta-t-il dans un souffle.

Alicia ferma lourdement les paupières. Une nouvelle attaque passive-agressive. Comme si, d'une certaine manière, elle était en partie responsable de sa journée pourrie alors qu'elle était à plusieurs centaines de kilomètres de là et qu'ils ne s'étaient pas parlé de la journée.

Elle décida de mettre cette réflexion sur le compte de la fatigue et de laisser couler.

— Je suis désolée, mon chéri. Je reviens vendredi pour l'essayage de la robe. C'est prévu, et je ne compte pas le manquer. Promis.

Après un court instant de silence pendant lequel Alicia laissa son regard se perdre à la fenêtre de sa chambre, observant Connor et Will embarquer dans le pick-up vers une destination qu'elle ignorait, Philip lui répondit finalement :

— Je sais bien, Alicia. Je sais que tu ne le fais pas exprès et que tu as simplement un boulot prenant. C'est juste que j'ai besoin de te sentir investie dans notre mariage. C'est important pour moi.

— Ça l'est pour moi aussi, chéri. Et je n'ai aucune excuse pour tout ce que j'ai manqué ces dernières semaines, alors je ferai en sorte de me racheter jusqu'au jour J. Notre mariage sera fabuleux, j'en suis certaine.

La jeune détective se surprit à sourire en disant cela. Malgré toute la pression de l'organisation de la cérémonie, elle savait que Philip était le meilleur fiancé possible. Il était celui qui l'avait faite rire aux larmes lors de leur premier rendez-vous, celui qui lui préparait de bons petits plats à chaque fois qu'elle revenait d'une affaire éprouvante, celui qui lui avait fait la plus belle demande en mariage au rayon Polars de sa librairie préférée. Malgré tous ses doutes et toutes les tensions de ces dernières semaines, Alicia savait que cet homme était celui qui saurait la rendre heureuse pour le reste de sa vie, si elle lui en offrait l'opportunité. Encore fallait-il qu'elle y parvienne.

— Je t'aime, Philip, lui susurra-t-elle.

— Je t'aime aussi, répondit-il d'une voix tendre. Mais j'ai vraiment *vraiment* hâte qu'on en ait fini avec ce mariage.

— À qui le dis-tu, réagit-elle dans un éclat de rire, rapidement imitée par son fiancé.

L'atmosphère lourde et tendue parut s'alléger. Alicia raconta sa journée à son compagnon, qui poussa de petites exclamations de surprise à chaque tournant de l'enquête, comme si elle lui racontait le dernier épisode de leur série préférée. Puis ce fut à son tour de raconter sa journée, des gaffes de son collègue Danny à la prise de bec qu'il avait eue avec le maître d'œuvre. Une heure s'écoula finalement, sans même qu'Alicia ne s'en rende compte. Comme si, d'une certaine manière, elle avait retrouvé le Philip qui l'avait faite craquer lors de leur premier rendez-vous.

Chapitre 11

Le *Sixties* n'avait finalement rien d'un bar gay. Ce fut, en tout cas, ce que pensa Will en franchissant l'épaisse porte de bois vitrée. Derrière sa devanture en briques brunes parée d'un drapeau arc-en-ciel, le bar avait tout d'un boui-boui typique du Montana. Un épais nuage de fumée de cigarettes enveloppait les lieux d'un voile grisâtre tandis que les chansons country de Willie Nelson résonnaient entre les murs froids et impersonnels de l'établissement. Pour seule décoration, une tête d'élan fixée au mur derrière le comptoir veillait sur le gérant qui regarda Connor et Will s'approcher d'un œil suspect.

— Je ne pensais pas vous voir traîner par ici ce soir, leur lança-t-il avec un sourire en coin lorsqu'ils s'installèrent sur des tabourets face à lui.

— On se connaît ? l'interrogea Will.

L'homme ressemblait à l'habitant de Lewistown typique. Une chemise à carreaux sépia, une fine moustache rasée de frais, un ventre légèrement bedonnant, et un chapeau de cow-boy qui complétait à merveille sa tenue de *redneck*. Malgré tout, il dégageait une bonhomie et une sympathie contagieuses. Will se dit que cet homme devait recevoir de multiples confidences de concitoyens éméchés. Il pourrait peut-être leur fournir quelques précieuses informations.

— Tout le monde sait qui vous êtes par ici, répondit le barman en levant une bouteille de scotch pour leur en proposer.

Les deux détectives hochèrent la tête pour accepter l'offre, et l'homme sortit d'un geste deux verres à whisky sous le comptoir.

— Vous êtes les détectives qui croient qu'un monstre rôde dans les forêts de Lewistown, poursuivit-il en remplissant généreusement les deux contenants.

— Et vous en pensez quoi, vous ? lui lança Connor en se saisissant de l'un d'eux.

— J'en pense que j'ai vu ma dose de monstres traîner dans les environs, et aucun d'eux ne vivait dans les bois.

Will fronça les sourcils. Il n'avait pas envisagé que cet homme serait aussi loquace d'entrée de jeu.

— C'est-à-dire ?

— Le Montana est une région sauvage par nature. Ceux qui vivent ici ne sont pas comme vous, les citadins. On n'est pas aussi à cheval sur les bonnes manières et l'éducation par ici. Et on a eu notre dose de détraqués au fil des années. Si vous voulez mon avis, vous feriez mieux de chercher votre tueur à la sortie de la ville plutôt que dans la forêt. Il y a tout un tas de types louches par là-bas.

— Et l'un d'entre eux aurait-il disparu de la circulation ces derniers mois ? le questionna Connor.

Des rires gras résonnèrent au fond du bar, couvrant la voix de John Denver qui s'échappait d'un vieux jukebox dans un coin de la pièce. Will se retourna pour découvrir quatre vieux types vêtus de chemises de bûcheron qui s'enfilaient leurs pintes de bière sans se soucier des autres clients. L'un d'eux plissa les yeux d'un air menaçant en remarquant le regard du détective rivé sur lui. À la vue de la hache posée au pied de la banquette, Will se dit que leur bref échange de regards avait été bien assez long.

Il se retourna vers le barman lorsque celui-ci répondit :

— Il y a bien *Crazy Dude* qui a disparu du jour au lendemain, mais beaucoup de gens pensent qu'il s'est simplement fait interner.

— Interner ? répéta Will. Pour quelle raison ?

— Schizophrénie. On l'appelle *Crazy Dude* parce qu'il passait son temps à errer en ville en criant à qui voulait bien l'entendre que la fin du monde était proche et que l'enfer allait nous tomber dessus.

— Et quand a-t-il disparu ?

— Pendant l'été, je dirais.

La période correspondait. Cette piste était mince, mais c'était un début.

— Vous ne connaîtriez pas son véritable nom, par hasard ? demanda Connor.

— Il me semble que j'ai déjà entendu quelqu'un l'appeler Tobey, mais je ne pourrais pas en attester. Même si ce n'est pas le seul cas de ce genre à Lewistown, c'est sûrement le pire. Mais je croyais que vous cherchiez un monstre ?

Will descendit son verre de whisky d'une traite. L'alcool lui brûla la gorge, avant de réchauffer toute sa poitrine, atténuant le poids de cette journée éreintante.

— L'un n'exclut pas forcément l'autre, répondit-il finalement. Notre monstre pourrait bien avoir été un habitant du coin avant d'aller se terrer dans la forêt.

Le visage du barman s'assombrit soudain. Cette réflexion parut lui faire l'effet d'un coup de tonnerre, et Will savait qu'une information intéressante se cachait derrière cette réaction brutale.

— Ça vous parle ? ajouta-t-il d'une voix plus douce.

Le barman se retourna pour ouvrir le grand frigo surchargé de bouteilles d'alcool. Il en sortit une bière brune parée d'une tête de mort sur l'étiquette, et l'ouvrit en la faisant claquer contre ses dents. Il recracha le bouchon pour avaler une généreuse gorgée.

Finalement, il posa la bouteille sur le comptoir devant lui, et répondit d'une voix rauque :

— Peut-être bien.

Une jeune femme arriva à cet instant à l'autre bout du comptoir, tenant deux pintes vides d'une seule main. De l'autre, elle faisait de grands gestes au barman pour qu'il remplisse ses verres. Celui-ci ne se fit pas prier pour échapper à la discussion qui semblait prendre une tournure bien trop personnelle à son goût.

Connor et Will échangèrent un regard perplexe. Ils avaient tous deux flairé le changement soudain de comportement de leur interlocuteur. C'était cela que Will aimait lorsqu'il menait des interrogatoires avec son ami. D'un regard, ils se comprenaient. Instinctivement, ils se renvoyaient la balle pour mettre les témoins ou les suspects en confiance. Leur dynamique était rodée et fonctionnait à merveille… lorsque le tempérament de feu de Connor ne prenait pas le dessus.

Le gérant du bar revint après avoir resservi sa cliente déjà bien éméchée, qui se mit à chanter *Country Roads* à tue-tête en retournant à sa table. Le propriétaire des lieux lui lança un regard amusé en secouant légèrement la tête, mais retrouva vite un visage impassible en rejoignant les deux détectives.

— Vous vous apprêtiez à nous parler d'un sujet intéressant, je crois, relança Connor en plissant les yeux.

Cet homme semblait franc, direct. Ils savaient qu'ils n'avaient pas besoin de passer par quatre chemins avec lui pour obtenir les informations qu'ils recherchaient. S'il souhaitait les partager, il le ferait sans détour. Sinon, n'importe quelle méthode était vouée à l'échec.

Le barman poussa un long soupir, avant de pointer du doigt l'entrée du bar.

— Vous avez vu le drapeau sur la devanture ?

Les deux amis hochèrent la tête de concert.

— Vous savez de quoi il s'agit ?

— C'est le drapeau de la communauté LGBT, lui répondit Will sans émotion dans sa voix.

Quelle que soit la vision que leur interlocuteur avait de cette communauté, il ne devait surtout pas le braquer en dévoilant son attachement à ce symbole. Les petites villes avaient souvent une mentalité bien à elles, et un drapeau arc-en-ciel en façade d'un bar ne signifiait pas forcément que le propriétaire des lieux était un homme ouvert d'esprit. Il valait donc mieux pour l'enquête qu'il mette ses convictions personnelles de côté.

— Vous êtes bien des gars de la ville, réagit le barman dans un petit ricanement. Par ici, la majorité des gens croient que c'est un drapeau jamaïcain ou un symbole de paix.

Les détectives lui sourirent poliment, sans trop savoir où les menait cette discussion.

— Je l'ai accroché là pour rendre hommage à mon fils, confia finalement l'homme derrière son comptoir avant de s'enfiler une généreuse gorgée de bière. Il a compris qu'il était gay au lycée. Tous les samedis, il me disait qu'il allait faire de la musique chez des ados du coin, alors qu'il prenait le bus jusqu'à Billings pour retrouver ses amis gays.

Il marqua une pause pour pousser un petit rire teinté de chagrin, secouant la tête en baissant les yeux sur sa bière à moitié vide.

— C'était un malin, mon petit, soupira-t-il.

Will et Connor échangèrent un regard ému. Même s'ils considéraient cet homme comme un simple témoin de l'affaire, ils ne pouvaient pas nier que cette histoire les touchait personnellement.

— Comment s'appelait-il ? demanda Connor. Votre fils.

— Kenneth Dixon Junior, mais tout le monde l'appelait Kenny. Il ne voulait pas porter le même prénom que son vieux père. Il trouvait ça ringard.

Un autre rire triste glissa entre ses lèvres.

Will sentit les larmes lui monter aux yeux et sa voix s'érailler lorsqu'il demanda gentiment :

— Kenneth, où voulez-vous en venir ?

L'homme releva ses yeux baignés de larmes en direction de Will pour lui répondre :

— Quand Kenny m'a avoué qu'il était gay, j'ai merdé. Je l'ai rejeté et je lui ai dit que je ne voulais pas d'un fils comme ça. J'ai été idiot. Et au début de l'été… Je me souviens, c'était un dimanche matin. Je m'étais levé sur les coups de onze heures et, quand je suis descendu à la cuisine…

L'émotion était palpable dans la voix du barman, qui semblait sur le point de fondre en larmes d'une seconde à l'autre.

— Il n'était déjà plus là, reprit-il. L'appartement était totalement vide. Un couple du coin l'a vu partir très tôt ce matin-là… Il avait pris mon fusil de chasse avec lui.

L'homme se tut, incapable de poursuivre son récit. Il engloutit le reste de sa bière avant de jeter la bouteille dans un bac sous le bar.

— Les flics ont conclu à un suicide, même si personne n'a jamais retrouvé son corps. Ce drapeau me rappelle que j'ai été idiot et que ça m'a coûté mon fils. Et c'est aussi un moyen de dire aux autres gamins gays qu'ils seront en sécurité dans mon bar, que je serai là pour les protéger contre ceux qui n'arrivent pas à les accepter.

Malgré ses convictions d'enquêteur et son envie de séparer sa vie privée de son travail, Will ne put se retenir de confesser d'une voix tremblante :

— Croyez-moi sur parole quand je vous dis que j'aurais aimé avoir un lieu comme votre bar près de chez moi quand j'ai découvert que j'aimais les garçons.

Même s'il avait grandi à une vingtaine de kilomètres de Denver, la grande ville lui semblait être à l'autre bout du monde jusqu'à ce qu'il parte pour la fac. Avant cela, Will s'était terré dans le silence sans oser avouer sa différence. Ce simple drapeau accroché sur la devanture du bar de Kenneth allait peut-être permettre à d'autres adolescents comme lui d'ouvrir leur cœur et d'affirmer leur identité.

— Vous croyez que mon fils est capable de telles atrocités ? leur demanda le père endeuillé, la gorge serrée. Kenny ne pourrait jamais tuer qui que ce soit.

Will aurait aimé le rassurer et lui dire que c'était impossible, mais le jeune homme correspondait au profil d'un potentiel wendigo. Un garçon isolé, rongé par la dépression et la honte. Même si ce profil semblait bien plus commun par ici que Will ne l'avait imaginé en arrivant, Kenny avait disparu peu de temps avant l'apparition de la créature.

— J'espère de tout cœur que ce n'est pas le cas, lui dit Will en posant sa main sur le poignet du barman. Mais s'il s'avère que Kenny est bien celui que nous recherchons, nous ferons en sorte de le libérer de ses souffrances. C'est promis.

Le regard de Kenneth se para soudain d'une noirceur qu'il n'avait jamais exprimé jusque-là.

— Kenny ne ferait jamais une chose pareille.

Sans dire un mot de plus, l'homme s'éloigna des deux détectives pour aller s'affairer à l'autre bout de son bar.

Will ne pouvait pas lui en vouloir. Il était très difficile pour les proches d'admettre que ceux qu'ils aimaient pouvaient abriter une créature meurtrière en eux, et c'était très compliqué pour l'équipe de la BAP de leur faire comprendre que les personnes infectées n'étaient plus capables de se contrôler. Qu'il s'agisse d'un loup-garou ou d'un wendigo, la créature prenait la place de l'humain, qui devenait lui-même la victime malheureuse de la bête.

C'était l'une des raisons pour lesquelles Will prenait son travail très à cœur. Il lui permettait d'offrir la paix et la justice à ceux qui abritaient involontairement le mal en eux.

Le détective fut sorti de ses pensées par le tintement de la cloche à l'entrée du bar. En se retournant, il eut la surprise de voir entrer le shérif Peterson, suivi de près par son adjoint. D'un regard en direction de Connor, il remarqua immédiatement le sourire au coin des lèvres de ce dernier.

— Qu'est-ce que t'as en tête ? l'interrogea-t-il, appréhendant la réponse de son ami.

— Oh, rien, répondit Connor, une lueur malicieuse dans le regard. Je me dis juste que cette soirée ne cesse de me surprendre.

Chapitre 12

Connor sentit une vague de chaleur parcourir son corps dès l'arrivée du beau shérif adjoint dans le bar. Certes, cet endroit n'avait absolument rien d'un bar gay, si on omettait le drapeau hissé par Kenneth en hommage à son fils. Pourtant, un verre de whisky et une chanson de Paul Brandt en fond sonore suffisaient à raviver les instincts séducteurs du jeune détective.

Cependant, les minutes qui suivirent l'entrée du beau Tom dans le bar ne furent pas aussi *intéressantes* qu'il l'avait cru au départ. Le shérif et son adjoint s'étaient installés sur une banquette près de l'entrée, et le gérant leur avait apporté deux pintes de bière sans qu'ils n'aient à passer commande au comptoir. Visiblement, les deux hommes étaient des habitués du *Sixties*. Connor et Will avaient donc repris une discussion innocente, faisant mine d'ignorer la présence du plus beau flic de l'État à quelques mètres de là. Ils commandèrent à leur tour une seconde tournée pour poursuivre la soirée un verre à la main.

Le propriétaire des lieux, grandement refroidi par leur discussion quelques minutes auparavant, s'était exilé de l'autre côté du bar, essuyant encore et encore le même coin de comptoir pour éviter qu'on vienne le déranger.

— Tu crois vraiment que son gosse pourrait être notre wendigo ? demanda Connor à voix basse en faisant un signe de tête en direction de Kenneth.

Will garda quelques instants ses yeux fixés sur le barman, semblant réfléchir très sérieusement à la question.

— Je ne crois pas, admit-il. Les wendigos sont des êtres habités par une vie entière de malheurs et d'isolement, par une colère noire qui envahit chaque parcelle de leur corps. Kenny n'était qu'un adolescent paumé comme tant d'autres. Je ne pense pas qu'il corresponde au profil de notre créature.

— J'espère, soupira Connor.

Le détective avait été particulièrement touché par l'histoire de Kenneth et de son fils. Par de nombreux aspects, elle lui rappelait sa propre adolescence avec son père. Lorsque celui-ci l'avait surpris dans sa chambre avec un autre garçon alors qu'il n'avait que seize ans, une colère terrible s'était emparée de lui. Il avait menacé de mettre son fils à la rue s'il le revoyait avec ce garçon ou un autre. Il comptait bien s'assurer que Connor ne deviendrait pas une « tapette », comme il l'avait hurlé ce jour-là. Comme tout adolescent apeuré qui n'avait d'autre choix que de se plier aux règles de son paternel, Connor n'avait pas fait de vagues jusqu'au dernier jour de lycée. En rentrant chez lui ce soir-là, il avait rempli un sac avec quelques vêtements et avait pris le bus jusqu'à Denver pour démarrer sa vie d'adulte. Sans son père. Il ne s'était pas retourné, et n'avait jamais regretté sa décision. Depuis ce jour, il n'avait plus eu de nouvelles de son géniteur. Il s'en était sorti seul, alternant les petits boulots, les passages en auberges de jeunesse et les nuits à la rue, avant de dénicher un job de serveur suffisamment stable pour lui permettre de louer son propre appartement.

D'une certaine manière, cette vie de galères l'avait parfaitement formé à être un excellent détective au sein de la BAP. Il avait appris la débrouillardise dans les rues de Denver, jouant de ses charmes pour se faire offrir un repas chaud, ou développant ses talents de pickpocket dans les rames du métro. Il n'était pas fier de tout ce qu'il avait dû faire, mais il avait appris qu'il ne pouvait compter que sur lui-même pour s'en sortir.

Cette leçon restait toujours ancrée dans un coin de sa tête, malgré le fait qu'il avait trouvé une seconde famille auprès des membres de la brigade. Une famille à laquelle il tenait énormément et qu'il comptait bien protéger à n'importe quel prix.

— Bonsoir, messieurs, lança une voix derrière eux au moment où la cloche de l'entrée tinta de nouveau.

Connor se retourna sur son tabouret pour découvrir le beau Tom, debout à leurs côtés. Derrière lui, le shérif Peterson avait déjà un pied hors du bar.

— Jeff n'a plus la ferveur de sa jeunesse, et sa femme va l'engueuler s'il rentre après 21 heures, expliqua l'adjoint en pointant le pouce vers la porte d'entrée. Alors, je me suis dit que j'allais proposer à mes invités de boire une dernière pinte pour conclure la journée.

Connor adressa un regard suffisamment équivoque à Will pour que celui-ci comprenne parfaitement ce qu'il lui suppliait de faire, mais assez discret pour que Tom ne le remarque pas.

Par pitié, laisse-moi seul avec lui, le supplia Connor intérieurement, comme si Will était capable de lire dans ses pensées.

Après un silence qui sembla durer une éternité, Will poussa un bâillement un peu trop surjoué aux yeux de son ami, répondant :

— Je crois que je vais plutôt rentrer, si ça ne vous dérange pas. Je ne suis pas encore remis du trajet d'hier, j'ai vraiment besoin de repos. Tu restes, Connor ?

Will avait parfaitement compris le message. Lorsqu'il se leva de son tabouret, Connor remarqua le petit sourire au coin de ses lèvres.

— Si Tom accepte de me ramener au motel ensuite, ce serait avec grand plaisir, indiqua Connor en se tournant vers le shérif adjoint.

— Aucun problème, lui précisa ce dernier, visiblement ravi de prolonger la soirée.

Will avala d'une traite ce qu'il lui restait de bière, avant de reposer lourdement la pinte en tapotant amicalement l'épaule de son collègue.

— Ne traînez pas trop, les gars, les prévint-il d'une voix faussement autoritaire. On a pas mal de boulot demain.

— Oui, papa, le taquina Connor.

Même si David était clairement le patriarche de la BAP, par son âge et l'aura de sagesse qu'il dégageait, Will n'était pas loin de lui voler la place par moments.

À peine eut-il franchi la porte que Tom vint s'asseoir sur le tabouret désormais libre. Constatant le verre vide devant Connor, il adressa un signe de la main à Kenneth, qui comprit le message et leur ramena deux pintes généreusement remplies qui prirent la place des précédentes.

— Alors, Connor, que penses-tu de notre charmante bourgade de Lewistown ? lui demanda Tom avant d'avaler une gorgée de bière.

La mousse vint se poser contre la fine moustache du flic, déstabilisant quelque peu le détective. Le lent passage de la langue de Tom le long de ses lèvres ne l'aida pas à se concentrer sur la question. Mais il ne voulait pas se ridiculiser une nouvelle fois devant le policier, il l'avait déjà bien assez fait jusque-là.

Cette fois, il devait enfiler sa casquette de dragueur charismatique.

Avec un sourire charmeur au coin des lèvres, il se saisit de son verre d'une main pour boire à son tour une gorgée de bière, et répondit :

— Eh bien, je dois bien t'avouer que je suis surpris de ce que je découvre.

— Vraiment ? réagit Tom avec un sourire curieux.

— Je pensais vraiment qu'il ne se passait jamais rien dans les petites villes de ce genre, expliqua-t-il. Mais en vingt-quatre heures ici, j'ai découvert que les choses étaient bien plus complexes qu'elles ne le laissaient paraître.

— Ah oui ? Parce que nous ne sommes pas les bons vieux péquenauds que tu avais imaginés en arrivant ?

Malgré la pointe de sarcasme dans la voix de Tom, celui-ci semblait plutôt amusé par la vision que le détective avait de Lewistown.

— Quelque chose comme ça, le taquina Connor. Mais sérieusement, qu'est-ce qui conduit un jeune flic plein d'avenir à devenir adjoint dans une ville comme celle-ci ?

Connor avait sciemment choisi de lui poser une question personnelle. Il n'avait aucune envie que cette soirée au bar se transforme en réunion de travail. Il comptait bien profiter de ce moment privilégié pour apprendre à connaître Tom.

Dans le but de le séduire ? Peut-être bien.

Le visage du flic se para d'un voile de mélancolie lorsqu'il répondit :

— Mon père était flic, et il a fait toute sa carrière à Great Falls. Il ne s'ennuyait jamais, toujours occupé par des trafics en tous genres ou des affaires sordides de meurtres ou de viols. Il était tellement occupé que je ne le voyais presque jamais. Quand il avait des jours de repos, il se vautrait dans le canapé avec une clope dans une main et une bouteille de whisky dans l'autre. Même lorsqu'il a appris qu'il était atteint d'un cancer du foie, il n'a pas lâché son boulot, ni ses clopes ou son whisky. Il est mort quelques mois plus tard, et j'ai toujours ce sentiment de ne l'avoir jamais connu.

Tom marqua une pause, fixant une bouteille de cognac installée derrière le comptoir face à lui, noyé dans ses pensées. Il reprit machinalement une gorgée de bière avant de poursuivre :

— Alors oui, il ne se passe généralement pas grand-chose à Lewistown. Mais j'ai le temps d'avoir une vie sociale, des passions, d'envisager de fonder une famille si je le souhaite. Toutes ces choses que mon père ne s'est jamais permis d'avoir.

Connor regrettait un peu d'avoir posé cette question. Certes, il en avait appris beaucoup à propos de Tom, mais cette part de son passé n'était clairement pas un sujet qui allait lui permettre d'égayer la soirée. S'il voulait éviter que Tom ne se retrouve à pleurer contre son épaule à la fin de cette conversation, il allait sérieusement devoir changer d'approche.

— Et quelles sont les passions du shérif adjoint Tom Sheperd, alors ? demanda-t-il en lui donnant un petit coup de coude.

Un timide sourire trouva son chemin jusqu'aux lèvres du flic. Il n'était clairement pas remis de cette plongée impromptue dans son histoire familiale, mais cette question eut au moins le mérite de lui permettre d'aborder des choses plus joyeuses.

— Le tir à l'arc, répondit-il. Je m'y suis mis il y a quatre ans en arrivant ici, quand j'ai trouvé un vieil arc poussiéreux et une cible dans la remise du poste de police. Ils avaient été laissés là par un ancien flic parti à la retraite quelques années avant mon arrivée. Un soir, après le service, j'ai décidé de les sortir pour décompresser, et j'ai adoré ça.

Des étoiles brillaient dans ses yeux, comme s'il parlait d'une œuvre d'art qui l'avait bouleversé malgré lui.

— Quand je me suis retrouvé seul face à cette cible, ce vieil arc en main, j'ai eu l'impression que le monde autour de moi s'était envolé. J'étais dans ma bulle, concentré sur mon objectif, et plus rien ne comptait. Plus aucune pression, plus aucune responsabilité. Rien que moi et ma cible. Bon, ce que j'évite de dire en général, c'est que j'ai manqué de me crever un œil en tirant la première flèche et que je l'ai totalement envoyée dans le décor.

Tom s'esclaffa en évoquant ce souvenir, bientôt imité par Connor qui s'imaginait parfaitement la scène.

— Mais je me suis grandement amélioré, précisa Tom, un grand sourire aux lèvres. J'aurais difficilement pu faire pire, en même temps.

Le visage lumineux de Tom était encore plus séduisant que la façade distante et sérieuse de shérif adjoint qu'il avait arborée toute la journée. Le véritable Tom semblait apparaître face à Connor. Un fils esseulé, un flic dévoué et un homme passionné par tout ce qu'il entreprenait. Deux pintes de bières étaient-elles tout ce qu'il fallait pour dévoiler le vrai visage de Tom Sheperd ? En tout cas, cela suffisait pour séduire encore un peu plus le détective.

— Et toi, alors ? le relança Tom en regardant le fond de son verre pour constater qu'il n'était pas loin d'être vide. Quelles sont tes passions ?

Connor n'eut pas besoin de réfléchir longtemps avant de répondre :

— Mon boulot. J'adore ce travail, j'aime chacun des membres de cette équipe comme s'ils étaient ma famille, et en plus, je crois que je suis plutôt doué dans ce que je fais.

— Je donnerai mon avis sur la question quand vous aurez résolu notre affaire, répliqua Tom avec un sourire taquin.

Connor fut étonné de cette pointe d'humour. Le flic était-il en train de flirter avec lui ? Ça en avait tout l'air.

— Et qu'est-ce qui a conduit un jeune homme plein d'avenir à rejoindre la BAP ? poursuivit Tom en conservant son sourire aussi charmant que charmeur.

Cette question ramena Connor à sa première rencontre avec David, cinq ans plus tôt, alors qu'il était encore un garçon plein de fougue, mais totalement paumé.

— J'y suis arrivé un peu par hasard, confessa-t-il en levant son verre pour l'agiter devant lui. J'ai vu une annonce dans le journal. Je m'en souviens parfaitement. « Intéressés par le surnaturel et curieux par nature ? Contactez-moi pour une opportunité professionnelle originale ». J'aurais dû fuir en lisant un message pareil.

Connor poussa un ricanement en se souvenant de sa réaction initiale à l'annonce. Il s'était dit qu'il s'agissait certainement d'un charlatan ou d'un tueur en série en quête de nouvelles victimes. Il avait jeté le journal sur un coin du comptoir du restaurant où il bossait à l'époque, l'oubliant pour le restant de la journée. Ce ne fut que le soir venu, alors que ses pieds le maudissaient d'avoir piétiné des heures durant et qu'il avait dû servir une table remplie de clients particulièrement agaçants et méprisants, qu'il avait revu l'annonce.

— Je me suis dit que je n'avais rien à perdre, poursuivit-il. Alors j'ai appelé sans trop savoir ce qui m'attendait. C'est la meilleure décision que j'ai prise de toute ma vie !

Il avait dit ça bien plus fort qu'il ne l'aurait souhaité. Kenneth et quelques clients se retournèrent vers les deux hommes au comptoir, leur adressant des regards perplexes. Les ignorant complètement, Connor poussa un petit rire, guidé par sa nostalgie et les effets enivrants de l'alcool. À ses côtés, le sourire de Tom remontait jusqu'à ses oreilles.

— David est un type en or, avoua le détective. Je n'ai jamais vu un homme aussi dévoué à rendre les autres heureux, même quand il s'agit de parfaits inconnus. Je suis sûr qu'il aurait fait un excellent shérif.

— Je n'en doute pas un instant, lui répondit Tom. J'aimerais dire que mon patron est pareil, mais…

— C'est un gros con ? suggéra Connor avant d'éclater de rire.

— J'aurais plutôt dit qu'il est bourru, rétorqua Tom sans parvenir à réprimer un éclat de rire.

L'alcool commençait vraiment à monter à la tête des deux hommes. Connor n'avait même plus conscience de la présence des autres clients. Ils étaient dans leur bulle, se découvrant et s'apprivoisant sans se soucier de ce qui se passait autour d'eux.

* *

Après une autre pinte et de nombreux éclats de rire bien peu discrets, Kenneth refusa finalement de leur servir un verre de plus, prétextant qu'il ne comptait pas être responsable du coma éthylique de l'adjoint du shérif. Tom avait bien tenté de sortir son badge pour forcer l'autre à lui servir un autre verre. En vain.

— Je te le demande en tant qu'agent de police, Ken, avait bafouillé Tom en manquant de chuter de son tabouret.

Kenneth n'avait pas cédé, et les deux hommes avaient finalement quitté le bar aux alentours de vingt-deux heures. Tom sembla soudain se rappeler qu'il avait accepté de ramener Connor jusqu'au motel à l'encablure de la ville. Il soupira un « Merde » gêné en constatant qu'il lui serait impossible de conduire dans un tel état d'ivresse.

— Je vais me faire tuer par Jeff si un flic me voit conduire dans cet état, s'était-il inquiété. Je peux pas prendre ce risque.

À court d'options, il avait donc généreusement offert à Connor de passer la nuit sur son canapé.

Passer la nuit chez Tom Sheperd ? Évidemment qu'il avait accepté sans hésitation.

Ce fut ainsi qu'ils se retrouvèrent sur le seuil de son appartement, après une marche titubante depuis le bar. Connor pouffait en regardant le propriétaire des lieux se battre contre sa serrure, qui refusait visiblement de laisser sa clé pénétrer en elle.

— Arrête de te moquer, lui lança Tom d'une voix amusée. C'est pas facile.

Derrière ses grands airs euphoriques, Connor sentit une pointe d'appréhension s'immiscer au fond de lui. Il connaissait Tom depuis moins de vingt-quatre heures et il se retrouvait déjà invité chez lui. En temps normal, cela ne l'aurait absolument pas dérangé. Il lui arrivait régulièrement de se rendre chez des hommes ou des femmes rencontrés une heure plus tôt au bar, en boîte de nuit ou sur une quelconque application. Mais cette fois, c'était différent. *Tom* était différent.

Aux yeux de Connor, il n'était désormais plus ce bel étalon au charme fou qui lui avait tapé dans l'œil le matin-même. Il était un jeune homme intéressant, plein d'humour et de personnalité, avec un sens de la dérision et une répartie qui le rapprochait de la vision que Connor avait de l'homme idéal. Et c'était sûrement pour cette raison qu'il craignait tant de passer la nuit avec lui, même s'ils allaient dormir dans deux pièces séparées.

Il se savait parfaitement capable de gâcher cette belle soirée d'une simple phrase maladroite ou d'un geste impulsif.

— Ne fais pas attention au désordre, le prévint Tom après avoir réussi à enfoncer la clé dans la serrure. Je passe le plus clair de mon temps au poste ou au *Sixties*, alors le ménage n'est vraiment pas ma priorité.

En ouvrant la porte, Tom passa le premier et appuya sur l'interrupteur pour dévoiler sa demeure à son invité.

Peut-être que « demeure » n'était pas le mot le plus approprié pour qualifier ce studio en désordre qui sentait le renfermé et la pizza froide.

Face à la mine perplexe du détective, Tom ricana en se défendant :

— Je t'avais prévenu. Je ne fais que manger et dormir ici, alors ça n'a rien d'un palace.

— C'est sûr que, comparé à la maison de notre témoin de ce matin, ça fait un choc, le taquina Connor.

— Angela ? lui lança Tom avec un sourire en coin. Ne répète ça à personne, mais depuis la mort de son mari, je crois qu'elle passe le plus clair de son temps à faire les poussières chez elle. Sa baraque est plus aseptisée qu'un bloc opératoire.

Tom poussa un petit ricanement adorable, avant de se diriger vers le frigo et de plonger la tête à l'intérieur. Connor eut l'opportunité d'admirer le postérieur bombé du flic à travers son pantalon d'uniforme parfaitement moulant. Pourtant, se surprenant presque lui-même, il détourna le regard de ce superbe spectacle, préférant observer l'appartement de son hôte pour en découvrir un peu plus sur lui. Les logements en dévoilaient énormément sur leurs occupants lorsqu'on les observait avec attention.

Par exemple, cet appartement confirmait qu'il n'avait qu'une fonction pratique aux yeux de Tom. Dans la cuisine, il n'y avait aucun gadget superficiel. Pas de robot-cuiseur ou de yaourtière en vue, simplement une cafetière, deux plaques de cuisson et un grille-pain. Face au comptoir se trouvait une petite table en formica comme on n'en faisait plus depuis quarante ans, sous laquelle était glissée une seule et unique chaise. Le canapé devait probablement être l'endroit du séjour où Tom passait le plus de temps, puisque c'était le seul meuble qui n'était pas envahi de torchons sales, de tasses de café à moitié vides ou de couverts laissés à l'abandon. À en juger par les bouteilles de bière vides posées sur la vieille table basse en bois, le flic devait régulièrement se poser sur le canapé pour savourer une dernière bière après ses longues journées de travail. Malgré la présence d'une télévision en face, aucune télécommande n'était posée sur la table basse. Tom préférait certainement écouter de bons vieux classiques sur la platine vinyle au couvercle relevé installée sur un petit meuble dans le coin de la pièce.

— Qu'est-ce qu'il y a ? demanda le flic en constatant que son invité observait avec insistance la disposition des lieux.

Il lui tendit une bière fraîche que Connor attrapa en secouant légèrement la tête.

— Je me disais que ta table basse était beaucoup trop classe pour ton appartement.

Tom recula subitement la tête, les yeux écarquillés dans une expression de stupeur. Connor savait généralement faire preuve de tact, mais après trois pintes d'une bière suffisamment artisanale pour être généreusement chargée en alcool, il perdait quelque peu ses bonnes manières.

Après quelques secondes de silence, Tom afficha finalement un sourire en coin avant de s'avancer vers le canapé pour s'y installer, posant les pieds sur la table basse en bois sombre gravée de motifs qu'il pointa du doigt.

— C'est tout ce qu'il me reste de mes parents, expliqua-t-il. Ils avaient accumulé pas mal de dettes au cours de leur vie, alors quand ma mère est morte, tous leurs biens ont été liquidés pour rembourser ce qu'ils devaient à la banque. J'ai juste réussi à planquer cette table avant l'arrivée des huissiers.

En s'avançant lui aussi vers le canapé, Connor craignit d'avoir à nouveau amorcé une discussion qui n'allait apporter que mélancolie et amertume à son hôte. Pourtant, à sa grande surprise, Tom se mit à ricaner, le regard rivé sur la table basse.

— Je suis plutôt fier de mon coup, expliqua-t-il, un sourire dessiné sur ses lèvres. J'ai porté ce truc à mains nues jusqu'au coin de la rue quelques minutes avant que les vautours débarquent. J'étais en nage quand je leur ai ouvert la porte.

Connor s'installa à son tour sur le sofa, un bras posé sur le dossier pour retenir sa tête tournée vers Tom. Une vague de chaleur monta soudain en lui. Il ne pouvait plus faire taire son attirance face au regard pétillant du beau flic, à son sourire en coin si expressif, à la ride qui s'était creusée entre ses yeux, sûrement causée par son dévouement quotidien envers les habitants de sa communauté.

Il était beau, et il éveillait en Connor des émotions qu'il n'avait plus ressenties depuis bien longtemps.

Depuis Alicia.

— Pourquoi tu me regardes comme ça ? lui demanda Tom d'une voix amusée.

Sans crier gare, Connor se jeta aux lèvres du beau flic. Peut-être était-ce l'effet de l'alcool, ou de ces émotions inexpliquées qui l'enivraient tout autant que la bière. Quelle qu'en fut la raison, il plaqua ses lèvres contre celles de Tom, goûtant au goût amer du houblon. L'espace d'un instant, il eut l'impression que le shérif adjoint se montra réceptif à son geste audacieux, réduisant un peu plus la distance entre eux. Pourtant, la seconde suivante, Tom plaqua ses mains contre le torse de Connor pour le repousser d'un geste brusque, avant de bondir du canapé.

Il se retourna et fit quelques pas en direction de l'entrée, balbutiant :

— Je… je suis désolé si tu as cru… Ce n'est pas possible, Connor.

— Oh, réagit le détective. Non, c'est moi qui suis…

Sans se retourner vers son invité, Tom tendit le bras derrière lui pour lui demander de se taire. Connor remarqua la crispation et le léger tremblement au bout de ses doigts, comme s'il était sonné par ce qui venait de se passer.

— Tu peux rester dormir sur le canapé, précisa finalement Tom d'une voix blanche. Il y a des plaids dans le meuble télé, prends-en autant que tu veux. Bonne nuit, Connor.

Sans un mot de plus, Tom quitta la pièce pour aller s'enfermer dans ce qui devait être sa chambre, laissant Connor seul sur le canapé.

— Merde, marmonna-t-il.

Comme d'habitude, son impulsivité lui avait joué des tours. Et comme d'habitude, il s'en voulait terriblement.

Chapitre 13

Connor a tout fait foirer.

Cette pensée tournait en boucle dans l'esprit de Will le mercredi matin. Elle s'était manifestée lorsqu'il avait frappé à la porte de sa chambre du motel avant le départ de l'équipe. Connor n'y était pas. Les rideaux étaient ouverts et le lit n'avait pas été défait. Son ami en avait déduit sans mal qu'il n'avait pas passé la nuit ici.

Mais ce fut lorsqu'il arriva dans la salle de réunion avec David et Alicia que cette ritournelle s'enfonça encore plus profondément dans son crâne. Tom et Connor étaient déjà là, et un silence pesant flottait dans la pièce tandis que les deux hommes étaient chacun penchés sur leur travail aux deux extrémités de la table.

Qu'est-ce que tu as encore fait, Connor ?

Tom ne lui laissa pas le temps de réfléchir plus longuement à cette question puisque, dès que la porte se referma derrière eux, le flic leva la tête de ses dossiers pour leur annoncer :

— J'ai sorti les registres des disparitions et des décès des six derniers mois. Je vous en ai imprimé un exemplaire chacun.

Il pointa le doigt en direction de chemises en papier posées sur la table devant eux.

— Je vous ai aussi sorti des informations plus détaillées sur certains d'entre eux. Principalement des types isolés, connus pour des problèmes d'addiction, ou atteints de dépression. Bref, tous les profils qui pourraient correspondre au wendigo.

Will se saisit de l'une des chemises et l'ouvrit, découvrant deux listes de noms, dont certains avaient été surlignés. Parmi ceux-ci, le détective en retrouva deux qui lui évoquèrent immédiatement quelque chose. Tobey Langston, que Will devina être le fameux *Crazy Dude*, et Kenneth Dixon Junior, le fils du gérant du *Sixties*, tous deux notés dans la liste des disparitions.

Dans celle des décès, un nom en particulier attira l'attention de Will, qui leva les yeux vers Tom, occupé à feuilleter ses propres fiches.

— Robert Ford, c'est le mari de la secrétaire médicale ? Angela Ford ? l'interrogea-t-il.

— Affirmatif, répondit Tom d'un ton un peu plus sec que celui auquel il les avait habitués jusque-là.

Conscient qu'il ne tirerait pas plus d'informations du flic à l'humeur maussade, Will tourna les pages du dossier pour y trouver de plus amples informations sur les suspects potentiels.

Les rumeurs qui affirmaient que *Crazy Dude* avait été interné étaient totalement fausses, et la réalité était bien plus sombre que ça. Inquiets de sa disparition soudaine, ses voisins avaient contacté la police pour s'assurer qu'il ne lui était rien arrivé. Lorsqu'elles étaient entrées chez lui, les forces de l'ordre avaient découvert un véritable chaos. Selon l'extrait du rapport de police fourni dans le dossier, les lieux empestaient l'urine et les excréments, et des symboles sataniques avaient été dessinés en rouge sur les murs. Tout ça aurait pu être l'œuvre d'un homme rongé par la schizophrénie, ou bien celle d'un individu atteint d'un mal encore plus terrible. Langston n'avait laissé aucun mot ni aucun indice sur le lieu où il se trouvait. La police avait classé son dossier dans les disparitions inquiétantes, sans pour autant mobiliser de moyens spécifiques à sa recherche. Ils s'étaient sûrement dit que quelqu'un finirait bien par retrouver son corps quelque part.

Will releva la tête en direction de David. Celui-ci consultait la même page, et son expression préoccupée laissait penser qu'il en était arrivé à une conclusion similaire.

— Ça vaudrait peut-être la peine de se rendre au domicile de Tobey Langston, proposa Will.

Le directeur releva les yeux du dossier et hocha presque imperceptiblement la tête.

— Je peux venir avec toi, proposa Tom d'une voix peu assurée.

Will n'avait aucune idée de ce qui s'était passé la veille entre Connor et le shérif adjoint, mais il avait tout de même une hypothèse en tête. Quoi qu'il soit arrivé, ça avait vraiment mis Tom dans une position inconfortable au sein de l'équipe. Il était leur seul véritable allié à Lewistown, et ils ne pouvaient pas se permettre de le perdre.

Will savait qu'il était certainement le mieux placé pour apaiser les tensions qui flottaient dans l'air. Il adressa donc un petit sourire au policier en lui répondant :

— Avec plaisir. Ce sera plus simple d'interroger le voisinage si tu es à mes côtés.

Le flic lui rendit son sourire, et une lueur de reconnaissance brilla dans son regard.

— Très bien, réagit David. Connor et Alicia, il faudrait qu'on aille éplucher les archives municipales en quête d'éventuelles créatures qui auraient opéré dans les environs par le passé. J'imagine qu'elles se trouvent à la bibliothèque, pas vrai ?

Il se tourna vers Tom afin d'obtenir son approbation. Celui-ci lui répondit par un hochement de tête avant de récupérer son badge posé sur la table, visiblement pressé de prendre la route.

Il n'avait clairement aucune envie de rester ici une seconde de plus.

* *

Moins de cinq minutes plus tard, Tom démarra le moteur du SUV qui arborait l'insigne de la police de Lewistown. Il quitta le parking sans dire un mot à son passager, rendant l'ambiance dans la voiture vraiment pesante.

Si Will savait pertinemment que le flic avait besoin de vider son sac, il n'avait pas non plus envie de le brusquer. Il se contenta donc de tourner le regard vers la vitre, profitant de ce voyage sur le siège passager pour observer le décor urbain sur leur passage. Peu à peu, il remarqua que celui-ci se métamorphosait. Après avoir traversé la ville animée et vivante, ils passèrent à une ambiance beaucoup plus industrielle. De larges terrains vagues côtoyaient des scieries ou des entreprises de construction désaffectées dans un paysage désertique morbide, tout juste perturbé par le passage d'un véhicule en sens inverse. Ce ne fut qu'après avoir traversé ce décor triste à mourir qu'ils arrivèrent dans le quartier où avait vécu Tobey Langston.

— Bienvenue dans la Poubelle du Diable, lui lança Tom lorsqu'ils passèrent devant un panneau à moitié arraché sur lequel était apposée l'inscription *Lewistown Heights*.

— La Poubelle du Diable ? répéta Will, les sourcils froncés.

— C'est comme ça que les locaux surnomment ce coin, expliqua Tom en pointant le doigt vers les maisons en tôle surélevées et les caravanes qui se dressaient devant eux telle une armée de ferraille prête à en découdre. Les habitants de la Poubelle sont principalement d'anciens ouvriers recrutés pendant la période faste de l'industrie dans la région, au cours des années quatre-vingt. Puis, peu à peu, toutes les entreprises ont déménagé dans des coins plus intéressants, laissant derrière elles des centaines d'employés au chômage. Le Diable, c'est tous ces grands groupes qui les ont abandonnés du jour au lendemain.

Will devait bien admettre que le quartier méritait son surnom. Le bord de la route – ou plutôt du chemin de terre sinueux – était jonché de sacs poubelles arrachés ou d'objets métalliques en tout genre : chariots de supermarché, étendoirs à linge rouillés, carcasses de voitures carbonisées. Les devantures des maisons n'avaient rien d'accueillant non plus, et les quelques habitants qu'ils croisèrent adressèrent des regards méfiants au véhicule de police. Ils n'étaient clairement pas les bienvenus par ici.

— Généralement, on ne traverse cette zone que pour aller récupérer un cadavre, lui expliqua Tom comme s'il avait lu dans ses pensées. Principalement dans des cas d'overdoses ou de suicides. Donc on fait un peu office d'anges de la mort pour les habitants du coin.

Tom tourna à gauche au croisement suivant. La voiture s'engagea sur une route de terre encore plus détériorée qui les mena jusqu'à une série de mobil-homes rongés par la rouille et la moisissure, camouflant les champs qui s'étendaient à perte de vue.

— On y est, annonça Tom en garant le véhicule devant un mobil-home paré d'un morceau de bois sur lequel était maladroitement gravé le chiffre treize.

Will ricana face à cette étrange coïncidence. Dans bien des cultures, ce nombre était le symbole d'un mauvais présage, d'un malheur à venir et parfois même de mort. Will en connaissait un rayon sur les croyances entourant ce nombre. Il espérait seulement que son pouvoir néfaste ne s'était pas abattu sur Tobey Langston.

La maisonnette surélevée sur de larges rondins de bois ne payait pas de mine. Ses façades en PVC semblaient rongées par l'humidité et le poids des années. Marquée par endroits de traces ou de trous cernés de rouille, elle donnait l'impression d'avoir été cognée par un homme enragé, tout comme l'une des deux fenêtres à l'avant, brisée en son centre et semblant tout juste tenir en place. Sur la droite du bâtiment, Will monta les deux marches de la minuscule terrasse à la suite de Tom et découvrit une affiche placardée sur la porte d'entrée, indiquant qu'il s'agissait d'un lieu interdit au public dans le cadre d'une enquête en cours. La pochette plastique qui protégeait la feuille n'avait pas résisté au poids du temps, et l'humidité s'était infiltrée sur le papier, floutant les petites lignes sur le bas du document.

— Depuis combien de temps Langston est-il porté disparu ? demanda Will.

Tout en sortant la clé du mobil-home de la poche de son pantalon, Tom tourna la tête vers lui en plissant les yeux, semblant creuser dans ses souvenirs.

— Le dix-neuf juillet, répondit-il d'une voix affirmée.

— Quelle mémoire, observa Will.

Après avoir forcé un peu contre la serrure récalcitrante, Tom parvint finalement à ouvrir la porte, libérant une odeur de toilettes publiques mêlée à celle du tabac froid. Pris d'un haut-le-cœur, Will grimaça lorsque ce parfum nauséabond lui remonta dans les narines.

Tom, quant à lui, ne semblait ni surpris ni gêné par l'odeur, reprenant comme si de rien n'était :

— C'était le lendemain de l'anniversaire de mon père. Ça m'a marqué.

Il n'en révéla pas plus. Le flic semblait être un homme relativement secret. Et pas des plus bavards. Il n'avait toujours rien dit à propos de Connor, même si Will était certain que quelque chose avait mal tourné lorsqu'il les avait laissés ensemble la veille.

Après avoir pénétré dans la pièce de vie envahie de détritus dont les murs étaient marqués de symboles étranges, Will tenta sa chance en demandant d'une voix qui se voulait nonchalante :

— Vous êtes restés tard au bar, hier soir ?

Un sourire discret se dessina sur les lèvres du policier. Il le fit vite disparaître lorsqu'il se mit à inspecter les murs du mobil-home.

— Non, pas trop, répondit-il d'une voix faussement détachée. Ces symboles te disent quelque chose ?

Il pointa le doigt en direction du mur à sa droite. Il tentait clairement de changer de sujet. Puisque Will n'aimait pas forcer les gens à se livrer, il se contenta donc de s'approcher de Tom pour observer les inscriptions avec attention.

La première était un pentagramme inversé dessiné au feutre rouge au-dessus de la vieille banquette en cuir déchirée. En parcourant la pièce du regard, Will remarqua que Langston en avait tracés un peu partout dans son appartement. Le deuxième symbole était beaucoup moins commun. Sur un large pan du mur, le résident des lieux avait esquissé une croix composée de deux barres qui surmontait un huit couché, le symbole de l'infini.

— On l'appelle la croix du Leviathan, expliqua Will en pointant l'inscription du doigt. Ou la croix de Satan. Notre disparu était un véritable fan du Diable. Le pentacle inversé qu'il a dessiné un peu partout est aussi un symbole populaire chez les satanistes.

— Et Satan a un rapport avec les wendigos ? l'interrogea Tom.

Will poussa un petit rire en se retournant vers le coin cuisine.

— Satan a un rapport avec tout.

Des bougies étaient posées en cercle sur le plan de travail de la cuisine. Il ne faisait aucun doute que les taches rouges éparpillées au centre étaient des gouttes de sang séchées. Plus loin, un rat mort pourrissait dans une assiette, tandis que le cendrier posé près de l'évier débordait de mégots de cigarettes.

— Il va falloir m'expliquer un peu ce que tu entends par là, le relança Tom d'une voix confuse.

— Dieu et le Diable sont deux entités complémentaires. L'une est le symbole du bien, l'autre du mal. Mais dans les faits, c'est un peu plus complexe que ça. En réalité, ils représentent tous deux l'équilibre de toute chose. Ils sont donc en chacun de nous. S'agissant des wendigos, ce ne sont pas des créatures diaboliques à proprement parler. Toutefois, puisqu'elles infectent les esprits tourmentés, Langston semble être le candidat idéal. À en juger par cet endroit, il n'était pas dépourvu de tourments.

Leur conversation fut interrompue par deux coups discrets à la porte du mobil-home. Will se tourna vers l'entrée et découvrit une large silhouette masculine à travers la plaque de verre opaque au centre de la porte.

— Entrez ! dit Tom en hochant la tête à destination de Will, semblant lui indiquer qu'il n'était pas surpris par cette visite importune.

La porte s'ouvrit, dévoilant un homme ventripotent au visage rouge bouffi. Le visiteur dégageait une apparente sympathie, derrière sa chemise à carreaux rouge et blanche et sa longue barbe poivre et sel qui lui donnaient quelque peu l'allure d'un Père Noël de supermarché. Les joues et le nez rougis par l'alcool inclus.

Un large sourire se dessinait sur ses fines lèvres lorsqu'il lança d'une voix grave :

— Je me disais bien que c'était mon cher Tommy que j'avais vu sortir de sa jolie voiture de police. Qu'est-ce qui t'amène par ici ?

Le nouveau venu n'adressa pas un seul regard à Will. Avait-il simplement remarqué sa présence ? Il n'en était pas certain.

La mâchoire de Tom se crispa légèrement, malgré le sourire poli qu'il adressait à son interlocuteur.

— J'accompagne un consultant extérieur qui pourrait peut-être nous aider à faire la lumière sur ce qui est arrivé à Tobey, expliqua-t-il en tendant le bras vers Will.

L'inconnu se tourna pour lui faire face. Sa carrure imposante n'était pas uniquement dû à un trop-plein de bière et de viande rouge. Cet homme avait clairement de la force, et il pouvait réduire Will en bouillie en quelques secondes. Il était d'autant plus impressionnant que son sourire sympathique avait cédé la place à un regard perçant plongé dans les yeux du détective.

— Ah oui, dit-il d'une voix tendue. L'équipe de magiciens venue du Sud, j'en ai entendu parler.

À ce stade, Will était à peu près certain que le shérif de Lewistown avait crié la nouvelle sur la place publique. Tout le monde ici semblait au courant de leur venue, et chacun semblait avoir une opinion aussi tranchée que celle de Peterson à leur sujet.

— Richard Maxwell, se présenta-t-il en tendant son immense main à Will. Mais tout le monde m'appelle Rick.

À son tour, Will tendit sa main pour l'offrir à la poigne ferme et assurée de Rick.

— Enchanté. Will Arling, détective. Je préfère ce terme à celui de magicien.

Rick se contenta de lui répondre par un clin d'œil malicieux. Acceptait-il de ne plus le traiter de magicien ou se moquait-il un peu plus de lui ? Encore une fois, Will n'en était pas certain.

— Et vous trouvez des choses intéressantes ? demanda l'homme en parcourant la pièce d'un regard mélancolique, comme si l'endroit lui évoquait les souvenirs joyeux d'un passé révolu.

— À vrai dire, j'espérais que des voisins pourraient m'en dire un peu plus sur Tobey. Quel genre d'homme il était, comment il se comportait avant sa disparition. Des choses comme ça.

Rick adressa un sourire en coin à Will, avant de sortir une boîte de cigarillos de sa poche pour en porter un à sa bouche. Il prit tout son temps pour attraper son briquet chromé et allumer le petit cigare, tirant quelques bouffées avant de s'installer sur la banquette devant lui. Celle-ci grinça sous le poids de son corps.

À ce stade, Will n'espérait plus avoir de réponse à sa question. Pourtant, Rick invita les deux enquêteurs à s'asseoir avec lui. Tom et Will s'exécutèrent, s'installant sur la banquette déchirée qui lui faisait face.

Une fois les deux hommes assis, Rick leva les yeux vers eux et prit une voix encore plus grave que son timbre naturel :

— On vous a sûrement décrit Tobey comme un vieux malade hurlant des conneries à propos de la fin du monde dans toutes les rues de la ville. Mais il n'était pas que ça. Avant que la maladie ne prenne le dessus sur lui, c'était un type brillant et cultivé. Il adorait lire, surtout du Stephen King.

Sa voix vibrait sous le coup d'une vive émotion. Derrière son regard dur, Rick témoignait d'une véritable affection pour son ami. Un peu comme un grand frère qui se rappellerait une vie aux côtés de son cadet disparu.

— Ces dernières années, il n'était plus que l'ombre de lui-même, poursuivit-il. Mais deux jours avant son départ, il m'a parlé d'un truc qu'il avait vu.

Rick marqua une pause, se frottant la barbe en laissant son regard s'échapper par la fenêtre. Il était pris d'hésitation, alors Will décida de le pousser :

— Un truc ? C'est-à-dire ?

— Une bestiole, précisa Rick. Dans les champs derrière la scierie.

— Quel genre de bestiole ? insista Will.

— Il m'a dit que ça ressemblait à une espèce de cerf qui marchait sur ses deux pattes arrière et qui bavait comme un chien enragé. J'ai arpenté les environs pendant des années avec les chasseurs du coin, mais je n'ai jamais vu un truc comme ça. Alors, évidemment, je me suis dit que c'était lié à sa maladie, qu'il racontait encore n'importe quoi. Mais cette bestiole l'obsédait. Il n'en dormait plus la nuit, il avait arrêté de prendre ses médocs. Il faisait que me répéter que c'était un cavalier de l'apocalypse venu pour le jugement dernier et qu'il fallait l'abattre. Et puis, après ça, il a disparu du jour au lendemain.

Rick laissa tomber son cigarillo au fond d'un verre posé sur la table.

— Pourquoi tu ne nous as rien dit quand on est venus prendre ta déposition ? lui demanda Tom sur un ton clairement suspicieux.

Rick poussa un petit ricanement en secouant lentement la tête.

— Et vous donner une bonne raison d'abandonner les recherches en supposant qu'il s'était perdu dans la forêt ? Certainement pas. Tobey méritait autant d'être retrouvé que ce petit gars de la ville que vous vous obstinez à chercher depuis trois jours. Mais soyons honnête, vous n'auriez jamais mené de battue pour un type comme Tobey, pas vrai ?

Tom continua de défier Rick du regard quelques secondes, avant de finalement baisser la tête en arborant une expression embarrassée.

— Tu as sûrement raison, avoua-t-il tout bas.

Will sentit la tension monter chez l'homme qui leur faisait face. Ses poings se serrèrent et sa mâchoire se crispa. Pourtant, il ne fallait pas qu'il se braque maintenant. Le détective avait encore besoin de son aide.

— Vous parlez de lui au passé, lança-t-il. Vous pensez qu'il est mort ? Comment ?

Le regard profond de Rick se plongea dans les yeux noisette du jeune détective, lorsqu'il affirma :

— Tobey a été tué par cette bête venue des Enfers. J'en suis certain.

Chapitre 14

Le silence dans la grande bibliothèque fut rompu par la brève sonnerie du portable d'Alicia. Les regards noirs de quelques lectrices d'âge mûr se tournèrent vers elle, tandis que ceux des quelques lycéens venus réviser se baissèrent sur leurs propres téléphones pour s'assurer qu'ils n'étaient pas à l'origine du bruit indésirable.

Alicia ignora les vieilles dames aigries, préférant se saisir de son portable pour lire la notification.

🖂 **PHILIP** – *La boutique pour la robe m'a appelé. Essayage de la robe avancé à 11h vendredi.*

Alicia poussa un petit grognement à la lecture du message. Pourquoi Philip avait-il accepté de décaler le rendez-vous prévu l'après-midi ? Il savait pertinemment que cela allait la forcer à prendre un avion encore plus tôt si elle voulait être à l'heure.

Connor leva les yeux du registre posé devant lui.

— Un souci ? lui demanda-t-il d'une voix éteinte.

Depuis l'arrivée de l'équipe au poste de police ce matin-là, son collègue semblait ailleurs. Elle n'avait pas besoin de déployer ses talents de détective pour deviner que ça avait un lien avec le shérif adjoint avec qui il avait certainement passé la nuit précédente. Il lui restait cependant à découvrir ce qui avait mal tourné pour que l'ambiance entre les deux hommes soit devenue aussi glaciale ensuite.

— Non, rien de grave, dit-elle en tentant de prendre un air détaché. Juste… L'organisation du mariage.

L'organisation du mariage. C'était devenu sa réponse favorite lorsqu'on lui demandait ce qui n'allait pas. Sa carte joker pour éluder les tensions au sein de son couple. Généralement, cette réponse fonctionnait à merveille. Qui avait envie d'entendre parler des négociations avec le traiteur ou du choix du glaçage sur la pièce montée ? Malheureusement pour Alicia, Connor n'était pas comme tout le monde.

— Qu'est-ce qui se passe ? insista-t-il en posant délicatement la main sur celle de sa collègue.

Ce simple geste la fit frissonner, mais elle tenta de ne rien dévoiler de son trouble. Connor n'était qu'un collègue. Pourquoi frissonnait-elle au moindre de leurs contacts ? Elle balaya cette question de son esprit, préférant se dire que ça ne lui ferait pas de mal de se confier à quelqu'un de confiance. D'habitude, Will jouait ce rôle à merveille. Mais puisqu'il était parti avec le shérif adjoint et que David fouinait dans la réserve depuis près d'une heure, elle n'avait d'autre choix que de se confier à son ex à propos de son fiancé.

Aucun malaise, Alicia. Aucun malaise.

— C'est un peu tendu avec Philip ces derniers temps, avoua-t-elle en baissant la tête sur le recueil d'archives de 1989 ouvert sur la table. J'ai l'impression qu'il veut que je choisisse entre lui et la brigade.

Voilà, c'était dit. Elle n'avait confié cela à personne jusqu'à présent. Elle sentit immédiatement un poids s'alléger dans sa poitrine, comme si elle s'était libérée d'un fardeau.

L'amour ou le travail. C'était le choix que Philip lui demandait de faire. Elle en était pourtant incapable, ne pouvant évidemment pas quitter la brigade et n'ayant aucune envie de perdre son fiancé.

— Peut-être qu'il a peur, supposa Connor. De s'engager, de passer après ton boulot, de te perdre.

Alicia n'avait jamais envisagé cette hypothèse-là. Philip était le genre d'homme à jouer les gros durs en permanence, alors elle oubliait parfois qu'il pouvait avoir des émotions, des sentiments. Des peurs, aussi.

— Alors, pourquoi il ne m'en parle pas ? demanda-t-elle à son ami.

— Pour la même raison. Parce qu'il a peur. Tu lui as parlé de ce que tu ressens ? De cette impression que tu as de devoir choisir entre lui et ton travail ?

Alicia baissa la tête, honteuse.

— Non.

Elle parcourut machinalement la page sous ses yeux en se demandant pourquoi c'était si difficile pour les êtres humains de faire preuve d'honnêteté envers ceux qu'ils aimaient. Pourquoi craignaient-ils de tout perdre lorsqu'ils ouvraient leur cœur ? La longue discussion qu'elle avait eue la veille au téléphone avec Philip lui avait rappelé ce qu'elle aimait tant chez cet homme. Mais les tensions au sein de leur couple ne semblaient pas s'être dissipées pour autant. Elles flottaient au-dessus de leurs têtes comme un nuage d'orage prêt à déchaîner sa colère céleste sur eux. Combien de temps tiendrait-elle encore dans ce climat de crispation permanente ?

— Tu es une femme formidable, Alicia, ajouta Connor. Et tu es aussi une femme forte, indépendante et passionnée par son boulot. Même si ça fait partie de tes qualités, ça peut aussi faire peur à celui qui va bientôt s'engager pour la vie à tes côtés.

Un tel aveu de la part de Connor surprit Alicia, qui ne sut lui répondre autrement que par un timide hochement de tête. Depuis leur rupture, quelque chose avait changé entre eux. Une part de leur relation semblait avoir définitivement disparu. Cette complicité qu'ils avaient partagée, ces blagues qui ne faisaient rire qu'eux, ou ces regards qui leur permettaient de s'en dire tellement sans prononcer le moindre mot. Toutes ces choses s'en étaient allées lorsqu'Alicia avait annoncé à Connor qu'elle n'était pas heureuse auprès de lui.

Pourtant, à cet instant, lorsqu'elle releva les yeux pour les plonger dans ceux de son collègue assis face à elle, une vague d'émotion la submergea. Elle lut de la tendresse et une profonde affection dans le regard vert émeraude de Connor.

— Regardez-moi ça ! la réveilla une voix derrière elle.

David apparut sur sa droite et laissa tomber un autre registre sur la table dans un bruit sourd qui occasionna une nouvelle vague de regards réprobateurs de la part des vieilles dames assises sur les canapés à leur gauche.

— Mars 1988, continua leur patron sans se soucier des mégères du fond de la salle. Première disparition suspecte d'une jeune femme au sud de Lewistown. Durant les mois qui suivirent, quatre autres disparitions mystérieuses ont eu lieu dans la région. Un beau jour, le corps d'un homme a été retrouvé gisant dans la forêt à côté de son fusil de chasse, une balle en argent enfoncée dans le crâne. Les disparitions ont pris fin après ça.

— Et ? réagit Connor, les sourcils froncés. Quel rapport avec notre wendigo ?

Un sourire au coin des lèvres, le directeur posa un autre document sur la table : un vieux numéro du magazine *Paranormal Phenomenons*. La BAP avait déjà eu affaire à certains journalistes de cette revue, et même s'ils étaient tous plus détestables les uns que les autres, leurs enquêtes étaient généralement sérieuses.

David ouvrit le magazine et posa le doigt sur un dessin de wendigo qui illustrait un article intitulé « Tueries de Lewistown : Les preuves glaçantes du mensonge ».

— Dans cette enquête de 2004, le *PP* affirme que la police n'a jamais retrouvé le corps du tueur présumé, seulement la dépouille d'une bête ressemblant étrangement à un énorme cerf.

— Tu veux dire que la ville aurait déjà eu affaire à un wendigo ? lui demanda Connor, stupéfait.

— Oui, et pas n'importe qui, lui répondit David. Jeffrey Peterson Senior.

La mâchoire d'Alicia manqua de se décrocher en entendant ce nom.

— Le père du shérif ?

David hocha vivement la tête, surexcité par ce nouvel élément crucial pour leur enquête.

Cette révélation expliquait pourquoi le shérif Peterson était aussi hostile à l'arrivée de la BAP sur ses terres ; il devait se douter que les détectives allaient déterrer cette affaire, et potentiellement ternir à nouveau son nom.

Mais il y avait autre chose. Quelque chose de bien plus important, qu'Alicia ne tarda pas à mettre en avant :

— Vous vous souvenez de cette étude qui disait que l'infection par un wendigo…

— … peut se transmettre génétiquement, termina David à sa place.

Ils tenaient peut-être finalement leur coupable. Il leur restait toutefois une zone d'ombre à éclaircir.

— Mais si Peterson est notre créature, comment se fait-il qu'il soit encore humain ? demanda Alicia. L'infection n'est pas censée être irréversible ?

David se tourna vers la détective. Son regard brilla soudain d'une lueur espiègle, comme si elle venait de lui offrir un nouveau puzzle qu'il était impatient d'assembler. Et elle connaissait suffisamment son patron pour savoir que plus le puzzle était complexe, plus il l'amusait.

— C'est ce que nous allons devoir découvrir, répondit-il d'un air malicieux.

Chapitre 15

Pendant que Tom luttait pour verrouiller la porte usée du mobil-home, Will se tourna vers les champs qui tapissaient le paysage, surmontés par un soleil à son zénith malgré la fraîcheur ambiante. Cette visite avait pris une tournure inattendue qui laissait le détective extrêmement perplexe. Si les deux hommes étaient venus ici en quête d'un suspect, ils quittaient les lieux avec une potentielle septième victime. Ou plutôt une première victime, puisque Tobey Langston avait disparu plus d'un mois avant la première tuerie présumée.

— Quelque chose te tracasse ? demanda Tom en se retournant vers lui.

— À part le fait que Tobey Langston vient sûrement de rejoindre la liste des victimes, tu veux dire ?

Le flic poussa un long soupir las en observant à son tour les champs qui s'étendaient jusqu'aux lointaines montagnes qui masquaient l'horizon.

— Très franchement, de toutes les victimes potentielles, ce n'est pas lui que je pleurerai le plus, avoua Tom. Ce type était un schizophrène dépressif qui se noyait dans l'alcool et le tabac pour tenir le coup. S'il n'avait pas été tué par le wendigo, il n'aurait pas fait long feu.

La mâchoire de Will se crispa face aux propos du flic. Même si Langston n'avait rien du citoyen modèle, il s'agissait tout de même d'un être humain qui ne méritait pas de mourir entre les griffes d'une créature assoiffée de sang. Tout comme ces adolescents tués à la fin de l'été, ces deux jeunes femmes le soir d'Halloween, et…

Mais bien sûr !

— C'est ça ! s'exclama Will, faisant sursauter Tom. Les deux filles le soir d'Halloween et le couple du week-end dernier, ils ne venaient pas d'ici, pas vrai ?

— Oui, les jeunes filles étaient venues pour le week-end et le couple s'est sûrement perdu sur la route d'Helena. Pourquoi ?

Will fit volte-face pour faire face au policier, son visage rayonnant d'un sourire satisfait.

— Notre créature a encore conscience de ce qu'elle fait. Elle choisit des victimes qui ne manqueront à personne. Langston était un malade mental qui n'avait aucun ami à part Rick. Et quatre de ses autres victimes n'étaient pas du coin.

— Et les deux adolescents ?

— Une erreur de parcours, suggéra Will. Ou une vengeance personnelle. Notre créature avait peut-être une dent contre eux.

Soudain, une terrible hypothèse traversa l'esprit du détective, faisant disparaître son sourire pour laisser place à une mine abattue.

— Kenny, murmura-t-il.

— Kenny Dixon ? lui demanda Tom, visiblement au courant de la disparition de l'adolescent.

— Kenny est parti dans la forêt au début de l'été, vraisemblablement pour se suicider. Mais si quelque chose s'était emparé de lui à ce moment-là ? Si toute sa détresse et sa solitude l'avaient transformé en wendigo sans lui laisser le temps de mettre fin à ses jours ? Il connaissait sûrement ces deux adolescents qui se sont fait tuer cet été. Ils étaient dans la même tranche d'âge, pas vrai ?

Tom se contenta de hocher la tête, laissant Will poursuivre :

— Et s'ils l'avaient harcelé, et qu'il les avait tués pour se venger ? Il faut qu'on vérifie s'il existe un lien entre les victimes et Kenny.

Sans attendre une quelconque réaction du policier, Will s'avança d'un pas déterminé vers le véhicule. Pour la première fois de sa courte carrière de détective, il espérait se tromper. Il espérait trouver une autre explication, et que ce jeune adolescent en détresse à cause de sa différence ne soit pas la créature qu'ils recherchaient. Pourtant, tout collait. Les dates correspondaient, et s'il arrivait à déterminer que Kenny et les deux jeunes tués à la fin de l'été avaient un lien, tout ferait sens.

Il ne pouvait pas attendre une seconde de plus ; il devait en avoir le cœur net.

— On doit retourner au poste, lança-t-il à Tom par-dessus son épaule. Tout de suite.

— Allons-y.

* *

Sur la route, la tension qui parcourait le corps de Will ne redescendit pas. Son cerveau surchauffait face au choc de ses découvertes et à toutes les hypothèses qui lui traversaient l'esprit.

Au volant du véhicule, Tom ne semblait pas victime du même genre de tension. S'il paraissait effectivement nerveux, à en juger par ses mains qui frottaient vigoureusement le volant depuis qu'ils avaient pris la route, c'était autre chose qui semblait lui occuper l'esprit.

Après une dizaine de minutes de silence, le flic se décida finalement à prendre la parole.

— Je peux… te poser une question, osa-t-il timidement.

— Je t'écoute, répondit Will.

Malgré la tension dans son corps, le détective ne put réfréner un petit sourire en constatant que son chauffeur était préoccupé par une tout autre histoire que celle du wendigo.

Les histoires de cœur de Tom étaient exactement ce dont il avait besoin pour se changer les idées.

— Tu connais Connor depuis longtemps ?

Will plissa les yeux. S'il s'était douté que Tom allait lui parler de son collègue, il fut étonné qu'il commence par lui poser une telle question.

— Euh… Ça va faire cinq ans. Depuis les débuts de la BAP.

Will se rappela ce jour où il avait débarqué pour la première fois dans les locaux de la brigade. Seul le bureau de David était correctement meublé. La grande salle où travaillaient désormais les trois détectives n'était remplie que de quelques chaises sur lesquelles attendaient les prétendants au poste attirés par l'annonce mystérieuse publiée par David dans le journal et sur les réseaux sociaux.

Les candidats semblaient tous plus déments les uns que les autres, et ça n'avait pas vraiment aidé le jeune homme de vingt-trois ans à se détendre. Seul Connor, derrière son regard mystérieux de mauvais garçon et sa démarche insouciante, semblait relativement équilibré. Will s'était assis sur une chaise face à lui, attendant son tour en regardant son futur ami du coin de l'œil. Connor dégageait une aura qui attira rapidement l'attention de Will. Ça n'avait rien de sexuel ou de physique, puisque Will était déjà bien au clair avec son asexualité à l'époque. Non, c'était totalement… surnaturel. Will sut directement qu'ils étaient faits pour s'entendre. Et même plus que ça. Ils étaient faits pour sceller un lien plus fort que tous les autres.

— Et tu penses quoi de lui ? demanda Tom, sortant le détective de ses souvenirs.

Will tourna la tête vers le policier. Derrière sa mâchoire crispée et son regard rivé sur la route, le détective repéra chez lui un sentiment de gêne palpable.

— Connor est mon meilleur ami depuis cinq ans, répondit Will. Crois-moi, je sais bien qu'il est bourré de défauts et qu'il n'est pas facile à apprécier au premier abord. Mais derrière cette carapace se cache un type en or qui serait prêt à tout pour ceux qu'il aime.

La réponse de Will sembla apaiser le shérif adjoint. Sa mâchoire se détendit, et un sourire se dessina même au coin de ses lèvres. Cependant, même si Will répondait volontiers à ses questions, il n'avait toujours aucune idée de ce qui s'était passé la veille entre les deux hommes.

Marre d'être patient et conciliant ! Il est l'heure de mettre les deux pieds dans le plat.

— Dis-moi, reprit-il, je n'ai pas pu m'empêcher de remarquer que l'ambiance était un peu tendue entre vous ce matin. Il s'est passé quelque chose après mon départ, hier soir ?

Le sourire de Tom s'effaça immédiatement, et il se remit à frotter vigoureusement le volant. Il n'était clairement pas à son aise face à ce sujet de discussion.

— Je… bredouilla-t-il. On avait un peu trop bu, et… il, comment dire… Il m'a embrassé.

Tom avait lâché cette dernière phrase comme il se serait débarrassé d'une grenade sur le point d'exploser.

— D'accord. Et après ?

Tom porta la main à sa nuque pour la frotter énergiquement.

— J'ai paniqué, avoua-t-il. Je l'ai laissé en plan dans mon salon et je suis parti me coucher. Alors, ce matin, c'était un peu… gênant.

Tout s'expliquait à présent. Will s'en voulut d'avoir pensé que Connor avait tout fait foirer. Pour une fois, le détective semblait s'être comporté de manière courtoise, sa seule faute ayant été d'ouvrir son cœur au mauvais garçon. Ou au bon garçon, mais au mauvais moment.

— Est-ce qu'il te plaît ? demanda-t-il le plus naturellement du monde, afin de ne pas alimenter le sentiment de honte qui semblait avoir tissé sa toile dans l'esprit de Tom.

— Je ne suis pas…

Gay, devina Will lorsqu'il laissa sa phrase en suspens, continuant de se frotter la nuque au point de faire apparaître une marque rouge dans son cou. Ce fut au tour de Will de serrer la mâchoire. Le détective était en colère. Pas contre ce pauvre Tom, mais contre les idiots arriérés qui lui avaient enfoncé dans le crâne que l'homosexualité était une honte. Ces mêmes idiots qui avaient poussé Kenny Dixon et tant d'autres adolescents à mettre fin à leurs jours.

Vivant en ville et dans un environnement relativement ouvert d'esprit, Will avait tendance à oublier que certaines personnes avaient encore des idées archaïques à ce sujet.

— C'est compliqué, conclut Tom.

Will avait envie de le rassurer, de lui dire que cette attirance qu'il ressentait pour les hommes n'avait rien d'anormal. Mais il se doutait que Tom n'était pas prêt à l'entendre, pas comme ça, au beau milieu d'une journée de travail, alors qu'il portait l'uniforme du mâle alpha par excellence.

De plus, ils arrivaient au croisement du poste de police. Il leur fallait reprendre leurs esprits et se focaliser de nouveau sur l'enquête. Ils devaient absolument explorer la piste de Kenny Dixon et déterminer s'il s'agissait bien de leur wendigo.

En arrivant devant le poste, Will remarqua immédiatement Christine, le vieux pick-up rouge de la brigade, stationnée de l'autre côté de la rue.

— Ils sont déjà rentrés ? s'interrogea-t-il tout haut.

Tom se contenta de hausser les épaules. Il semblait s'être refermé à l'issue de leur discussion au sujet de Connor. Will ne pouvait pas lui en vouloir. Il savait à quel point la honte pouvait prendre le dessus sur n'importe qui, même un flic apparemment sûr de lui. Ils sortirent donc en silence du véhicule de l'adjoint et traversèrent le couloir du poste pour se rendre dans la salle de réunion qui était devenue leur quartier général depuis la veille.

En entrant dans la pièce, Will remarqua immédiatement l'ambiance morose qui y régnait. Les yeux des trois agents assis autour de la grande table se tournèrent vers la porte, mais aucun ne se fixa sur lui. Tous les regards se portèrent sur Tom, qui remarqua rapidement que quelque chose n'allait pas. Les yeux plissés vers David, il demanda d'une voix mal assurée.

— Qu'est-ce qui se passe ?

— Tom… démarra David.

Mais Connor l'interrompit, se levant de sa chaise pour lancer d'une voix sombre :

— Tom, nous avons découvert quelque chose à propos du shérif Peterson.

L'adjoint se tourna vers lui, fronçant les sourcils d'un air méfiant.

— Il se pourrait bien que Jeffrey soit la créature que nous recherchons depuis le début.

Les yeux de Will s'écarquillèrent, formant deux globes stupéfaits au milieu de son visage.

Quelques heures plus tôt, ils n'avaient toujours aucun suspect en vue, et à présent, ils en avaient deux. Et l'un d'eux était l'homme le plus influent de la ville.

Chapitre 16

Tandis que les enquêteurs expliquaient leurs théories à Tom en lui montrant les rapports d'enquêtes des tueries commises par le père du shérif, Connor ne put s'empêcher de remarquer le malaise qui creusait les traits de l'adjoint. Leur théorie avait du sens, et le policier le savait aussi bien qu'eux.

Pourtant, pendant que David expliquait ses découvertes, Connor remarqua autre chose qui le perturba. Will, installé face à eux aux côtés de Tom, semblait bouillonner de l'intérieur. Le détective ne paraissait pas convaincu par leur raisonnement, et avait l'air d'attendre simplement le bon moment pour intervenir et réfuter en bloc l'argumentaire de son directeur.

Tandis que David continuait de leur fournir les informations qu'il avait recueillies à propos des cinq meurtres survenus à l'époque, Connor ne put se retenir plus longtemps.

— Quelque chose ne va pas, Will ? demanda-t-il à son ami en lui adressant un regard appuyé.

David se tut immédiatement, et tous les regards se tournèrent vers le voisin de Tom. Celui-ci n'attendit pas une seconde de plus pour se saisir de la perche que lui avait tendue son ami :

— Je suis désolé, mais de mon point de vue, votre théorie ne tient pas la route. Tomber sur un wendigo, c'est déjà extrêmement rare. Alors, tomber sur un wendigo capable de reprendre forme humaine ? Je n'y crois pas une seconde.

Le détective se tourna vers le shérif adjoint. Ils échangèrent un regard de connivence qui éveilla un sentiment de jalousie irrépressible chez Connor. Bien qu'il tentât de se raisonner en se disant que leur entente était purement professionnelle, il ne put s'empêcher de sentir qu'un lien nouveau s'était créé entre eux. Il s'était passé quelque chose durant leur excursion chez Tobey Langston qui les avait rapprochés.

Will n'oserait jamais faire une chose pareille, tenta-t-il de se rassurer. *Il sait très bien que Tom me plaît.*

— Nous avons une autre théorie, reprit Will en rivant son regard sur David. Kenny Dixon.

— Kenny Dixon ? répéta Connor d'une voix perplexe. Le fils du gérant du *Sixties* ? Et vous avez établi cette hypothèse en allant chez Tobey Langston ?

— Il s'avère que Langston a sûrement lui-même été victime du wendigo.

Connor fut surpris par cette révélation, tout comme David et Alicia, à en croire leurs froncements de sourcils en réaction aux propos de Will. Mais aucun d'eux ne demanda plus de précisions. Ils laissèrent leur collègue aller au bout de sa réflexion.

— D'après son voisin Rick, Langston aurait vu le wendigo rôder dans son secteur deux jours avant sa disparition. Ce qui correspond à la période durant laquelle Kenny a lui-même disparu. Quant aux victimes, aucune d'elles ne vivaient à Lewistown, à part ces deux adolescents disparus à la fin de l'été. Pourquoi eux ?

Will laissa un léger suspense s'installer sous le regard attentif de ses collègues. Puis, sans attendre de réponse, il poursuivit :

— Il est possible qu'ils aient harcelé Kenny au sujet de sa sexualité. Ce ne serait pas étonnant dans une petite ville comme celle-ci. Leur mort serait donc une vengeance, alors qu'il aurait tué les autres simplement pour se nourrir et regagner des forces. C'est pour ça qu'il n'a ciblé que des personnes extérieures à la ville depuis cet été.

David se leva d'un bond pour se diriger vers le tableau blanc dans le fond de la pièce. Il attrapa un marqueur noir dans l'auget installé sous le cadre en aluminium et commença à inscrire des dates.

31 octobre : mort des deux jeunes femmes.

21 novembre : disparition d'Alan Taylor et mort d'Isabella Douglas.

— Quelle est la date exacte de la disparition des deux adolescents ? demanda-t-il à Tom par-dessus son épaule.

— Le vingt-neuf août, répondit le flic.

David nota cette date au-dessus des deux autres.

— Et on connaît la date exacte de la disparition de Langston ?

— Le dix-neuf juillet.

À nouveau, David inscrivit la date au tableau, la plaçant tout en haut pour obtenir une liste chronologique. Il se recula d'un pas afin d'observer ce qu'il venait d'écrire.

— Quelque chose ne va pas, conclut-il finalement en se retournant vers le reste de l'équipe.

Il pointa le doigt vers le tableau dans son dos, tout en expliquant :

— Le besoin en chair humaine des wendigos augmente avec le temps. Il s'est passé une quarantaine de jours entre les deux premières attaques. Et seulement vingt-et-un entre les deux dernières, ce qui semble logique. Mais entre le vingt-neuf août et le trente-et-un octobre, il s'est écoulé plus de deux mois.

Connor jeta un coup d'œil à Tom, qui semblait comprendre ce qui n'allait pas.

— Tu veux dire qu'une autre attaque nous aurait échappé ? demanda le shérif adjoint.

Les sourcils de Connor se dressèrent. Pourtant, lorsqu'il se tourna vers David, celui-ci hocha la tête d'un air grave.

— Comment est-ce possible ? demanda Connor. Si quelqu'un avait disparu, la police l'aurait forcément su.

Soudain, tout s'éclaira dans l'esprit de Connor.

— Mais notre wendigo ne semble s'attaquer qu'à des personnes extérieures à la ville, compléta-t-il sans laisser le temps à David d'intervenir.

— Ce qui veut dire que la victime peut venir de n'importe où, ajouta Alicia.

Le regard inquiet de la jeune femme croisa celui de Connor. Ce que personne dans la pièce n'osait dire, c'était que si la créature s'en prenait exclusivement aux étrangers, ils étaient des cibles de choix. Ils allaient devoir redoubler de vigilance pour ne pas tomber entre ses griffes.

— Il va falloir déterminer l'identité de notre créature au plus vite, annonça David d'une voix ferme. Suivez les deux pistes en parallèle.

— J'aimerais avoir l'occasion de discuter de tout ça avec Jeffrey, demanda Tom. Il a forcément un alibi pour les nuits des différentes attaques. Je suis certain qu'il pourra rapidement prouver son innocence.

— Je ne peux pas te laisser faire ça seul, lui rétorqua David. Si Peterson est bien notre wendigo, il représente une menace bien trop grande pour que tu le confrontes en face-à-face. L'un d'entre nous doit t'accompagner.

Connor eut une soudaine envie de se porter volontaire. Cela lui offrirait au moins l'opportunité d'apaiser les tensions entre lui et Tom. Depuis son baiser volé de la veille, le flic l'avait clairement mis à l'écart. Leur complicité au bar n'était plus qu'un lointain souvenir, remplacé désormais par des silences gênants et des regards fuyants. Si Connor avait l'occasion de passer quelques minutes seul à seul avec Tom, il pourrait au moins s'excuser.

Mais était-ce le bon moment pour le faire ? Alors que Tom s'apprêtait à demander à son supérieur hiérarchique s'il était le responsable d'au moins sept meurtres barbares ?

Connor préféra se taire et laisser le shérif adjoint faire son choix lui-même.

— J'aimerais que ce soit Connor qui m'accompagne, trancha-t-il à sa grande surprise.

— D'accord, répondit David sans remarquer les yeux écarquillés du principal intéressé. Alicia, Will, j'ai besoin que vous déterminiez s'il existe un lien entre Kenny Dixon et les deux adolescents tués à la fin de l'été.

Will et Alicia hochèrent la tête, mais aucun d'eux ne quitta son siège.

— Maintenant, ajouta sévèrement David. On n'a pas une seconde à perdre.

Toute l'équipe se leva dans un même mouvement. Connor lança un regard rapide à Tom, mais celui-ci s'avançait déjà vers la porte.

Même s'il avait demandé que ce soit lui qui l''accompagne pour sa confrontation avec Peterson, il ne semblait pas pour autant prêt à entendre ses excuses.

Il va falloir être patient, Connor.

Mais la patience n'était vraiment pas son fort.

Chapitre 17

Alicia aimait croire qu'elle était une femme sociable. Elle appréciait la compagnie de son équipe, ne rechignait jamais à inviter les collègues de Philip à boire un verre chez eux, et elle n'avait aucun problème pour entamer une discussion spontanée avec des inconnus.

Mais s'il y avait bien une catégorie de personnes qui lui était tout bonnement insupportable, c'étaient les adolescents. Ses propres années lycée n'avaient pas été un long fleuve tranquille. Étiquetée comme intello par ses camarades de classe, elle avait dû subir les moqueries et le harcèlement d'une partie d'entre eux, si bien qu'elle avait fini par se fondre dans le décor et passer tout son temps libre cachée à la bibliothèque. C'était le seul lieu de son lycée où elle se sentait en sécurité à l'époque où elle ne s'était pas encore mise au karaté. Certes, cela lui avait permis d'acquérir une remarquable culture littéraire, mais cette période avait aussi laissé des marques indélébiles sur sa confiance en elle.

Alors, traverser les couloirs du *Fergus County High School* ressemblait un peu à la visite d'une maison hantée à ses yeux. Et elle savait de quoi elle parlait, puisqu'elle en avait exploré un certain nombre ces dernières années.

Les pimbêches au rire de hyènes ressemblaient trait pour trait à celles qui la traitaient de tous les noms dans les toilettes de son lycée une dizaine d'années auparavant. Les basketteurs pleins d'assurance lui rappelaient ceux qui passaient devant elle en riant de sa tenue ou des bagues à ses dents.

— Tout va bien ? lui demanda Will lorsqu'ils passèrent devant une jeune fille timide qui blottissait un livre contre elle comme un bouclier face aux autres élèves.

Elle me ressemble un peu, pensa la détective. *Même tignasse blonde mal coiffée et même appareil dentaire disgracieux.*

— Les lycées ne m'évoquent pas que des bons souvenirs, avoua-t-elle.

— M'en parle pas, lui répondit son ami avec un petit ricanement. Celui qui a dit que les années lycée étaient les meilleures n'a jamais été vice-président du club d'échecs.

La remarque de Will eut au moins le mérite de faire sourire Alicia et de lui permettre d'oublier ses propres souvenirs malheureux pour se rappeler la raison de leur venue. Ils avaient rendez-vous avec Danielle Austin, professeure de sciences, pour discuter de Kenny Dixon et des deux adolescents massacrés par le wendigo à la fin de l'été.

Ce soir-là, Stanley Hendricks et Dwight Carrell avaient visiblement décidé d'échapper à la vigilance de leurs parents pour aller vider un pack de bières au bord du lac. Une innocente soirée pour célébrer leurs derniers jours de vacances qui avait viré au drame lorsqu'ils avaient croisé la route du wendigo. Il fallait à présent déterminer si cet événement tragique était un coup du sort ou une tuerie préméditée par la créature.

Lorsque les deux détectives arrivèrent dans la salle de classe de Danielle Austin, le calme de la pièce contrasta avec le bouillonnement d'hormones qui se propageait dans les couloirs. Seule, la professeure se tenait debout derrière son bureau, rangeant ses cahiers tout en sirotant une boisson chaude dans une tasse aux couleurs du lycée.

— Professeure Austin ? demanda Alicia en pénétrant dans la salle, talonnée par Will.

— C'est moi, leur répondit la femme d'une voix chantante. Venez, je vous en prie. Et appelez-moi Danielle, s'il vous plaît.

L'enseignante ne devait pas être loin de la retraite. Son brushing grisonnant et les rides sur son visage le laissaient en tout cas supposer. Cela ne l'empêchait pas de dégager une énergie incroyable et une bonne humeur renforcée par son sourire radieux.

— J'ai été surprise d'apprendre que vous vouliez me rencontrer, admit-elle en installant deux chaises face à son bureau, les invitant à s'y asseoir d'un geste de la main. Surtout pour parler de Kenny Dixon. Je ne pensais pas que sa disparition était liée à…

Elle hésita un instant sur l'expression à employer, son visage se voilant peu à peu de tristesse alors qu'elle prit place face à eux.

— À tout ça.

Alicia n'avait aucun doute sur le fait que l'enseignante était déjà au courant de leur identité et de la raison de leur venue. Toutefois, c'était la première personne qui semblait les accueillir sans une once de méfiance ou de mépris.

— Rien n'est certain pour l'instant, lui précisa Alicia. Mais nous aimerions en apprendre un peu plus sur Kenny, Stanley et Dwight.

L'enseignante posa une petite paire de lunettes rondes sur son nez, et toisa les deux détectives d'un air bien plus grave.

— Que voulez-vous savoir exactement ?

— Nous aimerions savoir si Kenny connaissait Stanley et Dwight, répondit Will. Et quelle était la nature de leur relation.

Danielle baissa les yeux vers ses mains, posées à plat sur le bureau. Elle pinça les lèvres, et son visage se para d'une expression hésitante.

— Vous savez, mes élèves viennent parfois se confier à moi, commença-t-elle. Mais même après la tragédie qui leur est arrivée, je n'ai aucunement envie de trahir la confiance de ces garçons.

Elle avait répondu sans aucune forme d'animosité, mais avec une honnêteté pure et troublante. Alicia comprenait à présent pourquoi la direction du *Fergus County High School* les avait orientés vers elle lorsqu'ils avaient appelé pour obtenir des renseignements à propos des trois adolescents. En plus d'être une femme pétillante, et certainement une enseignante passionnée par sa discipline, elle était dévouée envers ses élèves.

— Nous comprenons parfaitement, lui assura Alicia. Et je peux vous promettre que tout ce que vous nous direz ne sera révélé à personne d'autre qu'aux enquêteurs chargés de cette affaire. Et nous utiliserons ces informations uniquement pour faire la lumière sur ce qui est arrivé aux garçons.

Malgré son air compréhensif et le petit sourire reconnaissant qui se dessinait lentement sur son visage, Danielle ne semblait pas totalement convaincue. Pourtant, après quelques instants, elle reprit finalement la parole, parlant à voix basse comme pour leur confier ses propres secrets les plus intimes :

— Kenny était un garçon adorable. Mais il n'était pas à sa place ici. Lewistown est en retard sur plein de sujets, et l'homosexualité en fait partie. Quand il est venu m'avouer qu'il aimait les garçons… c'était l'hiver dernier, il me semble. En janvier ou février. Quand il me l'a dit, j'ai senti qu'il se libérait d'un poids. Mais il lui restait encore tellement de choses à porter sur ses frêles épaules.

L'enseignante se tut quelques secondes. Sa voix tremblante trahissait son émotion face à ces souvenirs désormais si douloureux. Des larmes se nichèrent au coin de ses yeux, qui faisaient des va-et-vient entre les détectives et un bureau installé au troisième rang face à elle.

La place de Kenny, devina aisément Alicia.

— Quand la police a conclu à un suicide, je me suis dit que j'aurais pu faire quelque chose pour lui venir en aide. J'aurais dû le soutenir, j'aurais dû…

Elle s'arrêta une nouvelle fois. Une larme coula le long de sa joue pour aller se nicher au bord de ses lèvres. Un frisson d'émotion parcourut Alicia. Ce garçon avait dû se sentir terriblement seul s'il avait choisi de mettre fin à ses jours. Même dans les pires périodes de son adolescence, elle n'avait jamais sérieusement envisagé d'en finir. L'idée lui avait traversé l'esprit, certes, mais pas au point de passer à l'acte.

— Savez-vous si Kenny connaissait Stanley et Dwight ? demanda Will, d'une voix plus rauque qu'à l'accoutumée.

Lui aussi semblait avoir du mal à contenir son émotion.

— Stanley et Dwight étaient inséparables. Je les appelais les terreurs de *Fergus*. Ils n'étaient pas méchants, loin de là. Après m'avoir confié son secret, Kenny est revenu plusieurs fois me parler. Il m'a avoué qu'il avait le béguin pour Stanley. Mais ça n'avait rien d'étonnant. Je crois bien que la moitié des adolescentes de leur classe en pinçaient pour lui. Il était beau comme un ange, ce garçon.

Un petit sourire teinté d'émotion illumina le visage de Danielle.

— Vous savez si Stanley a découvert cette attirance ? l'interrogea Alicia.

— Je ne crois pas. La dernière fois que Kenny est venu me voir, aux alentours d'avril, il me semble, il m'a avoué qu'il avait fait de nouvelles rencontres sur internet. Des adolescents homosexuels de Billings qu'il espérait rencontrer en vrai rapidement. Après ça, il n'est plus revenu se confier à moi. J'ai supposé que son nouveau cercle d'amis lui faisait du bien, et qu'il s'était trouvé de nouveaux confidents. J'en étais ravie, sincèrement.

— Y'a-t-il autre chose qu'il vous a dit qui pourrait nous être utile ? lui demanda Will.

L'enseignante retira ses lunettes pour frotter ses yeux humides avec la paume de sa main. Son regard ne lâchait plus le bureau de Kenny, et elle semblait perdue dans ses pensées. L'espace d'un instant, Alicia eut même l'impression qu'elle avait oublié la question que Will venait de lui poser. Pourtant, elle se tourna finalement vers les détectives pour répondre :

— Il m'a montré un carnet. Il me disait qu'il voulait être un modèle pour d'autres jeunes comme lui lorsqu'il deviendrait adulte. Alors, il se confiait dans ce carnet, sur ses émotions, les épreuves qu'il traversait. C'était un minuscule calepin qu'il cachait dans une petite poche de son sac à dos. Je ne sais pas si quelqu'un l'a retrouvé après sa mort.

Alicia ne jugea pas utile de préciser que l'adolescent n'était peut-être pas mort. L'alternative était encore plus terrible que le suicide. Être possédé par une wendigo était un destin funeste, une torture incessante. Alors, tant que rien n'était certain, il valait mieux laisser les habitants de Lewistown penser que Kenny avait mis fin à ces jours.

Alicia et Will se contentèrent donc de remercier l'enseignante avant de quitter sa salle de classe. Alicia s'en voulait d'avoir fait remonter des souvenirs terribles en elle, mais ce carnet pourrait bien être une mine d'informations précieuses à propos de Kenny. Peut-être même la clé de toute cette affaire.

Tandis qu'ils arpentaient les couloirs du lycée, désormais beaucoup plus calmes, Alicia sentit un flot d'émotions monter en elle. L'histoire de cet adolescent l'avait touchée en plein cœur, et à en juger par le visage fermé de Will, elle n'était pas la seule à avoir été émue.

— Ça va aller ? demanda-t-elle à son collègue en lui caressant le bras.

Will hocha la tête en répondant :

— Après avoir entendu son père et son enseignante parler de lui, j'ai l'impression que c'était un gosse en or. Même si tout porte à croire qu'il pourrait être notre wendigo, j'espère réellement qu'on fait fausse route.

Will avait raison. Si Kenny était véritablement la créature qu'ils recherchaient, il serait considéré comme un monstre par les habitants de la ville, et même au-delà. Peu de gens étaient capables de comprendre que les créatures surnaturelles qui s'emparaient d'humains prenaient complètement le dessus sur l'être qu'ils habitaient. Même si Kenny s'avérait être possédé, il n'avait tué personne. La bête était l'unique responsable. Mais ça, personne n'avait envie de l'entendre.

Alors, qui que soit le véritable hôte de la créature, les journaux et les autorités le feraient sûrement passer pour un fou furieux qui avait élu domicile dans la forêt et qui n'en sortait que pour massacrer de pauvres innocents.

Lorsque la vérité était trop effrayante, les gens la balayaient, préférant se raconter des histoires.

Alicia passa un bras par-dessus l'épaule de Will.

— On découvrira la vérité, Will. J'en suis certaine.

Même si peu de gens parviendraient à les croire, ils avaient au moins l'opportunité de permettre à Kenny de rejoindre l'au-delà et d'y trouver la paix.

Et à leurs yeux, c'était une raison largement suffisante pour persévérer.

Chapitre 18

En suivant Tom dans son bureau, Connor avait eu la ferme intention de s'excuser pour son baiser de la veille. Il avait cependant vite déchanté face à l'accueil glacial du shérif adjoint. Lorsqu'il s'était approché du bureau pour prendre la parole, Tom s'était retourné vers lui en lançant :

— J'ai besoin de réfléchir un peu.

Cela faisait maintenant vingt minutes qu'il réfléchissait, dans un silence rompu seulement par le claquement de ses chaussures contre le parquet. Il tournait en rond devant la fenêtre sous le regard impatient de Connor, qui avait décidé de s'asseoir face au bureau après cinq minutes sans un mot de la part du policier.

Néanmoins, Tom semblait réellement préoccupé par la situation. Connor et lui allaient devoir confronter le shérif Peterson en lui annonçant qu'il faisait partie de leur liste de suspects. Le fait que son père s'était lui-même transformé en wendigo ne plaidait vraiment pas en sa faveur. Tom le savait, et c'était sûrement la raison pour laquelle il redoutait autant cette discussion. Jeffrey Peterson était son supérieur depuis quatre ans, et sûrement son ami depuis aussi longtemps. Ça ne devait pas être simple pour lui de découvrir que cet homme qu'il admirait tant était peut-être infecté par un mal qui le transformait en monstre sanguinaire.

Cela faisait désormais deux minutes qu'il avait arrêté de piétiner, se contentant de regarder par la fenêtre d'un air préoccupé. Sa crinière blonde reflétait les timides rayons de soleil qui se faufilaient derrière les nuages cotonneux.

Après quelques instants, il se retourna, ses yeux ambrés se rivant sur le détective.

— Ce sera moi qui mènerai la discussion, annonça-t-il d'une voix sentencieuse.

Craignant qu'il ne reparte dans une nouvelle demi-heure de contemplation des montagnes à l'horizon, Connor se contenta d'accepter sa requête d'un hochement de tête.

Tom se pencha par-dessus son bureau pour appuyer sur un bouton de son téléphone fixe. Une sonnerie résonna à trois reprises, jusqu'à ce qu'une voix féminine réponde à l'autre bout du fil :

— Oui, Tom ?

— Anna, est-ce que tu sais si Jeffrey est dans son bureau ?

— Il me semble que oui, répondit la secrétaire.

— Bien. Tu peux lui demander de venir me voir ?

— Tout de suite, Tom.

Anna raccrocha, et le silence envahit une nouvelle fois la pièce. Voyant que Tom recommençait déjà à piétiner de droite à gauche derrière son bureau, Connor se dit qu'il devait saisir sa chance avant qu'elle ne lui passe encore sous le nez.

— Tom, à propos d'hier soir… démarra-t-il sur un ton mal assuré.

Le shérif adjoint lui lança immédiatement un regard noir en assénant :

— Pas maintenant, Connor. S'il te plaît.

— Je voulais simplement m'excuser, lui lança tout de même Connor.

Les yeux de Tom s'écarquillèrent. Il ne s'attendait visiblement pas à recevoir des excuses de la part du détective.

— T'excuser ? répéta-t-il en plissant les yeux.

— Oui, de t'avoir embrassé. Je n'aurais pas dû, je ne sais pas ce qui m'a…

La porte derrière Connor s'ouvrit d'un coup. Sans avoir besoin de se retourner, le détective reconnut immédiatement le pas lourd et lent du shérif Peterson.

— Tu voulais me voir ? demanda-t-il à Tom de son habituelle voix rauque.

L'adjoint sembla soudain beaucoup moins à l'aise. Il se racla la gorge en contournant son bureau pour aller fermer la porte derrière son supérieur. Peterson comprit alors que quelque chose ne tournait pas rond, fronçant les sourcils en adressant des regards méfiants aux deux hommes.

— Qu'est-ce qui se passe ? insista le shérif. Et qu'est-ce qu'il fait là, lui ? C'est à propos de l'interdiction d'accès à la forêt ?

Le regard que Peterson lança à Connor aurait pu le pétrifier sur place, tant il était glacial.

— Non, c'est en rapport avec l'enquête.

La voix de Tom était tremblante. Même après une demi-heure à tenter de reprendre ses esprits, il semblait perdre tous ses moyens face à son patron. Que craignait-il le plus ? Que Peterson apprenne qu'il le suspecte ? Ou que celui-ci se révèle être le wendigo ?

L'espace d'un instant, Connor eut envie de se lever et de prendre la parole pour soulager l'adjoint. Mais il savait que c'était loin d'être une bonne idée. Tom voulait se charger de ça lui-même, quitte à devoir parler d'une voix tremblante tout du long.

— Je… L'équipe a fait de nouvelles découvertes qui… Ce ne sont que des suppositions à ce stade, mais…

— Accouche, Tom, lâcha Peterson d'une voix sèche.

Le shérif commençait clairement à perdre patience. Il était temps que son adjoint crache le morceau une bonne fois pour toutes.

— Ils ont déterré des informations à propos de ton père, et ils te soupçonnent d'être le wendigo.

Tom avait balancé sa dernière phrase à la vitesse de l'éclair, sans reprendre son souffle et en articulant tout juste assez pour être compréhensible.

Connor riva son regard sur le shérif, craignant sa réaction. Au premier abord, il n'en eut aucune, comme si Tom venait de lui annoncer qu'il n'y avait plus de café dans les placards. Mais au bout de quelques secondes, sa mâchoire se crispa et un étrange sourire apparut sur son visage. Secouant lentement la tête, il se contenta de répondre :

— Ah, ça.

Ah, ça ? Quoi ? C'est tout ce que t'as à dire pour ta défense ?

Ce n'était clairement pas la réaction d'un homme innocent. Connor regretta soudain d'avoir laissé son revolver chargé de balles en argent dans le pick-up. Il serra fermement le poing, mais il savait que si Peterson s'avérait être le wendigo et qu'il décidait de se transformer, ni lui ni Tom ne seraient capables de se défendre très longtemps.

— Tu étais au courant ? réagit Tom, sous le choc. Et tu ne m'as rien dit ?

— Évidemment que j'étais au courant, répliqua Peterson. C'est bien pour ça que je ne voulais pas que tu ramènes ces charlatans ici.

Ça suffit, maintenant ! Il est temps que cet enfoiré s'explique.

La patience n'était pas le point fort de Connor, surtout quand il se trouvait face à un suspect. Il se leva d'un bond et se dressa devant le shérif pour le toiser d'un œil méfiant.

— Parce que vous avez un lien avec toute cette histoire, pas vrai ?

Peterson ne le quitta pas des yeux, bravant son regard avec une assurance inaltérable. Ils restèrent immobiles pendant ce qui sembla une éternité. Puis, soudain, le shérif explosa d'un rire gras qui résonna dans toute la pièce. Son visage prit peu à peu une teinte rouge écrevisse, tandis que Tom et Connor échangèrent un coup d'œil perplexe.

Son éclat de rire s'évanouit lentement et le shérif finit par reprendre un air extrêmement sérieux pour s'adresser à Connor :

— Moi ? Avoir un lien avec tout ça ? répéta-t-il comme si c'était la pire insulte qui lui ait été adressé. Mais vous êtes tombés sur la tête, mes pauvres amis.

— Prouvez-moi le contraire, le défia Connor. Parce que, pour l'instant, vous êtes notre principal suspect.

Le détective décida volontairement de ne pas parler de Kenny Dixon. Il devait laisser Peterson penser qu'ils avaient suffisamment d'éléments à leur disposition pour l'accabler.

— Si je ne voulais pas de vous ici, c'était pour éviter que d'autres illuminés dans votre genre traînent à nouveau ma famille dans la boue.

Quoi ?

Connor fronça les sourcils, attendant de plus amples explications de la part du shérif. Après s'être frotté la barbe en regardant le détective d'un air agacé, Peterson reprit enfin la parole :

— Oui, mon père a commis des atrocités avant de se tirer une balle dans la tête au beau milieu de la forêt, admit-il. Mais ces histoires de monstre ayant pris possession de son corps étaient stupides à l'époque et le sont toujours aujourd'hui. Mon père était un malade mental dépressif avec un sérieux penchant pour la boisson, rien de plus.

— Jeff… souffla Tom d'une voix compatissante. J'ai lu les rapports d'enquête de l'époque. Les ressemblances avec l'affaire actuelle sont troublantes.

— Tu crois que je ne le sais pas ? grogna Peterson.

L'atmosphère dans la pièce était électrique. Connor restait méfiant face à Peterson. Si sa manière de se justifier semblait cohérente, cet homme ne lui inspirait aucunement confiance. Face au shérif au visage rougi par la colère, Tom s'évertuait à essayer d'apaiser les tensions dans la pièce.

— Je suis désolé de te demander ça, Jeff. Mais il va falloir que tu me fournisses un alibi pour les soirs des meurtres.

— Bordel de merde, rumina Peterson. Alors, ces charlatans ont vraiment réussi à t'enfoncer leurs délires dans le crâne ?

— Ça suffit, maintenant !

Contre toute attente, ce cri sortit de la bouche de Tom, dont le visage s'était paré d'une expression autoritaire. Sa voix rauque et ses épaules relevées suffirent à invoquer le silence immédiatement.

— J'essaie de résoudre cette enquête avant que cette… chose ne fasse d'autres victimes. Et je suis désolé de te dire que cette affaire a bien plus avancé en deux jours aux côtés de la BAP qu'en deux mois sans eux. Alors, mets de côté ta fierté et ton scepticisme, et collabore avec eux, bordel !

Les deux autres hommes restèrent bouche bée. Derrière sa discrétion naturelle, ce type savait vraiment s'imposer quand il le fallait.

Et c'est plutôt sexy, pensa Connor.

— D'accord, répondit finalement Peterson d'un air penaud. Je te donnerai tous mes alibis pour les nuits des meurtres. Tu auras sûrement un coup de fil de ma femme pour confirmer mon témoignage.

Peterson se retourna vers la porte, avant d'ajouter :

— Et je laisserai le champ libre à la BAP pour mener l'enquête. Mais ne t'attends pas à ce que je me joigne à vous. Tu auras beau dire ce que tu veux, je continuerai à les considérer comme des charlatans.

Sur cette petite pique finale, Peterson quitta le bureau. L'ambiance dans la pièce se détendit, mais le silence s'éternisa.

Tom tourna la tête vers Connor et exprima son soulagement dans un large sourire. Son visage rayonnait. Il semblait à la fois fier et plein d'assurance. Ce fut à cet instant que Connor comprit pourquoi il ne pouvait s'empêcher d'être aussi maladroit et de perdre tous ses moyens en présence du shérif adjoint.

Je commence à tomber amoureux.

Merde.

Chapitre 19

Ce soir-là, Tom convia toute l'équipe de la BAP au *Sixties* pour célébrer l'avancée de leur enquête. Will ne fut pas étonné lorsque celui-ci les informa que Peterson avait refusé l'invitation.

Durant la première tournée, les échanges tournèrent principalement autour de l'enquête. Connor et Tom, dont les rapports semblaient beaucoup moins tendus, racontèrent leur confrontation avec le shérif. Selon les dires de Connor, la tirade de Tom pour défendre l'équipe de détectives avait été un instant d'anthologie. Il tenta de l'imiter, mais il avoua lui-même ne pas lui rendre justice. Ils trinquèrent finalement à Tom, le « meilleur shérif adjoint de tout le Montana », selon un Connor bien trop euphorique.

Ce fut ensuite au tour d'Alicia et Will de raconter leur rencontre avec Danielle Austin. Ils tentèrent tout de même de rester discrets pour éviter d'être entendus par le père de Kenny, qui était certes occupé à servir les clients entrant par vagues successives, mais qui n'avait pas arrêté de lancer des regards dans leur direction depuis leur arrivée.

— Il va falloir mettre la main sur ce carnet, conclut David en jetant un coup d'œil au gérant du bar. Qui se chargera d'aller le demander à Kenneth ?

— Je m'en occuperai demain, répondit Will.

L'histoire du jeune homme l'avait touché personnellement. Il voulait découvrir la vérité pour permettre à son père et à tous ses proches de faire leur deuil comme ils le méritaient.

— Mais pour l'instant, arrêtons de parler boulot, lança-t-il d'une voix faussement autoritaire. C'est moi qui paye la prochaine tournée.

Il se leva d'un bond, se rendant compte que son équilibre commençait déjà à décliner. Il fallait dire que ces deux derniers jours avaient été mouvementés, et que l'affaire lui prenait bien trop la tête pour lui permettre de dormir correctement. Il suffisait d'ajouter une seule pinte de bière artisanale à ce cocktail détonnant et Will se retrouvait déjà partiellement éméché.

Il fit tout de même quelques pas en direction du bar en maintenant l'illusion qu'il était encore maître de ses mouvements.

— Je t'accompagne, lui dit Connor en se levant à son tour.

Les deux hommes rejoignirent le bar et s'installèrent sur deux tabourets libres en attendant que Kenneth en ait fini avec le groupe de routiers attablés au fond de la salle.

Will ne mit pas longtemps à remarquer que son ami lançait des regards bien peu discrets en direction de Tom.

— Alors, ça va mieux entre vous ? s'intéressa-t-il.

Connor se retourna vers lui avec un petit sourire. Mais pas le sourire de séducteur dont il avait l'habitude lorsqu'une de ses conquêtes se trouvait dans le secteur. Non, ce sourire-là, il ne l'avait vu qu'en présence d'une seule autre personne, quelques années plus tôt. Et cette personne était assise face à Tom.

— Je crois que ça s'est arrangé, lui confia Connor. Depuis qu'il s'est rebellé contre Peterson, j'ai l'impression qu'il s'est libéré d'un poids.

— Et vous avez pu parler de ce qui s'est passé hier soir ?

Connor fronça soudain les sourcils, adressant un regard prudent à son ami.

— Ce qui s'est passé hier soir ? Comment tu sais qu'il s'est passé quelque chose hier soir ?

— Je… J'ai deviné… bafouilla Will. Vu que…

— Il t'en a parlé ! s'exclama-t-il.

Will sentit le rouge lui monter aux joues. Et à en juger par le sourire machiavélique qui se dessinait sur le visage de son ami, celui-ci avait clairement perçu sa gêne.

— Qu'est-ce qu'il t'a dit ? Raconte !

— Qu'est-ce que je vous sers, les gars ? leur demanda Kenneth en arrivant à leur hauteur, un torchon posé sur l'épaule.

Hallelujah !

Will s'empressa de passer sa commande auprès du barman, bien content d'obtenir un sursis, même s'il savait que Connor ne lâcherait pas l'affaire aussi facilement. Son ami était une vraie tête de mule.

Lorsque Kenneth s'éloigna pour préparer leurs boissons, Will ne fut pas surpris d'entendre son ami reprendre d'une voix surexcitée :

— Raconte-moi tout. *S'il te plaît.*

Connor était à deux doigts de lui faire une grimace de chien battu pour le convaincre, mais Will abdiqua sans lui en laisser l'occasion.

— Pour être honnête, il ne m'a pas dit grand-chose, avoua Will sous le regard suspicieux de Connor. Il m'a simplement raconté ce qui s'est passé entre vous la nuit dernière. Mais je ne sais pas… il semblait… intéressé. Par ce que je pensais de toi.

— Intéressé par moi ? reformula Connor en prenant un air fier. J'aime entendre ce genre de choses.

Will lui fit les gros yeux en l'avertissant :

— Fais attention à ce que tu fais, Connor. Je sais qu'il te plaît pour d'autres raisons que son physique, je le vois bien. Mais tu as une certaine tendance à l'auto-sabotage depuis…

Alicia.

Will laissa sa phrase en suspens, mais son ami n'était pas dupe. Connor n'avait jamais maintenu une relation sentimentale plus de trois jours depuis sa rupture avec leur collègue. Il s'évertuait toujours à fuir toute forme d'engagement.

— Je crois que ce sera différent cette fois, admit-il en lançant un regard pensif en direction de leur table.

Même en l'observant attentivement, Will fut incapable de déterminer si son regard était tourné vers Tom ou vers Alicia.

— Voilà pour vous, les détectives ! annonça Kenneth en arrivant face à eux les mains chargées de pintes de bière. Au fait, votre enquête avance ?

Une lueur de tristesse traversa le regard du barman. Il ne posait pas cette question simplement pour faire la discussion avec ses nouveaux clients. Il avait envie de savoir si la BAP était parvenue à innocenter son fils.

— Tu peux ramener quelques verres à la table ? demanda Will à son collègue avec un regard appuyé. J'arrive tout de suite avec le reste.

Connor comprit que son ami souhaitait avoir quelques instants seul avec Kenneth. Il se contenta donc d'agripper trois pintes pour repartir avec. Malgré le fait qu'une cliente venait de s'installer à l'autre bout du comptoir pour passer commande, Kenneth ne lâchait pas Will du regard. Il voulait des réponses. Et il les voulait maintenant.

Merde, j'avais pas prévu de faire ça ce soir.

— Kenneth… démarra-t-il d'une voix gênée qui fit immédiatement grimacer l'homme de l'autre côté de l'épaisse planche de bois. Beaucoup d'éléments nous poussent à croire que Kenny pourrait être notre créature.

— C'est impossible, souffla Kenneth.

Il ne s'adressait pas à Will, semblant simplement essayer de se rassurer lui-même.

— Mais quelque chose pourrait nous permettre de l'innocenter, ajouta le détective. Ou du moins, d'en savoir plus sur les circonstances de sa disparition.

Une note d'espoir raviva le regard du barman, un éclat fragile dans ses yeux, à peine perceptible. C'était le regard d'un homme qui avait tout perdu mais qui osait encore y croire, même si cela lui brisait le cœur à chaque fois qu'il prenait le risque d'une nouvelle déception.

— Kenny possédait un carnet, l'informa Will. Un journal intime dans lequel il notait de nombreux détails de sa vie. Ce carnet pourrait être crucial dans notre enquête.

— Comment avez-vous…

Kenneth se ravisa, trouvant visiblement que ce n'était pas la chose la plus urgente à demander à cet instant. Il se tut quelques secondes, les yeux baissés sur le comptoir, avant de les relever vers Will en demandant :

— Où se trouve ce carnet ?

Le détective prit une profonde inspiration. Dans des circonstances normales, il n'aurait pas fourni cette information à un témoin. Ce serait prendre le risque que Kenneth récupère le carnet et en arrache les pages incriminant son fils. Pourtant, le détective était persuadé que ce père endeuillé ne souhaitait qu'une seule chose : la vérité.

— Le carnet est caché dans une petite poche de son sac de cours.

Kenneth hocha lentement la tête, ses yeux humides et ses traits crispés.

— Son sac est toujours dans sa chambre à l'étage, confia-t-il. Si je trouve ce carnet, je vous le rapporterai.

Sans attendre de remerciements, Kenneth s'éloigna vers la cliente qui commençait à s'impatienter de l'autre côté. Il renfila immédiatement son masque de barman sympathique pour lui lancer un « Dana ! » jovial.

Après lui avoir lancé un dernier coup d'œil attristé, Will prit les deux pintes restantes et se retourna vers sa table, où ses collègues riaient en toute insouciance d'une anecdote racontée par Connor.

Un sourire triste recourba légèrement les lèvres de Will.

Chapitre 20

— Je crois qu'il est temps qu'on y aille, annonça Alicia.

Il était vingt-trois heures passées, et le groupe en était à sa quatrième tournée. En observant la tablée, Connor remarqua le regard particulièrement vitreux de David.

— Une dernière, annonça le directeur de la brigade d'une voix tonitruante. Pour la route !

Il leva son verre vide d'un geste malhabile, sous les rires amusés d'Alicia et Connor. Tom semblait étonné par la décontraction du directeur. Il n'avait encore jamais eu l'occasion de le découvrir dans un contexte festif. C'était toujours un choc la première fois, mais Connor savait depuis longtemps que David était un fêtard invétéré.

Ce soir-là, néanmoins, ils ne pouvaient pas se permettre d'abuser de la boisson. Une tonne de travail les attendait le lendemain.

Ce fut certainement ce qui poussa Will à lancer un regard préoccupé à David en annonçant :

— Non, patron. C'est fini pour ce soir. Il est temps de rentrer.

Il appuya son propos en posant la main sur le bras levé de David pour qu'il le baisse en douceur. Après avoir manqué de renverser quelques verres en reposant le sien, David se laissa porter par Will qui l'escorta jusqu'à la sortie.

Alicia, derrière eux, ramassa son écharpe en laine rouge pendue sur le coin de la banquette et l'enroula autour de son cou.

Elle l'avait mise à notre premier rencard, se remémora Connor en esquissant un sourire mélancolique.

— On partage un taxi ? demanda-t-elle en se retournant vers lui.

La question prit Connor de court. Il n'avait pas prévu de rentrer au motel tout de suite. Après avoir réussi à briser la glace avec Tom, et surtout après les révélations de Will plus tôt dans la soirée, le détective comptait bien passer un peu de temps seul à seul avec le shérif adjoint. Il s'était dit qu'une balade nocturne dans les rues de Lewistown lui ferait le plus grand bien.

— J'avais prévu de… démarra-t-il d'une voix mal assurée. J'aurais bien aimé marcher un peu en ville pour décompresser.

Il se tourna vers Tom, qui approuva sa proposition par un sourire timide.

— C'est une bonne idée, ça, répondit Alicia. Je vais prévenir les gars qu'on rentrera un peu plus tard.

Oh, merde !

Le sourire qu'Alicia arborait n'avait rien de timide. Il était radieux. Cette balade nocturne lui faisait véritablement envie. Le seul souci, c'était que Connor n'avait absolument pas prévu de l'inviter.

— Euh, Alicia, bafouilla-t-il, tandis qu'elle s'engageait déjà vers la sortie pour informer leurs collègues. Je… j'avais imaginé me balader avec Tom. Juste… tous les deux.

— Oh.

La désillusion se lut nettement sur le visage de la jeune femme, rendant le malaise de plus en plus palpable au sein du trio. Ils étaient tous figés dans un silence que rien ne semblait capable de briser, attendant désespérément que quelque chose se produise. N'importe quoi.

— Eh bien, je devrais… rejoindre les gars, dans ce cas, balbutia enfin Alicia. Il ne faudrait pas qu'ils partent sans moi.

La détective quitta le bar en hâte, ne se retournant même pas pour saluer les deux hommes. Tom écarquilla les yeux en se tournant vers Connor, un sourire au coin des lèvres.

— C'était…

— Gênant, acheva le détective à sa place. Carrément.

Ils s'esclaffèrent à l'unisson, dans un rire mêlé de soulagement. Connor était ravi d'avoir échappé à cette situation embarrassante. Mais plus que tout, il était heureux d'avoir une nouvelle chance de passer du temps avec Tom.

Cette fois, il ne comptait pas tenter quoi que ce soit. Grâce aux confidences de Will, il savait que le beau flic s'intéressait à lui. Mais après l'incident de la veille, il était aussi conscient qu'il ne valait mieux pas brusquer Tom. Cette balade ne serait donc rien de plus. Sauf si, évidemment, Tom se jetait aux lèvres de Connor.

— Bonne soirée, Ken, lança Tom en quittant le bar, suivi par le détective qui adressa un geste de la main au gérant du *Sixties*.

Une fois la porte franchie, la brise automnale rafraîchit les joues brûlantes de Connor. Cela lui fit un bien fou. Après une telle soirée, un peu d'air frais était exactement ce dont il avait besoin pour dompter l'ivresse.

Au bout de la rue, il vit un taxi s'éloigner. À l'arrière, ses trois collègues semblaient avoir retrouvé leur calme, et il crut même apercevoir David endormi sur l'épaule de Will. Cette image le fit sourire.

— Suis-moi, lui lança Tom en partant dans la direction opposée.

— On va où ? demanda Connor.

Pour seule réponse, le flic lui adressa un sourire malicieux, avant de reprendre son chemin d'un pas légèrement titubant.

Tom habitait de l'autre côté de la ville, alors ils n'allaient clairement pas chez lui.

— Non mais sérieux, on va où ?

— Laisse-moi te surprendre.

Connor détestait les surprises. Sûrement parce qu'il n'en avait jamais vraiment eues de bonnes durant son enfance. Pas de fêtes d'anniversaires, de cadeaux spontanés ou de sorties improvisées. Les seules surprises dont il se souvenait, c'était le jour où il avait appris que son père était en garde à vue après s'être battu avec un voisin, ou celui où il avait oublié de venir le chercher à l'école après avoir passé l'après-midi au bar. Ou bien encore la fois où la directrice de son école lui avait annoncé que sa mère était décédée dans un accident de la route.

Pour toutes ces raisons, il n'était pas vraiment féru de surprises. Mais d'un autre côté, il adorait ce petit air espiègle sur le visage de Tom. Il se laissa donc guider, et les deux hommes marchèrent. Longtemps. Très longtemps.

Ils arrivèrent finalement au beau milieu de nulle part, devant un abri en bois où une pancarte blanche portait l'inscription *Mare aux grenouilles* en grosses lettres noires.

Connor ne ressentait plus du tout l'ivresse de ses quatre pintes à présent.

Face à eux, un panneau semblait répertorier les différents itinéraires de randonnée aux environs, mais le détective parvint tout juste à déchiffrer quelques mots sous la lumière argentée de la lune.

— Tu m'emmènes en randonnée ? supposa-t-il en fronçant les sourcils. Ça aurait peut-être pu attendre demain, tu ne crois pas ?

Tom laissa échapper un petit rire adorable avant de pointer nonchalamment le doigt devant lui.

— Non, c'est ici que je viens quand j'ai besoin de réfléchir. Parfois, j'apporte mon arc et des flèches pour m'entraîner. Mais le plus souvent, je me pose simplement dans l'herbe et je ferme les yeux.

— En plein milieu de la nuit ? l'interrogea Connor, sceptique.

— Ça m'arrive, se contenta de répondre Tom en se remettant en marche.

Ils avançaient désormais sur un chemin de terre. Au-dessus de leurs têtes, une multitude d'étoiles parsemaient le ciel dégagé de points lumineux. Ayant toujours vécu aux abords d'une grande ville, Connor avait rarement eu l'occasion d'admirer un tel spectacle. Il avançait maladroitement, la tête levée, incapable de détacher son regard de cette fresque grandiose.

— C'est beau, pas vrai ?

Tom s'était arrêté et regardait le détective avec des yeux aussi lumineux que les astres au-dessus de leurs têtes. Il quitta le sentier et guida Connor dans l'herbe, s'asseyant à quelques mètres de là. Connor l'imita.

Au loin, seul le son régulier d'un cours d'eau rompait le silence parfait de la nuit. Les mains posées dans l'herbe humide, Connor observa les alentours. Il ne distinguait aucune maison. La ville semblait avoir disparu, submergée par la nature sauvage et grandiose.

— Si je t'ai amené ici, c'est aussi parce que je ne suis pas très doué pour dire les choses. Alors je préfère le faire dans le noir, loin de tout.

— Pourtant, tu m'as parlé de ton père et du tir à l'arc.

— Certaines choses sont plus faciles à dire que d'autres, avoua le flic d'une voix légèrement tremblante.

Un long silence s'ensuivit. Connor sentait bien que Tom avait envie de lui ouvrir son cœur. Néanmoins, il percevait aussi toute la crainte du policier. Il aurait pu le pousser à s'exprimer, à dire ce qu'il ressentait au plus profond de lui, mais s'il avait compris une chose à propos de Tom, c'était qu'il ne fallait pas le bousculer, au risque qu'il se referme complètement.

Alors, il se laissa retomber dans l'herbe et admira les étoiles dans le ciel, délicatement bercé par les effluves de l'ivresse et la douce brise automnale.

— Tu sais… démarra-t-il, hésitant. Parfois, ce n'est pas utile de dire quoi que ce soit. On peut simplement profiter de l'instant. Le reste peut attendre un peu.

Tournant lentement la tête vers le shérif adjoint, Connor s'aperçut que celui-ci ne l'avait pas lâché du regard. Il lui accorda un sourire tendre avant de reprendre sa contemplation des étoiles.

Oui, il aurait aimé que Tom lui ouvre son cœur, mais il était encore trop tôt.

Alors, pour cette nuit-là, les étoiles suffiraient à le combler.

Chapitre 21

3 juillet,

Les vacances ont commencé depuis moins d'une semaine et je n'en peux déjà plus. J'ai voulu passer voir Dan et Elliott à Billings mais ils sont partis en vacances lundi matin. Karina est rentrée dans sa famille à la fin de ses partiels. Alors, je n'ai plus personne là-bas. Et ici, c'est encore pire. J'ai bien tenté d'envoyer un message à Stan, mais il ne m'a jamais répondu. Je crois que Dwight s'est foutu de lui parce qu'il discutait avec le pédé du coin… Comme si j'avais besoin de ça.

Avec le paternel, l'ambiance est plus tendue que jamais. On a simplement décidé de s'ignorer. Mais dans un trois-pièces, c'est pas hyper pratique. Du coup, je passe une bonne partie de mon temps dans les bois. Ça me calme d'être là-bas, loin de tout. Loin de tout le monde. L'autre jour, j'ai passé des heures et des heures allongé contre un arbre. J'ai imaginé rester là toute la nuit, à attendre qu'un prédateur vienne me dévorer dans mon sommeil. Une mort paisible. Une mort sanglante. Parfait pour moi, pas vrai ?

J'y pense de plus en plus. À la mort, je veux dire. Je ne sais pas si ça devrait m'inquiéter. Après tout, quel adolescent n'y pense pas ? C'est normal, pas vrai ?

Demain, je retournerai dans la forêt. Peut-être que je reverrai ce cerf que j'ai croisé hier. Je n'ai rien de mieux à faire de toute façon.

C'était la huitième fois depuis le début de la matinée que Will lisait la dernière note du journal de Kenny Dixon. Il l'avait écrite trois jours avant sa disparition. Son père, Kenneth, avait déposé le journal très tôt ce matin-là, avant même l'arrivée de l'équipe de détectives. Will ne savait pas s'il l'avait lu avant de le remettre à la police, mais son intuition lui soufflait qu'il n'en avait pas été capable.

— Ça va ? lui demanda Alicia en déposant une tasse de café brûlant devant lui.

Le détective acquiesça d'un signe de tête absent.

— C'est la dernière chose que ce gosse a laissée derrière lui, dit-il en pointant le journal ouvert sur la table. La dernière miette de pain qu'il a fait tomber sur son chemin, et je suis censé m'en servir pour comprendre ce qui lui est arrivé. Sauf que ça ne m'avance pas vraiment.

— D'accord, lança Alicia en s'asseyant à côté de lui, les jambes repliées sur l'assise de sa chaise. Alors essaie de te mettre à la place de ce garçon. Qu'est-ce qui lui arrive au moment où il écrit ces lignes ? Qu'est-ce qu'il ressent ?

Will ferma les yeux, tentant d'imaginer ce que pouvait être la vie de Kenny à quelques jours de sa disparition. Des images de sa propre adolescence lui revinrent alors en mémoire. Il visualisa le garçon qu'il était à seize ans, avec ses lunettes rondes trop grosses pour son visage fin, et son appareil dentaire disgracieux qui faisait ressortir ses fines lèvres en lui donnant un air ridicule.

— Il se sent… seul. Tous ses amis sont loin ou l'ignorent. Son père n'arrive plus à lui parler. Il n'a plus personne à qui se confier, alors il se perd dans l'écriture de son journal.

Will marqua une pause, imaginant l'adolescent occupant ses soirées à coucher ses peines sur le papier. Les entrées du vingt-huit et du trente juin faisaient respectivement sept et neuf pages, au fil desquelles il avait confié toute sa douleur et sa solitude. Celle du trois juillet était étonnamment brève.

Pourquoi ? se demanda Will.

— Ça ne suffisait plus, marmonna-t-il, les paupières toujours closes.

— Qu'est-ce que tu dis ? lui demanda Alicia.

— Ça ne lui suffisait plus d'écrire. Il avait besoin d'autre chose pour soulager sa peine. Alors il passait ses journées dans les bois à rêver de mort et de repos éternel.

— Et après ?

Will creusa au fond de lui, tentant de comprendre ce gamin isolé au beau milieu de la forêt.

— Il devait avoir tellement peur, poursuivit-il tout bas. Il était dans une impasse, il ne savait plus comment s'en sortir. Et puis, un matin, il s'est réveillé et il a vu le fusil de son père. C'est là qu'il a compris ce qu'il devait faire.

Soudain, Will ouvrit les yeux et se tourna vers Tom, assis à l'autre bout de la pièce avec Connor et David.

— Tom ! l'interpella-t-il. Vous avez mené des recherches pour retrouver Kenny Dixon ?

Le shérif se frotta le menton, semblant creuser au fond de sa mémoire.

— Plusieurs battues ont été organisées dans les bois, oui. Elles n'ont rien donné, alors des plongeurs ont fouillé le lac. Face à l'absence de résultats, on a dû mettre fin aux recherches.

— Est-ce que tu pourrais me montrer les zones où les battues ont eu lieu ?

— Bien sûr, répondit le shérif adjoint en se levant d'un bond de sa chaise pour sortir de la salle.

Quelques secondes plus tard, il revint avec une large carte dans les mains. Il la déposa sur la table, dévoilant le large périmètre autour de Lewistown tracé sur le papier.

Après avoir lissé la carte, Tom commença à pointer du doigt différents lieux.

— Nous avons fouillé le secteur sud-est de la ville, c'est la zone la plus proche de chez lui et aussi celle qui est la plus fréquentée par les jeunes.

— Pourquoi ça ? l'interrogea Will.

— C'est là-bas que se trouve le lac, et donc là que se déroulent toutes les soirées.

Will tapota la carte du bout des doigts, repensant au carnet de Kenny.

— Et si, justement, il avait voulu se retrouver complètement seul sans craindre de croiser qui que ce soit, où aurait-il pu aller ?

Tom parcourut la carte du regard quelques secondes, avant de poser le doigt au nord de la ville.

— Par ici. Il n'y a ni point d'eau, ni sentier de randonnée. Très peu de gens se rendent dans ce secteur, à part les chasseurs de temps en temps.

— Et vous avez cherché là-bas ?

Tom prit quelques instants pour réfléchir à la question, avant de finalement secouer la tête en répondant :

— Non, nos recherches se sont concentrées sur le sud et l'est de la ville, dans les zones où il avait déjà été vu par des témoins.

À présent, toute l'équipe s'était réunie autour des deux hommes, écoutant attentivement leur discussion.

— Tobey Langston vivait par ici, pas vrai ? demanda Will en passant le doigt à quelques kilomètres au nord de la ville.

— Exact, lui confirma Tom d'une voix plus rauque, comme s'il comprenait où le détective voulait en venir. Mais tu veux dire que… Kenny serait bien le wendigo ?

Will secoua la tête, incapable de réprimer un léger sourire de soulagement.

— Au contraire, lança-t-il avec certitude en attrapant le journal posé plus loin sur la table. « Peut-être que je reverrai ce cerf que j'ai croisé hier », c'est ce qu'il écrit à la fin de son dernier texte.

— Et donc ? l'interrogea Tom d'un air perplexe.

— Des cerfs, il y en a beaucoup dans les alentours, pas vrai ? lui rétorqua Will.

Le shérif adjoint acquiesça d'un signe de tête.

— Alors pourquoi en parler dans son journal ? demanda le détective. Pourquoi en faire mention comme s'il s'agissait d'un évènement hors du commun ?

— Parce que ce n'était pas un cerf comme les autres, répondit Alicia derrière lui.

— Exactement ! Sans le savoir, Kenny a vu notre wendigo. Et si la créature a tué Langston quelques jours plus tard au nord de la ville, c'est sûrement là que Kenny passait le plus clair de son temps avant sa disparition.

— Alors il aurait aussi été victime du wendigo ? demanda David, à la droite de Will.

— Pour le savoir, il n'y a qu'une chose à faire. Fouiller la zone.

Tous les regards se tournèrent vers Tom, qui comprit rapidement ce qu'ils attendaient de lui.

— Ce n'est pas si simple. Il faudrait que j'obtienne l'accord de Jeff et que je fasse venir la brigade cynophile de Great Falls.

— Combien de temps ça prendrait ? demanda David en arquant un sourcil.

— Un jour, peut-être deux.

— Alors évitons de perdre du temps, lui lança le directeur de la BAP avec un sourire confiant.

Chapitre 22

Alicia sentit la frustration monter en elle. L'enquête avançait enfin, ils avaient une piste sérieuse dans la disparition de Kenny Dixon et ils commençaient à y voir plus clair dans les errances du wendigo au cours des derniers mois.

Pourtant, face à son ordinateur portable ouvert sur la page de réservation de la compagnie aérienne, elle était obsédée par le fait qu'elle allait laisser tout ça derrière elle dès le lendemain pour partir essayer une foutue robe de mariée.

— À quelle heure est prévu le départ ? lui demanda David en pointant le doigt vers l'ordinateur.

Ils n'étaient plus que tous les deux dans la salle de réunion qui leur servait de QG. Connor et Will s'étaient rendus en ville pour acheter de quoi déjeuner tandis que Tom était enfermé dans son bureau à remuer ciel et terre pour organiser rapidement une battue afin de retrouver Kenny.

— Le premier vol est à six heures, répondit-elle sans parvenir à masquer son désarroi. Si je veux être à l'heure pour l'essayage, je n'ai pas vraiment le choix.

Son responsable s'installa à ses côtés, fronçant les sourcils sans la lâcher du regard.

— Tu n'as pas l'air dans ton assiette depuis lundi, lui avoua-t-il. Est-ce que tout va bien avec Philip ?

Alicia leva les yeux sur la carte accrochée au mur. L'équipe avait passé une partie de la matinée à indiquer les zones où le wendigo s'était rendu depuis le début de l'été. Un large pan du territoire, qui s'étendait du nord-est au sud-est, avait été griffonné au marqueur rouge par Tom au fil des éléments piochés par les enquêteurs de la BAP dans les différents rapports d'enquêtes. Et, même si elle n'osait pas l'admettre, Alicia était bien plus enthousiasmée par ces séances de brainstorming que par l'essayage de sa robe ou la dégustation de sa future pièce montée.

Après un long moment à se perdre dans la contemplation de la carte, Alicia poussa un soupir et répondit :

— Je crois que ce mariage est une énorme connerie.

David écarquilla les yeux, visiblement stupéfait par la réponse de son enquêtrice. Puis, après quelques secondes de silence, il éclata d'un rire tonitruant. C'était à présent au tour d'Alicia d'être perdue face à la réaction de son supérieur.

Devant ses sourcils froncés et sa moue perplexe, David reprit ses esprits et se justifia, toujours avec le sourire :

— Je ne te pensais pas capable de l'admettre.

— Comment ça ? l'interrogea la blonde, surprise.

— Alicia, je te connais depuis des années maintenant. J'ai observé du coin de l'œil ton histoire avec Connor et je t'ai vue tomber éperdument amoureuse de Philip. Et s'il y a bien une chose dont je suis certain, c'est que tu n'es *absolument* pas faite pour le mariage.

Alicia resta bouche bée face à l'aveu de son patron.

Effectivement, David avait été aux premières loges pour assister à sa vie sentimentale rocambolesque. C'était sur son épaule qu'elle était venue pleurer après avoir quitté Connor en prétextant ne pas être heureuse avec lui. À lui qu'elle avait confié les sentiments si forts qu'elle éprouvait pour son collègue et la peur de l'engagement qui l'avait obligée à mettre fin à leur histoire. Vers lui qu'elle s'était tournée quand elle avait découvert la bague de fiançailles dans le bureau de Philip.

— Pourquoi tu ne m'as rien dit avant ? demanda-t-elle.

— Ce n'est pas mon rôle de te dire comment mener ta vie, se justifia David. Mon rôle, c'est de te soutenir dans tes choix. Même quand je les considère comme de terribles erreurs.

Alicia baissa la tête, un étrange sentiment de honte s'emparant d'elle.

— Tu crois que je devrais tout annuler ?

— Et toi, qu'est-ce que tu en penses ? la questionna David en saisissant sa main d'un geste délicat.

Ce simple contact fit un bien fou à Alicia. David était celui qui se rapprochait le plus d'un père à ses yeux, et son soutien était précieux. Elle sentit sa gorge se serrer lorsqu'elle avoua dans un murmure :

— Je n'ai pas envie de le perdre.

Elle ferma les yeux dans une vaine tentative de refouler les larmes qui vinrent se nicher au coin de ses paupières.

Derrière eux, elle entendit la porte de la salle de réunion s'ouvrir dans un grincement. La voix gênée de Tom lui parvint depuis le seuil :

— Je ne dérange pas ?

David s'empressa de répondre :

— Peut-être qu'il serait plus judicieux de…

— Non, tu ne déranges pas, l'interrompit Alicia en se frottant discrètement les yeux avant de se retourner vers le shérif adjoint. On peut t'aider pour quelque chose ?

À son regard, elle voyait bien que Tom avait cerné le malaise ambiant. Néanmoins, il ne s'attarda pas dessus.

— Deux hommes de la brigade cynophile de Great Falls peuvent venir dès cet après-midi, les informa-t-il. Ils veulent qu'on définisse un périmètre de recherche et qu'on récupère un vêtement de Kenny d'ici là. Vous pensez que c'est jouable ?

— Absolument, répondit Alicia sans hésitation.

Elle se leva d'un bond, se racla la gorge et fila jusqu'à la carte affichée au mur pour élaborer la meilleure stratégie. Derrière elle, Tom s'approcha à son tour d'un pas lent. David, lui, ne quitta pas la table, mais la détective savait que ses yeux inspectaient eux aussi la carte.

— Quel périmètre peuvent-ils couvrir ? demanda Alicia.

— Chacun d'eux aura son propre chien, répondit Tom. Si on se sépare en deux groupes… en imaginant qu'ils arrivent pour quinze heures, je miserais sur cinq kilomètres à la ronde.

— Bien, répondit Alicia dans un souffle.

Le secteur qui attira l'œil d'Alicia se trouvait au nord-est de la ville. C'était, semble-t-il, dans cette zone que Tobey Langston avait vu le wendigo peu de temps avant sa mort. Et si Will avait raison, c'était à cet endroit que Kenny avait passé le plus clair de son temps avant de disparaître. Pourtant, le risque de ne pas retrouver sa trace était considérable. La forêt en question était vaste et escarpée, selon les dires de Tom. Leur progression allait donc être ralentie, et les recoins à fouiller n'en seraient que plus nombreux.

L'enjeu était considérable. La brigade cynophile n'allait pas revenir de sitôt. C'était leur seule et unique chance de retrouver Kenny.

— On commencera les recherches à trois kilomètres de la route la plus proche, trancha-t-elle finalement en posant le doigt sur la carte. Kenny n'aurait pas pu disparaître aussi longtemps en bordure de forêt, quelqu'un serait forcément tombé sur son corps. Il a dû s'enfoncer plus loin dans les bois.

— Je suis d'accord, acquiesça Tom. Je vais demander à Jeff s'il veut se joindre à nous, et je rappelle les agents de Great Falls pour leur donner le point de rendez-vous.

Tom quitta la pièce d'un pas déterminé. Alicia se retourna vers David en lui adressant un sourire plein d'espoir.

— J'ai un bon pressentiment, confia-t-elle.

— Je suis sûr qu'on va retrouver la trace de ce petit et faire la lumière sur ce qui lui est arrivé.

Tout en s'avançant vers la sortie, la détective lança à son directeur :

— On n'a pas de temps à perdre. Je file chez Kenneth Dixon pour récupérer des vêtements de son fils.

— Alicia ? la stoppa David.

— Oui ?

— Et ton billet d'avion ? demanda-t-il en lançant un regard appuyé à l'ordinateur sur la table.

Après une seconde d'hésitation, Alicia s'avança vers lui et referma l'appareil d'un geste déterminé.

— On verra ça plus tard.

Pour le moment, ils avaient des affaires bien plus urgentes à régler. Et peut-être qu'elle n'avait pas envie de penser à l'avenir de son couple pour le moment.

Peut-être.

Chapitre 23

L'air était glacial dans la pinède lorsque le groupe décida de s'arrêter pour lancer les recherches. Les détectives de la BAP marchaient depuis une bonne vingtaine de minutes dans la forêt noyée sous une épaisse couche de brouillard. À leurs côtés, Tom et Peterson guidaient les deux agents de la brigade cynophile précédés de leurs imposants bergers allemands.

Connor sentait la fine pellicule d'humidité s'infiltrer sous la capuche de son blouson, dans les manches de sa polaire et jusque dans les chaussures de randonnée prêtées par le département de police. Les températures avaient chuté depuis la veille, et le soleil était désormais camouflé derrière d'épais nuages menaçants. Les immenses pins qui se dressaient au-dessus de leurs têtes empêchaient également la lumière d'atteindre le sol mousseux à leurs pieds.

Connor avait du mal à imaginer qu'un tel endroit ait pu être le refuge d'un adolescent solitaire et mal dans sa peau. Généralement, les jeunes comme Kenny préféraient s'enfermer dans la sécurité de leur chambre ou se terrer dans un coin de bibliothèque, pas se confronter aux grands espaces sauvages et à la nature menaçante. En tout cas, c'était comme ça que Connor avait vu les choses quand il avait traversé sa propre période de solitude à l'âge de dix-sept ans. Mais, contrairement à lui, Kenny n'était pas parvenu à en sortir indemne.

— Je pense qu'il est temps de nous séparer, annonça Tom avant de boire une généreuse gorgée dans sa gourde métallique.

Durant leur longue marche au milieu des pins, ils avaient eu tout le temps de constituer les deux groupes. Tom, Peterson et Connor partiraient vers le nord avec l'un des agents. Alicia, Will et David continueraient vers l'est avec l'autre maître-chien. Ainsi, ils pourraient couvrir une zone plus vaste avant la tombée de la nuit qui, à cette période de l'année, arrivait aux alentours de dix-sept heures. Ils ne pouvaient donc pas se permettre de traîner.

En moins de cinq minutes, ils s'élancèrent dans deux directions opposées, à la recherche du disparu. Alicia avait fait une halte chez Kenneth pour y récupérer des tee-shirts portés par son fils peu de temps avant sa disparition.

Très vite, l'autre groupe disparut derrière le brouillard. Le maître-chien, un type bourru à la barbe bien fournie et au regard perçant, agitait régulièrement le vêtement bleu sous la truffe de son chien dans l'espoir que celui-ci flaire une piste. Mais ses efforts s'avérèrent infructueux, et le groupe se contenta de suivre la direction indiquée par la boussole militaire du shérif Peterson, qui menait la marche aux côtés de l'animal. Légèrement à la traîne, Connor en profitait pour jeter des coups d'œil au postérieur de Tom, parfaitement moulé sous le pantalon cargo gris qu'il portait aujourd'hui.

— Je te vois, lui lança le shérif adjoint sans même se retourner.

— Je ne vois pas de quoi tu parles, répondit Connor d'une voix malicieuse, un grand sourire sur les lèvres.

Tom ralentit son allure pour s'accorder à celle du détective.

— C'est sérieux, lui rappela Tom.

Dans sa voix, Connor repéra une pointe de tristesse. Il se rappela alors que, pour lui, ce gamin disparu n'était pas un simple inconnu qu'il avait découvert par des photos ou des témoignages.

— Tu le connaissais ? l'interrogea Connor en faisant un signe de tête en direction du tee-shirt dans la main du maître-chien.

— Assez peu. Je l'ai croisé quelques fois en ville, rien de plus. Enfin…

Il hésita un instant, le regard perdu, comme s'il revivait un souvenir enfoui dans sa mémoire.

— L'année dernière, lors de la Fête Nationale, je faisais une ronde autour de la zone des festivités, en quête d'ados qui auraient échappé à la vigilance parentale pour se siffler un peu d'alcool en douce.

— La mission rêvée pour tout bon flic de campagne, le taquina Connor.

— Très drôle, réagit Tom en lui donnant un coup de coude discret. En tout cas, c'est comme ça que je suis tombé sur Kenny. Il était assis tout seul dans le noir. Au début, j'ai cru que c'était un type bourré qui s'était endormi dans l'herbe, alors je suis allé le voir.

Trop intéressé par son récit, Connor manqua de trébucher sur une racine avant de se raccrocher au bras du policier. Presque par réflexe, celui-ci l'aida à retrouver l'équilibre et reprit son chemin comme si de rien n'était. Visiblement, c'était assez commun de s'emmêler les pieds lorsqu'on arpentait une forêt de pins. Pour un citadin comme Connor, ça n'avait pourtant rien d'habituel.

— Je lui ai demandé si tout allait bien, continua Tom. Et…

Il laissa sa phrase en suspens, un sourire au coin des lèvres.

— Et ? insista Connor.

— Il n'a même pas répondu à ma question, ricana-t-il. Il m'a juste salué avec cet air faussement nonchalant qu'ont tous les ados.

Connor sourit à la remarque du policier. Il savait très bien de quel air il parlait, il l'avait lui-même arboré jusqu'à ses dix-huit ans.

— Voilà, ajouta le flic. Ma seule interaction avec Kenny Dixon. C'est con, mais ce gosse m'a quand même marqué. Il dégageait un truc. Un genre d'aura.

—Tu ne l'as jamais revu après ça ?

— Pas vraiment. Je l'ai juste croisé de temps en temps à la sortie du lycée ou dans les rues. Je me souviens que c'était un gamin assez solitaire, mais qui semblait plein de vie. Je ne l'aurais jamais imaginé mettre fin à ses jours.

Même s'il n'avait pas été lui-même confronté au suicide, Connor se rappelait un camarade de classe qui s'était pendu lorsqu'il était adolescent. C'était l'un des élèves les plus populaires, sportif, drôle et entouré d'amis fidèles. Puis, un lundi matin, il n'était pas venu au lycée. Le lendemain, les élèves avaient appris son suicide. Ils avaient attendu plusieurs mois avant de découvrir qu'il avait mis fin à ses jours sous la pression des notes et de ses performances sportives. Il avait sûrement d'autres raisons de passer à l'acte, mais peu de gens auraient pu imaginer qu'il irait jusque-là.

— Tu sais, démarra Connor, prêt à lui partager cette expérience. Quand j'étais ado, il y avait…

— Il tient quelque chose, le coupa la voix caverneuse du maître-chien quelques mètres devant eux.

Au bout de sa laisse, le berger allemand tirait avec force vers la droite. D'un geste rapide, le policier détacha l'animal, qui fila entre les arbres, s'arrêtant à intervalles réguliers pour renifler le sol.

— Vous pensez que c'est Kenny ? demanda Connor en rejoignant Peterson et l'agent de Great Falls sur la piste du molosse.

— Je ne sais pas s'il nous mène à votre disparu, mais c'est clairement son odeur qu'il piste.

Impatient de découvrir ce qu'avait flairé l'animal, Connor slaloma entre les pins à grandes enjambées, oubliant le froid, l'humidité ou les racines qui compliquaient sa progression. Sur ses talons, Tom arpentait la forêt avec la même impatience. S'il y avait bien une chose qui réunissait les deux hommes, c'était l'amour de leur métier. Et ils se doutaient tous deux qu'ils s'approchaient d'une découverte cruciale dans leur enquête.

À mesure qu'ils s'enfonçaient dans les bois, Connor remarqua de plus en plus distinctement un son au loin. Le rythme régulier d'un cours d'eau. Le chien, qui semblait percevoir de plus en plus clairement la piste de Kenny, filait droit dans sa direction. L'animal devenait difficile à suivre, et les quatre hommes durent poursuivre leur progression en petites foulées. Malgré le froid qui lui semblait de plus en plus mordant, Connor sentit une goutte de sueur glisser le long de sa nuque. Puis soudain, il sentit une odeur. Elle s'évapora si rapidement qu'il crut d'abord l'avoir imaginée. Ou du moins, il l'espérait. Car cette odeur, il ne la connaissait que trop bien.

C'était le souffle pesant et nauséabond de la mort.

Lorsque le parfum funeste reparut, il osa un regard vers le shérif adjoint. Il plongea ses yeux dans les orbes noisette de

Tom pour y lire tout son effroi et son chagrin. Lui aussi avait reconnu la terrible odeur.

Quelques mètres devant eux, le chien s'était arrêté au bord d'un ruisseau. Connor se figea immédiatement en découvrant la silhouette étendue dans l'eau à côté de l'animal. À sa droite, Tom fit de même. Peterson fut le premier à s'aventurer à côté du cadavre, talonné par le maître-chien qui alla féliciter son animal en lui offrant une friandise. Connor garda les yeux fixés sur le canidé qui agitait timidement la queue en savourant le biscuit qui lui était offert. C'était un spectacle agréable, presque touchant, qui détonait terriblement avec le cadavre en décomposition trainait au sol juste à côté.

Connor se risqua finalement à observer la dépouille. Elle n'avait plus grand-chose d'humain. La peau et une bonne partie des organes à l'extérieur de l'eau avaient été dévorés par les larves, et certainement les loups avant cela. Sous la surface, des lambeaux de tissus se balançaient au rythme du courant. Le visage était tourné vers le détective, et deux creux vides l'observaient avec insistance, comme si la mort elle-même se cachait au fond des ténèbres de ce crâne. Des touffes de cheveux épars trônaient encore sur le haut du crâne, lui donnant des allures de vieillard ou de nouveau-né, mais Connor n'était pas dupe. Le cadavre était grand, et son sweat à capuche rouge ainsi que son jean déchiqueté ne pouvaient appartenir qu'à un adolescent.

— C'est lui, confirma Peterson, penché devant le corps. Le pendentif à son cou correspond à la description donnée par son père.

— Merde, souffla Tom en pointant le doigt derrière le shérif.

Connor se tourna dans la direction indiquée et remarqua le fusil de chasse qui trainait à côté du corps. Et lorsque son regard retrouva la dépouille puante du pauvre adolescent, il remarqua l'impact de balle qui lui avait perforé le crâne de part en part.

— Il s'est suicidé, asséna-t-il finalement.

Chapitre 24

La nuit s'apprêtait à tomber sur la pinède, mais l'équipe de la BAP était loin d'avoir fini son travail. Des renforts étaient arrivés sur place en quad peu de temps après que Will, Alicia et David aient rejoint l'autre groupe de recherche. Certains officiers s'étaient chargés de reconduire les maîtres-chiens en ville, tandis que d'autres démarraient déjà l'inspection des lieux. La zone avait été délimitée par du ruban de police jaune, même si Will trouvait cela relativement superflu étant donné que personne n'avait découvert le corps de ce pauvre Kenny Dixon depuis près de quatre mois. Des projecteurs avaient été installés autour du ruisseau, tous pointés vers la dépouille, comme s'il s'agissait d'un spectacle macabre prêt à démarrer.

Will était assis sur une souche à quelques mètres de là. La vue des cadavres lui faisait toujours un effet particulier. Il avait à chaque fois l'impression qu'une brume épaisse l'entourait et s'infiltrait lentement en lui. Ça lui avait fait cet effet sur chaque scène de crime sur laquelle il s'était rendu, mais aussi lorsqu'il avait découvert le corps de sa mère étendu dans le salon de la maison familiale.

— Ça va ? lui demanda Alicia, faisant disparaître le souvenir affreux de ce soir de février qui avait irrémédiablement ébranlé sa vie.

Le jeune homme se contenta de lui répondre par une moue attristée. À quelques mètres de là, Anna, la secrétaire du shérif, prenait des photos du cadavre étendu dans la rivière. Elle semblait rôdée à l'exercice.

— Tom vient de repartir en ville, reprit Alicia face au silence de son ami. Il va annoncer à Kenneth qu'on a retrouvé son fils.

— C'est terrible, réagit Will dans un souffle. Avoir la confirmation que son fils s'est suicidé, ça doit être le sentiment le plus horrible au monde.

— Au moins, Kenny n'était pas le wendigo, rétorqua Alicia d'une voix douce. Ce sera peut-être un soulagement pour lui.

Will en doutait. Malgré les horreurs commises par la bête, son père aurait pu se dire qu'une partie de son fils était encore en vie, qu'il ne s'était pas encore totalement évaporé de la surface de la Terre. À présent, il ne pouvait même plus se rassurer en se disant que…

— Attends une seconde, lança soudain Will, les yeux écarquillés. Mais oui !

— Quoi ? réagit Alicia.

— Si Kenny a vu le wendigo quelques jours avant sa mort, il pourra peut-être nous aider à l'identifier. Il n'était qu'au début de sa transformation, peut-être qu'il avait encore des traits humains qu'il a pu reconnaître.

Désormais, tout le visage de la détective exprimait une sorte de stupeur. Elle semblait hésiter entre rire ou l'envoyer directement faire un séjour en asile psychiatrique.

— Will, je ne te suis vraiment pas.

Plus sérieux que jamais, l'enquêteur se tourna vers Alicia pour lui lancer d'une voix assurée :

— Il faut qu'on interroge le fantôme de Kenny.

Will se leva d'un bond pour rejoindre David, qui discutait au bord du ruisseau avec Peterson. Suivi de près par Alicia, qui devait croire qu'il avait totalement pété les plombs, il se posta devant son responsable pour lui répéter son idée :

— On doit interroger Kenny.

Peterson fronça les sourcils en adressant un regard noir au détective :

— Qu'est-ce que vous racontez ? Vous croyez que c'est le moment de faire de l'humour ?

Will ne réagit même pas à sa remarque, préférant observer la réaction du responsable de la BAP.

— Mais bien sûr, lança finalement ce dernier avec un grand sourire.

— Je commence tout juste à tolérer votre présence ici, reprit Peterson, agacé. Mais si vous continuez vos…

— On l'a déjà fait une fois, le coupa David.

— Quoi ? réagit Alicia. Quand ? Et pourquoi vous ne m'en avez pas parlé ?

Sa voix monta dans les aigus, submergée par une curiosité manifeste.

— C'était il y a bientôt quatre ans, commença Will. La police était au point mort dans une affaire de meurtres de prostituées. Ils nous ont donc contacté pour savoir si nos méthodes… Quel terme ils avaient utilisé déjà ?

— Particulières, répondit David.

— Oui, c'est ça. Pour savoir si nos méthodes particulières pouvaient les aider. Alors, après des journées entières à tourner le problème dans tous les sens, on s'est dit qu'on pourrait tenter d'interroger sa dernière victime. Ou du moins, son fantôme.

— Et ça a marché ? l'interrogea Alicia sous les yeux éberlués de Peterson.

Will et David grimacèrent en même temps.

— Pas vraiment, répondit leur patron. Nous avons établi une communication, mais la victime ne parlait pas notre langue, elle avait été attaquée par derrière, et elle était clairement remuée en découvrant qu'elle avait perdu la vie.

— Attendez… intervint Peterson, toujours déboussolé. Vous voulez dire que les fantômes existent, mais qu'ils n'ont pas conscience d'être morts ?

— Oh non, répondit cette fois Alicia. Les fantômes et les résidus d'âmes sont deux choses très différentes.

— Exactement, confirma David avec une note de fierté dans la voix.

— Les fantômes, reprit la détective, ce sont les esprits qui errent dans notre monde en quête d'un objectif précis. La vengeance ou le retour de l'être aimé, par exemple. Les résidus d'âmes, ce sont une part d'eux-mêmes que les morts laissent derrière eux après leur départ vers l'au-delà et qui nous permet d'entrer en communication avec eux après leur mort.

— Un peu comme des empreintes sur une scène de crime ? tenta de comprendre Peterson.

— Plutôt comme un témoin, le rectifia Alicia.

— Mais un problème de taille persiste, ajouta Will. Les résidus d'âmes ne sont pas éternels. Avec le temps, ça devient de plus en plus difficile d'entrer en communication avec eux.

Will remarqua les regards curieux que leur adressait Anna, cachée derrière l'objectif de son appareil photo. Elle écoutait visiblement leur conversation avec intérêt.

— Oh, et puis merde, lâcha Peterson après un court silence. Après tout, puisque je suis obligé de me coltiner vos délires paranormaux, autant aller jusqu'au bout. De quoi avez-vous besoin pour votre séance de spiritisme ?

— Ce n'est pas vraiment une séance de… commença Alicia.

— Il nous faut le corps de Kenny, la coupa Will, trop satisfait d'avoir eu le feu vert de Peterson pour s'offusquer de ses formules. La communication doit se faire dans une pièce fermée, sans fenêtre. Pour le matériel, tout est dans notre pick-up. Et évidemment, il nous faudra l'accord de son père.

C'était le dernier obstacle à son plan : obtenir la validation de Kenneth. La communication post-mortem pouvait s'avérer une expérience éprouvante pour le défunt. Rappeler dans le monde des vivants un mort passé dans l'au-delà n'avait rien de naturel. Les souvenirs de la personne s'emmêlaient et toutes ses peurs primitives lui revenaient en pleine face comme un tsunami.

De plus, il s'agissait de leur ultime contact avec le monde des vivants. Il n'était donc pas rare qu'ils souhaitent transmettre un message aux proches qu'ils avaient perdus. Cependant, dans le cas d'un suicide, celui-ci pouvait parfois s'accompagner d'une vive colère.

— Je me chargerai d'obtenir l'accord de Dixon, répondit Peterson.

— Une dernière chose, ajouta Will. Demandez-lui s'il a quelque chose à lui dire. Un dernier adieu ou quelque chose du genre.

Peterson hocha la tête d'un air solennel. Pour la première fois, Will fut capable de discerner une certaine humanité derrière la carapace bourrue du shérif.

— Comptez sur moi.

Chapitre 25

De retour au motel ce soir-là, Alicia resta assise sur le lit face à son ordinateur pendant une bonne quinzaine de minutes sans rien faire d'autre qu'observer fixement l'écran. Elle s'était connectée au site de la compagnie aérienne, avait choisi son horaire de départ, sa place dans l'avion et avait validé son billet. Mais elle restait bloquée face au bouton de confirmation de la commande, incapable d'entériner sa décision de repartir le lendemain matin à Denver pour l'essayage de sa robe de mariée.

Alors que son équipe s'apprêtait à interroger un *mort*, elle était sommée de traverser trois États pour vérifier qu'un foutu bout de tissu était bien à sa taille.

Comment j'ai pu en arriver là ? se demanda-t-elle.

Les paroles de David le matin-même lui revinrent à l'esprit. Elle n'était pas faite pour le mariage, elle en avait conscience désormais. Pourtant, elle s'était enfoncée dans cet engagement au point d'accepter d'en faire sa priorité, au point de le faire passer avant l'interrogatoire d'un mort. *L'interrogatoire. D'un. Mort !* Quelques mois plus tôt, elle n'aurait jamais accepté une telle situation.

Depuis son arrivée à la BAP, elle avait toujours été Alicia la pétillante, Alicia la rigolote, celle qui apportait la bonne humeur et le café chaud à ses collègues les lundis matin pluvieux. À présent, elle ruminait sans cesse à propos de ce mariage qui lui faisait l'effet d'une épée de Damoclès au-dessus de sa tête.

Ça suffit ! décida-t-elle en se levant d'un bond pour sortir de la chambre.

Plus déterminée qu'elle ne l'avait été depuis bien longtemps, elle fila jusqu'à la porte voisine, toquant d'un geste énergique.

Connor ouvrit la porte, vêtu d'un short ample bleu marine et d'un débardeur noir qui dévoilait ses larges épaules musclées. Le regard de sa collègue s'attarda une seconde de trop sur ses biceps saillants, et une vague de gêne s'empara d'elle.

— Alicia ? s'étonna son ami.

— J'ai pris une décision, annonça-t-elle.

Il fit un pas en arrière pour la laisser entrer. Sans se faire prier, elle pénétra d'un pas énergique dans la chambre et fit volte-face.

— Quelle décision ? demanda-t-il en refermant la porte derrière lui.

La fatigue se lisait sur les traits tirés de son visage et sur les cernes au coin de ses yeux. Il fallait bien avouer qu'ils avaient eu une journée terriblement longue et chargée en émotion. La découverte du corps de Kenny les avait tous atteints, mais elle savait que Will et Connor étaient toujours les plus bouleversés face à la mort.

Une vague de culpabilité la frappa soudain. Elle se sentit mal de lui imposer ses problèmes conjugaux et ses états d'âme personnels alors qu'il traversait lui aussi des épreuves difficiles depuis le début de ce séjour. Entre ses propres déboires sentimentaux avec Tom et la découverte macabre qu'ils avaient faite quelques heures plus tôt, il avait bien assez de soucis à gérer. Pourtant, lorsqu'il lui adressa un sourire bienveillant en l'invitant à s'asseoir sur le lit, elle sut qu'il avait sincèrement envie de savoir ce qui la mettait dans tous ses états.

Elle s'installa donc à côté de lui sur le matelas, rivant ses yeux dans les siens pour lui annoncer :

— Je ne prendrai pas l'avion demain. L'essayage de ma robe peut attendre, j'ai envie de rester avec vous jusqu'au bout de cette enquête.

Admettre cela à voix haute lui fit un bien fou.

— Et comment a réagi Philip quand tu lui as annoncé ?

À la grimace qu'elle lui adressa, il répondit en fronçant les sourcils d'un air réprobateur.

Elle savait que Philip allait très mal prendre la nouvelle, que ce serait certainement la goutte d'eau qui ferait déborder le vase qui ne cessait de se remplir depuis plusieurs jours. Pourtant, elle était déterminée à rester à Lewistown. Elle avait trop pris sur elle depuis qu'ils avaient commencé à organiser ce mariage, et elle se rendait compte à présent qu'elle s'était totalement voilée la face. Elle aimait Philip, c'était une évidence, mais elle n'était plus certaine d'être faite pour un tel engagement.

— Tu comptes lui dire ça quand ? insista Connor.

— Je ne sais pas. Il est tellement patient avec moi, j'ai peur qu'il finisse par en avoir marre et qu'il s'en aille.

— Qu'il te quitte, tu veux dire ? réagit Connor en secouant la tête. Alicia, ce type est fou de toi. Et s'il a réussi à te supporter jusque-là, je suis à peu près sûr qu'il ne lâchera pas l'affaire de sitôt.

La jeune femme ne parvint pas à réprimer un petit rire. Il savait mieux que personne qu'elle n'était pas la compagne idéale aux yeux de nombreux hommes. Elle avait un caractère affirmé, des habitudes qu'elle n'était pas prête à changer et une passion débordante pour son travail.

C'était un miracle que Philip n'ait pas encore pris la fuite après deux années de relation.

— Il faut que je lui dise, pas vrai ? soupira-t-elle.

Connor hocha la tête en lui adressant une moue compatissante.

— Il est trop tard, précisa-il en jetant un œil à l'horloge. Mais demain matin à la première heure, il faudra que tu l'appelles.

Elle acquiesça.

Cette simple discussion avec Connor lui permit de se sentir plus légère. Son ami l'avait toujours aidée à relativiser, à soulager le poids de ses responsabilités et de ses décisions. Elle avait retrouvé ça chez Philip à leur rencontre et durant les premiers temps de leur relation. Mais depuis sa demande en mariage, c'était comme s'ils étaient passés d'alliés à ennemis. Elle luttait constamment pour se libérer des chaînes de l'engagement, alors que lui était prêt à se lancer dans cette nouvelle aventure à corps perdu.

En levant les yeux vers Connor, elle remarqua son air pensif. À cet instant, son visage dévoilait toutes les failles qu'il tentait chaque jour de camoufler derrière une assurance et une nonchalance qu'il arborait comme une seconde peau.

Pourtant, ce masque se fissurait lorsqu'ils se retrouvaient seuls et qu'il mettait de côté son besoin de cacher ses failles.

— Et toi, tout va bien ? l'interrogea Alicia d'une voix douce.

Il reprit immédiatement ses esprits, revêtant un grand sourire chaleureux en lui répondant :

— Bien sûr. Je suis fatigué, je crois.

À une époque, il lui aurait raconté sans aucune gêne ce qui le tourmentait, mais leur rupture et son histoire avec Philip avaient creusé un fossé infranchissable entre eux. Ils étaient toujours amis, et leur complicité était indéniable, mais quelque chose avait disparu. Et certains soirs, elle avait une folle envie de réduire la distance entre eux pour retrouver le Connor qui avait fait battre son cœur un peu trop violemment par le passé.

— Tu sais que tu peux tout me dire, pas vrai ? insista-t-elle.

— Je sais bien, lui répondit-il en conservant son sourire de façade. Mais tout va bien. Vraiment.

Il mentait, et elle le savait.

Mais franchir le fossé qui les séparait n'était pas une option. Plus maintenant.

Chapitre 26

L'air était glacial dans l'arrière-salle du funérarium de Lewistown. Puisque le poste de police n'était pas équipé d'une morgue, les enquêteurs avaient dû se rabattre sur cette solution. Depuis leur arrivée dix minutes plus tôt, le thanatopracteur leur lançait des regards méfiants depuis la pièce adjacente séparée par une large vitre, où il s'affairait à embaumer le corps d'une vieille dame. Visiblement, et contrairement aux clichés qui circulaient sur sa profession, l'homme n'avait rien d'un fan des sciences occultes et de la communication avec l'au-delà. Malgré ça, il avait accepté de leur prêter une pièce pour tenter d'établir un lien avec Kenny, et c'était tout ce qui importait.

Passablement agacé par les œillades du vieux croquemort au crâne dégarni qui opérait derrière le carreau, Will referma le store vénitien avant de s'avancer vers la dépouille de l'adolescent. Ou plutôt ce qu'il en restait. Le temps et les bêtes sauvages ne lui avaient fait aucun cadeau. La plupart de ses organes avaient été dévorés, tout comme ses yeux et une partie de la peau de son visage. Le reste avait simplement démarré sa décrépitude naturelle, et seul l'arrière de son corps, qui avait été immergé tout ce temps dans une eau glaciale, conservait une apparence à peu près humaine. Le reste n'était que carcasse et morceaux de chair en lambeaux. Pourtant, ce tas d'os dégoûtant était leur unique chance d'entrer en contact avec l'adolescent décédé.

Et pour cette raison, Will observait le corps étendu sur la table de métal avec un immense respect et énormément d'espoir.

— Qu'est-ce que c'est, ça ? l'interrogea Anna, à ses côtés, en pointant du doigt les boîtes métalliques installées dans le fond de la pièce.

La jeune femme avait supplié Peterson de la laisser participer à la tentative d'interrogatoire de Kenny. Sa curiosité semblait avoir été piquée quelques jours plus tôt, lorsque Will avait analysé les échantillons ADN du wendigo en sa compagnie. Son patron l'avait finalement laissée accompagner Tom au funérarium, où l'équipe de la BAP s'était rendue aux premières lueurs du jour après avoir obtenu l'accord de Kenneth Dixon.

— Ce sont des capteurs spectraux, répondit Will. Ils servent à amplifier la résonnance des résidus d'âmes et à faciliter la communication avec les esprits. Pour caricaturer, ce sont des espèces de mégaphones pour fantômes.

Ils en avaient installés quelques minutes plus tôt aux quatre coins de la pièce dans l'espoir qu'ils leur permettraient d'entrer en contact avec Kenny. Converser avec l'au-delà n'avait rien d'une tâche aisée. Cela demandait un matériel adapté et une patience exemplaire, aussi bien de la part des enquêteurs que de l'esprit invoqué. Lui seul pouvait décider d'établir le lien avec le monde des vivants. Si Kenny refusait de leur adresser la parole, leurs tentatives étaient vouées à l'échec.

— Et maintenant, qu'est-ce qu'on fait ? demanda Tom, de l'autre côté de la table d'autopsie. On lance une séance de spiritisme ?

Sa remarque généra des ricanements chez les membres de la BAP. Dès qu'il s'agissait de rituels occultes, les gens s'imaginaient constamment qu'ils allaient allumer des bougies en entonnant des cantiques pour attirer les esprits. Si cela pouvait fonctionner dans certaines cultures, leurs méthodes à eux étaient beaucoup plus universelles et puisaient dans la science plutôt que la foi.

— C'est un peu plus complexe que ça, répondit Will en s'avançant vers son ordinateur installé sur un petit bureau à sa gauche. En plus des capteurs spectraux, je vais utiliser des ondes sonores spécifiques pour guider l'esprit de Kenny jusqu'à nous. Selon le taux de résidus d'âme présents dans son corps, il mettra plus ou moins longtemps à nous rejoindre. Encore faut-il qu'il accepte de communiquer avec nous.

— Plus ou moins longtemps ? répéta Anna. C'est-à-dire ?

— Parfois, ça prend deux minutes. Parfois, il faut plusieurs heures. Puisque peu de chercheurs spécialisés en psychophysique ou dans les neurosciences se sont penchés sur la question, il reste de nombreuses zones d'ombre dans notre approche de la mort. Alors, on a encore du mal à comprendre le processus de retour d'un esprit de l'au-delà vers le monde des vivants.

Lorsque Will se retourna vers les deux novices du groupe, Anna lui répondit par un hochement de tête sincèrement intéressé. Tom, quant à lui, semblait perdu par ses explications, se contentant de lui adresser une moue impressionnée.

— Tout est prêt ? lui demanda David en s'approchant.

Will acquiesça en lançant la piste audio d'un clic de souris. Un léger sifflement s'échappa des larges enceintes posées au sol à côté du bureau. Si le son était tout juste perceptible aux oreilles des vivants, il agissait comme un phare pour les morts qui l'entendaient.

— Tu veux bien éteindre la lumière, Anna ? lui demanda Will à voix basse.

La jeune femme s'exécuta sans poser de question, mais le détective voyait bien à son air interrogateur qu'elle voulait en savoir plus. Il s'approcha donc de la secrétaire pour lui fournir de plus amples explications :

— Les stimuli qui nous paraissent normaux lorsqu'on est en vie deviennent beaucoup plus violents après la mort. La lumière, les bruits ou les mouvements brusques sont très désagréables pour les esprits. C'est pour ça que les séances de spiritisme ont souvent lieu la nuit dans des lieux calmes.

Dans cette quasi-obscurité à peine rompue par l'éclairage de l'écran d'ordinateur, l'esprit de Kenny se sentirait certainement en sécurité. Désormais, il ne leur restait plus qu'à prendre leur mal en patience.

— Comment est-ce qu'on saura… qu'il est là ? demanda Anna à voix basse.

— La première fois que j'ai fait ça, répondit Will, j'ai senti comme un froid en moi. J'ai perçu des émotions qui ne m'appartenaient pas. De la peur et de l'incompréhension mêlées à tout un tas de souvenirs qui m'étaient totalement étrangers. Puis j'ai simplement posé une question et une voix m'a répondu.

— Elle était dans la pièce ?

Will hésita un instant avant de répondre :

— Non, elle était… dans ma tête. Mais aussi dans celle de David et de Connor. On a tous entendu la même chose, mais la voix était en chacun de nous.

— C'est incroyable, réagit Anna d'un air admiratif.

Il sentait bien que la jeune femme était passionnée par leur travail. C'était rare pour eux d'inspirer autre chose que de la peur ou de la méfiance, et Will était heureux de pouvoir partager naturellement toutes ces expériences qui avaient façonné sa passion pour l'occulte et le paranormal.

Il aurait aimé poursuivre cette discussion pendant des heures et raconter à Anna les histoires les plus folles qu'il avait vécues, mais un courant d'air frais balaya soudain la pièce, générant un frisson qui se répandit en lui telle une vague glaciale.

— Vous avez senti ça ? demanda Tom, le visage soudain tendu par une expression d'anxiété que Will ne lui connaissait pas.

Silencieusement, tout le monde hocha la tête pour lui confirmer qu'ils avaient tous perçu cette sensation étrange.

Il est là, pensa le détective en regardant tout autour de lui dans l'espoir de repérer une ombre, un reflet ou même la silhouette du jeune homme dans l'obscurité. Mais rien ne se produisit et, l'espace de quelques secondes, il craignit que ce courant d'air ne soit que le simple produit du système d'aération de la pièce.

Animé par l'espoir de communiquer avec l'esprit du défunt garçon, il leva les yeux sur le néon éteint au plafond en articulant :

— Kenny, est-ce que c'est toi ?

Le silence se fit de plus en plus pesant à mesure que les secondes défilaient. Chacun lançait des regards aux autres, tantôt interrogateurs, tantôt anxieux, lorsque soudain, une voix prit la parole dans la tête de Will :

— *Qui êtes-vous ?*

La voix était celle d'un jeune homme. Elle était claire, mais teintée d'une pointe d'inquiétude. Avec elle, une foule d'images traversa l'esprit de l'enquêteur. Des instantanés d'un passé qui n'était pas le sien envahirent sa mémoire. Une écharpe rouge, une plage de sable fin au bord d'un lac, deux mains entrelacées, la douce odeur d'un café au lait en terrasse. Ces souvenirs n'avaient aucun sens pour lui. Pourtant, ils avaient le doux pouvoir de l'apaiser.

Tout le monde dans la pièce parut interloqué, confirmant au détective qu'il n'était pas le seul à avoir entendu cette question et à avoir vu défiler cette série d'images dans son esprit.

Kenny était là.

— *Qu'est-ce qui m'arrive ?* insista le garçon.

— Kenny, je m'appelle Will, démarra-t-il avec calme et douceur. Je sais que tu dois être perdu et que tout cela doit te paraître vraiment étrange, mais j'ai besoin…

— *Qui. Êtes. Vous ?* répéta l'esprit sur un ton plus agressif.

La peur semblait s'emparer de lui. Ce n'était pas rare lors d'invocations d'esprits, et c'était d'ailleurs pour cette raison que certaines séances de spiritisme se soldaient par des meubles renversés ou des miroirs brisés. Cette expérience pouvait s'avérer terrifiante pour les personnes rappelées dans le monde des vivants. Will était bien conscient qu'il devait faire preuve du plus grand tact possible et que la résolution de l'enquête reposait sur les mots qu'il allait choisir.

— Je suis détective, Kenny. J'ai besoin de toi pour une enquête. Est-ce que tu veux bien m'aider en répondant à quelques questions ?

Il avait décidé d'être concis, tentant de l'apaiser par une demande simple.

— *Qu'est-ce qui se passe ? Et qui sont tous ces gens ?*

La panique commençait à gagner Kenny, trahi par sa voix chevrotante. Will pouvait sans mal imaginer les larmes monter au coin des yeux du jeune homme, et ses lèvres trembler sous l'effet d'un trop-plein d'émotions. Il était submergé par la peur et l'incompréhension.

Alors, malgré sa raison qui lui criait d'aborder le jeune homme avec la plus grande précaution, Will décida d'utiliser une autre stratégie : l'honnêteté.

— Kenny, tu es mort.

La révélation parut s'abattre comme un coup de tonnerre dans la pièce. Même ses collègues de la BAP semblèrent sonnés par l'aveu de Will. Le détective déglutit face au silence qu'il reçut en réponse. Avait-il définitivement fait fuir l'esprit de Kenny ? Venait-il de détruire leur meilleur espoir de faire avancer l'enquête et de découvrir l'identité du wendigo ?

Il ferma lourdement les paupières et grimaça sous le coup de la déception quand, soudain, la voix reprit la parole :

— *Comment c'est arrivé ?*

L'angoisse semblait avoir déserté Kenny, laissant place à un sentiment de résignation. D'acceptation. Beaucoup d'études parlaient des différentes phases du deuil chez les vivants, mais les morts aussi semblaient avoir cette prédisposition naturelle à passer par un flot d'émotions diverses et incontrôlées avant d'accepter leur sort. Pourtant, les quelques expériences de communication qu'il avait vécues avec l'au-delà confortaient Will dans sa conviction que l'acceptation se manifestait de manière beaucoup plus radicale chez les défunts. Et surtout, elle leur permettait de mettre fin à leurs tourments.

Certain que Kenny venait d'atteindre cet état de quiétude, Will lui répondit sans détour :

— Tu t'es rendu dans la forêt au nord-est de la ville le six juillet dernier. Ce matin-là, tu as pris le fusil de chasse de ton père et tu t'es enfoncé dans la pinède pour mettre fin à tes jours.

À nouveau, un silence glaçant envahit la pièce. De nouvelles images s'immiscèrent dans l'esprit de Will. Cette fois, c'était la vision d'une balançoire accrochée à une branche qui s'ancra dans ses pensées. Elle se balançait imperceptiblement d'avant en arrière au rythme d'une légère brise. Des feuilles mortes jonchaient le sol et, au loin, une voix féminine appelait « À table ! » avec douceur.

— *Non*, s'exprima soudain Kenny, faisant disparaître le souvenir apaisant.

— De quoi ? demanda Will.

— *Je n'ai pas pris le fusil de chasse pour mettre fin à mes jours*, clarifia le jeune homme. *Je l'ai pris pour tuer la bête.*

— La bête ? répéta Alicia.

Une image se matérialisa dans la tête de Will, celle du wendigo arpentant la forêt d'un pas lourd. La créature n'était pas immense et pouvait facilement être confondue avec un cerf si on faisait abstraction des longues griffes au bout de ses pattes avant et de son dos légèrement voûté et plus touffu que celui d'un cervidé classique. Le détective tenta de distinguer le visage de la créature, mais l'ombre des arbres masquait ses traits, ne faisant ressortir que ses deux grands yeux jaunes assoiffés de sang qui balayaient la pinède en quête d'une proie.

— Le wendigo, souffla Anna à côté du détective.

— *La première fois que je l'ai vue, j'ai été fasciné,* avoua Kenny d'une voix apaisée. *Puis j'ai croisé son regard et j'ai compris que ce n'était pas un animal comme les autres. Ce n'était pas un animal du tout, d'ailleurs. C'était un homme, pas vrai ?*

Au fil de leur discussion, chacun d'eux recevait des souvenirs du jeune homme, des images issues de sa mémoire qu'il déversait sans véritablement les contrôler, mais lui aussi puisait en eux, dans leurs pensées et dans leurs émotions. Plus les minutes défilaient, plus il en savait sur les six personnes présentes dans la pièce. Nul doute qu'à ce stade, il avait compris que leur enquête concernait cette bête qu'il avait vue dans la forêt.

— C'est un wendigo, l'informa Will. C'était un homme autrefois. À présent… il a perdu une grande partie de son humanité.

— *Je l'ai vu dans ses yeux. Il voulait que je le libère de son calvaire.*

— C'est pour ça que tu as pris le fusil de ton père ? Pour mettre fin à ses souffrances ? devina Tom.

— *Oui. Je m'apprêtais à le faire quand tout est devenu noir. Puis j'ai senti quelque chose m'emporter. Je… je suis vraiment mort ?*

— Je suis désolé pour toi, Kenny, répondit Will. Est-ce que tu as la moindre idée de ce qui s'est passé ?

— *J'ai entendu une détonation*, lança l'esprit, comme si le souvenir venait de lui revenir en mémoire. *J'ai trouvé ça étrange car j'étais persuadé de ne pas avoir appuyé sur la gâchette. Puis j'ai eu froid. Très froid.*

Will croisa le regard de David, puis de Tom. Si Kenny avait son arme pointée sur le wendigo au moment de sa mort, mais qu'il a tout de même succombé à une balle dans la tête, ça ne pouvait vouloir dire qu'une chose : il avait été assassiné.

— *Mon père, il…* reprit le garçon d'une voix hésitante. *Comment va-t-il ?*

— Tu serais très fier de lui, Kenny, lui répondit Tom avec une étonnante douceur. Il parle de toi constamment et il s'en veut d'avoir réagi comme il l'a fait. D'ailleurs, il a un message pour toi.

Une vague de souvenirs submergea Will. Des images de Kenneth, plus jeune, tenant un petit garçon par la main au bord d'un lac, un dîner en famille un soir d'été sur une terrasse boisée, une partie de jeu de société durant laquelle le patriarche semblait imiter un gorille sous le regard amusé de son fils, une sortie au cinéma, et tant d'autres. Malgré lui, Will sourit en voyant toutes ces images défiler dans sa tête. Sa gorge se noua tandis qu'il tentait de contrôler une irrépressible envie de pleurer.

— Il t'aime tel que tu es, reprit Tom, la voix tremblante. Il aurait aimé pouvoir accepter plus tôt ta différence et t'aider face aux critiques et aux jugements. Il pense tous les jours à ta mère et toi, et il espère qu'où que vous soyez, vous êtes réunis.

À présent, les larmes coulaient sur les joues de toutes les personnes présentes dans l'arrière-salle du funérarium. La vive émotion de Kenny face au message de son père s'était déversée en chacun d'eux et ne laissait personne indifférent.

— *Dites-lui que… Dites-lui qu'on l'aime et qu'on veut qu'il vive pleinement sa vie jusqu'à ce que l'heure de nous rejoindre arrive. Dites-lui de profiter. Dites-lui qu'on l'attendra.*

Un vide se creusa dans la poitrine de Will, comme si un morceau de son âme venait de disparaître. Cette part de lui qu'il avait prêtée à Kenny pour quelques minutes n'était désormais plus qu'un trou béant dans son cœur.

L'esprit s'en était allé.

Définitivement.

Chapitre 27

Après le départ de Kenny, les enquêteurs avaient rejoint le poste de police, encore sous le choc de leur discussion avec l'esprit du jeune homme. L'épuisement se lisait sur leurs visages mornes, et le silence régnait en maître dans la pièce. Même Anna était restée à leurs côtés, trop sonnée pour reprendre son travail de secrétaire comme si de rien n'était.

Connor, assis entre Will et la jeune femme, ressentait une puissante envie de se terrer dans sa chambre pendant plusieurs jours afin d'encaisser cette troublante expérience. Sa première rencontre avec un esprit ne l'avait pourtant pas autant bouleversé, mais quelque chose dans la souffrance de Kenny avait résonné au plus profond de lui.

— Alors, il a été assassiné ? lança David, installé de l'autre côté de la table entre Alicia et Tom.

— J'ai demandé à Jeff de lancer des analyses sur la cartouche retrouvée dans la forêt, ainsi que sur les éclats de plomb prélevés dans le crâne de Kenny, indiqua le shérif adjoint. Dans moins de vingt-quatre heures, nous devrions être en mesure de déterminer le modèle utilisé. Ce n'est peut-être pas grand-chose, mais ça pourrait réduire notre liste de suspects.

— Qui pourrait faire une chose pareille ? murmura Anna, ne semblant s'adresser à personne en particulier.

— Quelqu'un qui veut à tout prix que le wendigo reste en vie.

La réponse de Connor poussa cinq paires d'yeux étonnés à se tourner vers lui. Depuis leur départ du funérarium, une théorie avait germé dans son esprit, et il ressentait le besoin de la partager avec ses collègues :

— On dit souvent que ceux qui se transforment en wendigo sont des gens isolés, qui n'ont plus personne autour d'eux, mais ce n'est pas tout à fait vrai. Cette idée reçue remonte à une époque où la psychiatrie n'existait pas, où des concepts comme le trouble mental ou la dépression étaient encore relativement flous.

— Je ne vois pas où tu veux en venir, avoua Will.

— Si notre wendigo souffrait de dépression ou d'une autre maladie mentale, il a très bien pu se transformer alors qu'il avait encore des gens autour de lui. Des frères et sœurs, des parents, un mari ou une femme. Une personne qui tiendrait suffisamment à lui pour tenter de le garder en vie, même dans le pire des états.

— Tu veux dire que Kenny aurait été tué par quelqu'un qui voulait protéger le wendigo ? explicita Tom.

— C'est une possibilité, répondit Connor en se laissant retomber au fond de sa chaise, soulagé d'avoir partagé sa théorie avec le reste de l'équipe.

Alors que tout le monde semblait prêt à replonger dans un état végétatif, David se leva, vivifié par leur échange.

— Faisons un point, proposa-t-il en se dirigeant vers le tableau blanc au fond de la salle. Que savons-nous à ce stade ?

Tout le monde lui lança de grands yeux stupéfaits, comme s'ils s'interrogeaient sur l'origine de toute cette énergie. Lui seul semblait encore capable de tenir debout, et il était pourtant de loin l'aîné du groupe.

Finalement, après quelques secondes de flottement, Alicia prit la parole :

— On sait que le wendigo a beaucoup erré au nord-est de la ville l'été dernier. Nous avons deux témoins oculaires qui le confirment : Kenny et Tobey Langston.

— On est maintenant certains qu'il n'a pas tué Kenny, mais le doute persiste sur Langston, rappela Will. Ce dont on est sûrs, c'est qu'il est à l'origine des décès de Stanley Hendricks et de Dwight Carrell, des deux jeunes femmes de la nuit d'Halloween, ainsi que d'Alan Taylor et Isabella Douglas.

David griffonnait des notes illisibles sur le tableau à une allure phénoménale.

— Ce qui nous fait donc six victimes confirmées et une autre victime potentielle, précisa Connor, mais il ne faut pas oublier qu'une période assez longue sépare les morts de Stanley et Dwight de celles d'Halloween. Il est donc possible qu'on découvre une ou plusieurs autres victimes entre temps.

— Après vérification, intervint Tom, aucune personne n'a été portée disparue en ville au cours de ces deux mois. J'ai élargi la recherche à tout le comté, mais ça n'a rien donné non plus. Une seule personne a fait l'objet d'un signalement pour disparition inquiétante entre fin août et fin octobre, mais elle a été retrouvée quelques jours plus tard au fond d'un étang.

— Glauque, souffla Anna, le regard vide.

— Quoi d'autre ? les encouragea David en agitant les mains devant lui.

La pièce plongea dans le silence alors que l'équipe tentait de trouver des éléments qui leur permettraient de faire avancer l'affaire. Le directeur de la brigade leur lança à tous des regards optimistes, mais personne ne semblait capable d'ajouter quoi que ce soit.

— C'est officiel, annonça Connor, on est dans une impasse.

* *

Finalement, tout le monde avait décidé de prendre le reste de la journée pour se reposer en attendant les conclusions des analyses balistiques. Après l'expérience éreintante qu'ils avaient vécue avec Kenny le matin même, ils avaient bien besoin de repos de toute façon. Seul Tom avait insisté pour rendre visite au père du jeune homme pour lui transmettre le message que celui-ci lui avait laissé.

Connor aurait aimé être à ses côtés pour le soutenir, mais il tombait littéralement de fatigue. Lorsqu'il arriva dans sa chambre du motel sur les coups de quatorze heures, il s'écroula sur le lit et sombra presque immédiatement dans un profond sommeil.

Quand il fut réveillé par des coups violents à sa porte, un coup d'œil au réveil lui indiqua qu'il était bientôt vingt-et-une heures. La nuit était déjà tombée, et la pièce baignait dans une obscurité presque totale tout juste rompue par la lumière du lampadaire sur le parking.

Une nouvelle salve de coups tambourina à sa porte.

— J'arrive ! râla-t-il en se levant difficilement du matelas.

À peine eut-il ouvert la porte que Will entra dans la chambre d'un pas lourd, une expression de panique sur le visage.

— Le wendigo, démarra-t-il en tendant son téléphone devant lui pour le montrer à son ami. Je sais où est le wendigo.

— Qu'est-ce que tu racontes ? lui répondit Connor, encore à moitié endormi.

Will agita de nouveau son portable sous le nez de son ami, comme si cela pouvait l'aider à comprendre la situation.

— J'ai reçu un coup de fil d'Angela Ford, expliqua-t-il. Elle a vu le wendigo rôder aux abords de sa propriété. On le tient, Connor !

— Angela qui ? réagit le détective encore assoupi.

— Ford ! s'agaça Will. La secrétaire médicale qu'on a interrogée mardi. Je lui avais laissé ma carte, et elle vient de m'appeler pour me dire que le wendigo tourne autour de chez elle. Si on y va maintenant, on a peut-être une chance de l'appréhender.

L'appréhender, se répéta Connor. *Une façon convenue de dire qu'on va lui tirer une balle en argent entre les deux yeux.*

Tous deux étaient conscients qu'il n'était désormais plus possible de capturer la créature vivante. Ils savaient qu'un wendigo grossissait en se nourrissant de chair humaine. Et vu les cadavres réduits en charpie qu'il avait laissés derrière lui, celui-ci devait bien faire deux fois sa taille initiale à présent.

— Tu as prévenu David et Alicia ? demanda Connor en se frottant le visage pour tenter de se remettre les idées en place.

— Pas eu le temps, répondit Will. Il faut qu'on y aille maintenant si on veut l'attraper. Si je suis venu te voir, c'est seulement parce que c'est toi qui as les clés de Christine. Sans ça, je serais déjà en route.

— Trop aimable, ironisa Connor.

Mais son ami n'était vraiment pas d'humeur pour les joutes verbales. Il lança un regard noir à l'occupant des lieux avant de reprendre le chemin de l'extérieur.

— Dépêche ! lui lança-t-il.

Connor secoua la tête dans une ultime tentative désespérée de reprendre ses esprits, avant d'accourir près de sa table de chevet pour y attraper les clés du véhicule.

En moins de deux minutes, les deux hommes prenaient la route du domicile d'Angela Ford, situé à une dizaine de minutes du motel.

— Elle t'a dit autre chose ? questionna Connor, installé sur le siège passager.

Will ne quitta pas la route du regard pour lui répondre :

— Elle semblait paniquée. J'ai essayé de la rassurer, mais elle n'arrêtait pas de me répéter que la bête allait venir la tuer, qu'elle allait entrer chez elle pour la dévorer. La seule chose qui a semblé la rassurer, c'est quand je lui ai dit qu'on arrivait au plus vite.

— Deux chasseurs de créatures surnaturelles armés jusqu'aux dents, c'est toujours rassurant, se targua Connor avec un sourire satisfait.

— Tu sais qu'on va peut-être avoir du mal à l'arrêter ? répliqua Will avec froideur.

Connor savait que son ami n'aimait pas les confrontations avec les bêtes meurtrières, contrairement à lui. Will était plutôt un rat de laboratoire ou une épaule attentive pour les témoins et les victimes. La castagne, c'était le domaine de Connor. Son collègue avait beau lui avoir affirmé qu'il était venu le chercher uniquement pour les clés du véhicule, il savait au fond de lui que ce n'était pas la seule raison.

— On aura un fusil chacun, le wendigo n'a aucune chance face à nous, lui assura-t-il.

Malgré tout, le frottement compulsif des mains de Will contre le volant témoignait de son angoisse. Peut-être avait-il raison de craindre le pire après tout, mais ça ne servait à rien de s'attarder sur cette question. La bête devait être arrêtée, et c'était exactement le but de leur venue ici. Ils n'avaient pas d'autre choix que de lui faire face.

— Si tu veux, je peux toujours y aller tout…

Connor laissa sa phrase en suspens en apercevant une ombre au bout de la longue route qui fendait l'immense forêt en deux.

— Tu vois ce truc ? demanda-t-il à Will.

Son ami hocha la tête, se crispant un peu plus contre le volant. Les pleins phares éclairaient la silhouette de plus en plus distincte d'une bête au milieu de l'asphalte, et elle avançait droit sur eux. Une créature immense qui ne pouvait être que…

— Le wendigo, souffla-t-il.

Face à cette confirmation de ce qu'il craignait sûrement, Will relâcha le pied de l'accélérateur, enfonçant lentement la pédale de frein.

— Qu'est-ce que tu fous ? réagit immédiatement Connor. Accélère ! Si tu t'arrêtes, on est foutus !

À quelques centaines de mètres, le wendigo courait de plus en plus vite. S'ils s'arrêtaient maintenant, la créature allait fendre la voiture en deux d'un grand coup de bois, puis les écharper à grands coups de griffes et de crocs. Ils avaient perdu l'effet de surprise et n'étaient pas du tout prêts à se battre, puisque les fusils étaient toujours à l'arrière du pick-up, déchargés.

D'un geste tremblant, Will releva le pied du frein pour écraser l'accélérateur. La voiture fit une embardée, prenant de plus en plus de vitesse à l'approche de la bête.

— Essaie de le contourner, lança Connor d'une voix crispée en enfonçant les ongles dans le tissu de la portière.

Il ne savait pas qui de la voiture ou du wendigo s'en sortirait le mieux dans une confrontation directe, mais il n'avait aucune envie de le découvrir. Leur meilleure stratégie était d'échapper à la charge du monstre et de continuer leur course en espérant qu'il les suive. Là, ils pourraient charger leurs armes et abattre la créature lancée à leurs trousses.

Néanmoins, il leur restait une dernière étape à franchir avec d'exécuter ce plan presque infaillible : échapper à l'assaut du wendigo. Et face à l'immense carrure de ce dernier, ça n'allait pas être une mince affaire. À lui seul, il occupait presque une voie entière, en plus d'être aussi haut qu'une camionnette. Ses bois tentaculaires longs d'au moins un mètre le précédaient dans sa course, et sa large crinière lui donnait plus l'apparence d'un lion enragé que d'un cerf.

— J'y arriverai pas, marmonna Will à quelques secondes de l'impact.

Connor se cramponna un peu plus à la portière, les yeux mi-clos dans la crainte d'un choc quasi inévitable.

Malgré un écart sur la gauche à quelques mètres de la bête, le bois au sommet de sa tête percuta la voiture, lancée dans une embardée tellement serrée que Connor crut qu'elle allait faire de multiples tonneaux avant de s'écraser contre un arbre. Pourtant, malgré le dérapage à cent quatre-vingt degrés, les roues restèrent solidement accrochées à la route et Christine acheva sa course quelques mètres plus loin. Dans la lumière du seul phare encore intact, Connor vit la bête rouler au sol avant de s'échouer contre un large tronc.

Le cœur battant à toute allure et les muscles noués, le détective rouvrit entièrement les yeux en adressant un sourire à celui qui venait de lui sauver la vie.

— Tu as réussi, le félicita-t-il en lui secouant l'épaule.

Toujours sous le choc de leur mésaventure, Will fixait la bête échouée sur le bas-côté, les yeux écarquillés.

— Non, murmura-t-il finalement.

Connor plissa les yeux, ne comprenant pas pourquoi son ami n'était pas aussi extasié que lui. Lorsqu'il se tourna de nouveau vers ce qu'il pensait être le cadavre du wendigo, il vit les bois de la bête se redresser dans un mouvement lent.

La créature n'était pas encore morte. Loin de là.

— Oh merde, réagit-il dans un souffle.

Chapitre 28

Le corps de Will tremblait de la tête aux pieds. Les battements de son cœur se répercutaient jusqu'au bout de ses doigts, et un sentiment de confusion l'envahissait. Il était à peine capable de se souvenir ce qu'il faisait dans cette voiture au beau milieu de nulle part, dans un silence à peine rompu par les bips répétés du tableau de bord.

Face à lui, dans la lumière du seul phare encore fonctionnel de Christine, Will voyait les bois de la créature s'élever sur le bas-côté de la route, comme nourris d'une énergie propre. Soudain, une montée d'adrénaline lui remit les idées en place.

La créature n'est pas morte. Si on ne fait rien, elle va nous massacrer.

Il se tourna vers Connor et, à en juger par son visage tendu par l'inquiétude, celui-ci en était arrivé à la même conclusion que lui.

— Les fusils, s'exclama Will dans un souffle avant d'ouvrir sa portière d'un geste vif.

Tentant de s'échapper du pick-up, il fut retenu sur son siège par sa ceinture de sécurité. Il mit quelques secondes à s'en défaire, tandis qu'en face de lui, la bête commençait lentement à se redresser sur ses pattes arrière. Elle avait été sonnée, ça ne faisait aucun doute, mais elle reprendrait vite ses esprits, elle aussi. Ce n'était plus qu'une question de secondes.

Will se hissa à l'arrière du pick-up et s'accroupit aux côtés de Connor, qui se débattait déjà avec le cadenas de la malle qui contenait leur équipement de valeur. C'était là qu'étaient stockées les armes. David leur avait chacun confié une clé du cadenas, et ils la conservaient tous en permanence sur eux. En général, ils n'avaient aucun mal à déverrouiller la caisse. Mais quand une créature terrifiante menaçait de les étriper, leurs gestes avaient tendance à être moins précis.

— Dépêche, grogna Will, même s'il savait qu'il n'aurait pas fait beaucoup mieux à la place de son ami.

Une sorte de rugissement résonna autour d'eux, se répercutant en écho dans la forêt endormie. La bête retrouvait de l'énergie. Et à en juger par son cri rauque et menaçant, elle était furieuse.

Connor parvint finalement à glisser la clé dans le cadenas et, d'un geste rapide, retira celui-ci de la caisse pour l'ouvrir. Ils repérèrent rapidement ce qu'ils cherchaient. Deux fusils semi-automatiques et une boîte en métal rouillée contenant les balles en argent qui leur permettaient de terrasser à peu près n'importe quelle créature surnaturelle. Dans une manœuvre qu'ils connaissaient par cœur, Connor se saisit des deux fusils tandis que Will attrapa la boîte de munitions et l'ouvrit. Il tendit deux balles à son camarade, qui lui donna un fusil en échange. Chacun chargea son arme le plus rapidement possible, tandis qu'au loin, les pas lourds de la créature claquèrent contre l'asphalte. La bête était debout, prête à se relancer à l'assaut.

Terminant tout juste d'armer son arme, Will se dressa d'un bond pour la pointer par-dessus la cabine du véhicule.

La créature avait disparu.

Pris de panique, il tourna la tête dans toutes les directions, son arme toujours pointée face à lui pour faire feu à tout moment. Connor se leva à son tour et fit de même, mais il n'y avait plus rien.

— Où est-il ? murmura Connor d'une voix tremblante.

Will leva les yeux sur la haute cime des arbres, tentant de repérer la bête, d'entendre un bruit qui trahirait sa présence. Cependant, le silence semblait avoir repris ses droits sur la forêt. Le wendigo s'était volatilisé. Pourtant, aucun des deux détectives ne semblait prêt à poser son arme pour reprendre leur route. Ils savaient tous deux qu'une créature comme celle-ci pouvait faire preuve d'une discrétion hors du commun et qu'elle était capable de surgir de nulle part d'une seconde à l'autre.

Les battements du cœur de Will résonnaient contre ses tempes. Sa vigilance était maximale, et il était prêt à rester dans cet état jusqu'au lever du jour si cela lui assurait de garder la vie sauve.

Soudain, une musique résonna, les faisant tous deux sursauter.

« September » de *Earth, Wind & Fire*. La sonnerie de téléphone que Will avait attribuée à Alicia. Il hésita un instant à décrocher, mais se dit qu'il valait mieux répondre plutôt que d'attirer la bête jusqu'à eux au son d'un classique du disco. Il posa donc son fusil contre la cabine du véhicule et glissa la main dans sa poche pour prendre l'appel.

— Quoi ? lança-t-il, laissant échapper toute la tension qui l'habitait.

— *Vous êtes où, les gars ?* l'interrogea son amie d'une voix teintée d'inquiétude. *Je vous ai vus partir avec le pick-up il y a dix minutes. J'ai tenté de joindre Connor, mais il ne répondait pas.*

À sa droite, ce dernier était toujours prêt à tirer, observant les alentours à la recherche d'une présence suspecte.

— On vient de se faire attaquer par le wendigo, expliqua Will à voix basse.

— *Quoi ?!* s'exclama Alicia, manquant de lui percer un tympan.

— Appelle Tom et dis-lui de nous retrouver au plus vite sur la route entre le motel et le domicile d'Angela Ford. Un peu de renforts ne serait pas de refus. Et un véhicule. Je crois que Christine est hors d'usage.

— *Je ne comprends rien de ce que tu me racontes*, réagit Alicia d'une voix confuse.

— Fais ce que je te dis, s'il te plaît. Et vite, se contenta de répondre Will. La créature est peut-être encore dans les parages.

Il raccrocha sans laisser le temps à sa collègue de lui poser plus de questions, et reprit son fusil qu'il pointa devant lui.

— Tu n'as rien vu ? demanda-t-il à Connor sans détourner le regard du fossé dans lequel s'était écrasée le wendigo quelques minutes auparavant.

— Seulement un écureuil qui grimpait à un arbre. À part ça, aucun mouvement suspect.

— Tu crois qu'il est toujours là ?

Connor resta silencieux quelques instants, semblant réfléchir à la question. Finalement, il indiqua :

— Je pense qu'il est blessé et qu'il est parti se mettre à l'abri. Je ne vois pas pour quelle raison il tenterait de nous prendre par surprise. Il est plus fort et plus rapide que nous deux réunis.

Will était du même avis que son ami. Les wendigos, comme de nombreux prédateurs, possédaient un instinct de survie surdéveloppé. Lorsqu'ils étaient blessés, ils préféraient abandonner leurs proies et se mettre à l'abri plutôt que de prendre le risque de perdre l'avantage sur la situation.

Pour autant, plongé dans la pénombre de la nuit au beau milieu de cette immense forêt, il ne pouvait contenir le tremblement de ses mains, ni le filet de sueur qui glissait sur son front.

— T'as eu le temps de le voir ? l'interrogea Connor, la gorge serrée.

— Oh oui.

Connor connaissait déjà la réponse à cette question. Ce qu'il voulait surtout savoir, c'était s'il avait remarqué la taille de la créature. Les wendigos n'étaient pas tous égaux en termes de carrure. Ce qui déterminait leur croissance, c'était leur consommation de viande humaine ou animale, la première étant bien plus nourrissante pour eux que la seconde.

Celui-ci était immense. Certainement le plus grand jamais observé par des yeux experts. Il devait avoir dévoré un nombre incalculable d'animaux en tous genres pour avoir atteint un tel gabarit en seulement quelques mois. Une autre question se posait alors : comment avait-il pu décimer à ce point la faune des environs sans que personne ne s'en aperçoive ? Il aurait forcément dû laisser des traces, des carcasses d'animaux, des traces de lutte, des empreintes. Personne n'avait rapporté de telles observations parmi les habitants de Lewistown.

Quelque chose ne tournait pas rond.

Après avoir passé deux minutes à l'arrière du pick-up dans un silence total, Will baissa lentement son arme. Il n'était pas pleinement rassuré, mais il savait aussi que Tom allait certainement mettre un peu de temps à les rejoindre. Ils n'allaient pas rester plantés là jusqu'à son arrivée.

— Je vais voir si la voiture fonctionne encore, dit-il à son coéquipier avant de descendre sur la chaussée.

Connor, lui, ne bougea pas, continuant de fixer avec détermination l'orée du bois en quête d'un bruit suspect.

Will monta à l'avant du pick-up pour reprendre sa place sur le siège conducteur. Un simple coup d'œil au pare-brise fissuré lui provoqua un frisson qui remonta le long de son dos.

Il secoua la tête pour balayer ses craintes, et tourna la clé dans le contact. Christine ronronna quelques instants mais, comme il l'avait craint, le moteur ne démarra pas. Son face-à-face avec la créature semblait lui avoir été fatal. Il tenta une seconde fois de démarrer, mais le résultat fut le même.

— Elle est cramée, lança-t-il à son ami hissé à l'arrière du véhicule.

Il ne leur restait plus qu'à attendre.

Après seulement deux minutes, Will sentit ses dents claquer. Le froid de novembre et la descente d'adrénaline causèrent un cocktail détonnant que son fin manteau était incapable de parer. Il croisa les bras sur sa poitrine pour tenter de se réchauffer, mais il savait que ça n'aurait que peu d'effet.

Si seulement le chauffage fonctionnait…

Le téléphone dans sa poche sonna de nouveau. Cette fois, la mélodie était bien plus classique que la sonnerie attribuée à Alicia. C'était un numéro qu'il n'avait pas enregistré.

Faites que ce soit Tom, s'il vous plaît !

— Allô ? annonça-t-il en décrochant.

— *Détective ?* lui répondit la voix d'Angela Ford, lui ôtant tout espoir de quitter la route déserte rapidement. *Je vous attends. J'ai très peur, je… je ne vois plus le monstre.*

— Madame Ford, ne vous en faites pas, tenta-t-il de la rassurer d'une voix grelottante. Nous avons croisé le wendigo sur la route. À vrai dire, on a eu un petit souci avec lui. Mais il ne devrait pas revenir sur votre propriété, soyez tranquille.

— *Vous… vous l'avez tué ?* l'interrogea-t-elle d'une voix stupéfaite.

— Seulement blessé, mais tout porte à croire qu'il est parti se mettre à l'abri.

— *Vous en êtes sûr ?* insista-t-elle.

— Certain. L'un de nous passera vous voir dès demain pour recueillir votre témoignage, est-ce que ça vous va ?

— *Je… Oui, bien sûr. M… merci, détective.*

— Je vous en prie, madame Ford.

Il raccrocha, observant quelques instants le téléphone entre ses mains. Angela Ford semblait encore sous le choc de sa confrontation avec le wendigo. Il pouvait la comprendre, c'était une femme veuve depuis peu qui vivait seule en plein milieu de nulle part. Voir un tel monstre débarquer sur sa propriété avait dû être véritablement effrayant pour elle.

— Dis-moi que c'était Tom, lui lança Connor depuis l'arrière. Je me les caille, ici.

— Désolé, c'était seulement…

Will laissa sa phrase en suspens lorsqu'il aperçut des feux au loin dans le rétroviseur extérieur.

— Le voilà, s'exclama-t-il avec soulagement.

Lorsqu'il sortit de la voiture, Connor le rejoignit sur la route. Tous deux avaient un large sourire aux lèvres. Mais Will ne put s'empêcher de se dire que la joie de son ami n'avait rien à voir avec la perspective de retrouver du chauffage. La chaleur qu'il recherchait, il semblait la trouver auprès du shérif-adjoint.

Chapitre 29

Alicia sortit du taxi qui les avait conduits, David et elle, jusqu'à un garage miteux en périphérie de Lewistown. Après avoir payé le chauffeur, son patron la rejoignit et resta planté quelques instants devant le hangar ouvert dans lequel se trouvait le véhicule de l'équipe.

— Mon pauvre bébé, souffla-t-il en posant les mains sur sa poitrine.

Dire que David aimait leur pick-up, c'était l'euphémisme de l'année. Cette voiture l'avait accompagné bien avant la fondation de la BAP. Il leur avait souvent raconté ses road-trips en famille à bord de celle qu'il appelait affectueusement Christine, en référence au film d'horreur du même nom. Cette voiture avait une histoire, et elle comptait d'autant plus aux yeux de David depuis le décès d'Helen, sa femme, et de leur fils, Peter.

Il s'avança d'un pas lourd vers le véhicule hissé sur le pont élévateur. Connor et Will sortirent de l'atelier pour venir à leur rencontre.

— Qu'est-ce que vous avez fait à cette pauvre Christine ? les interrogea leur patron d'un ton accusateur.

— Ne t'en fais pas, le rassura Will en tendant les bras devant lui dans un geste d'apaisement. Elle a souffert du choc, mais tout est réparable. Et puisqu'on est des amis de Tom, on va même avoir droit à un prix.

David se figea face à eux, un peu plus détendu. Pour autant, cela ne l'empêcha pas de froncer les sourcils face à ses deux employés avant de leur lancer :

— Quelle mouche vous a piqués pour vous en aller au beau milieu de la nuit sans prévenir personne ?

— Alors, déjà, il était à peine vingt-et-une heures, démarra Connor en guise de défense.

Mais le regard noir que lui adressa David suffit à lui faire comprendre que son argument était irrecevable.

— On est désolés, intervint Will. J'ai reçu un coup de fil d'Angela Ford, elle avait vu le wendigo sur sa propriété. Il n'y avait pas une seconde à perdre.

— Angela Ford ? répéta Alicia.

— La secrétaire médicale qu'on a interrogée le premier jour, précisa Will.

La jeune femme se remémora cette visite qui n'avait rien donné pour les deux enquêteurs. Visiblement, ils lui avaient laissé leurs coordonnées, et ils avaient bien fait.

— Et alors ? insista David.

Will expliqua plus en détail ce qui leur était arrivé dans la nuit. Leur départ du motel, leur confrontation avec le wendigo, l'arrivée de Tom rapidement rejoint par le shérif Peterson, le temps qu'ils avaient passé sur place pour prélever des preuves et prendre des photos, et enfin, l'arrivée de la dépanneuse qui avait ramené le pick-up jusqu'ici.

Les deux hommes avaient passé une nuit mouvementée, et cela se lisait sur leurs traits tirés par la fatigue. Pour autant, leur énergie et leur détermination étaient palpables.

— On a pu récolter un échantillon de sang sur le tronc où le wendigo s'est écrasé, annonça Will, qui avait visiblement choisi de garder le meilleur pour la fin. Une analyse ADN pourrait nous permettre de découvrir avec certitude son identité.

Un éclat d'intérêt illumina le regard de David.

— Quand peut-on effectuer cette analyse ?

— Tout mon matériel est encore au commissariat. Dès que je serai sur place, je pourrai m'y mettre.

Alicia bouillonnait d'impatience.

Ils approchaient du but, elle en était certaine.

Soudain, le portable glissé au fond de la poche de son jean se mit à vibrer. Son visage se crispa immédiatement. Elle savait pertinemment qui cherchait à la joindre.

Philip.

Elle l'avait appelé la veille en milieu de matinée, certaine qu'il serait au travail et qu'elle pourrait lui laisser un message, évitant de lui annoncer directement qu'elle ne rentrerait pas pour l'essayage de sa robe. C'était lâche, elle en avait parfaitement conscience, mais elle ne s'était pas sentie capable d'encaisser un nouveau conflit.

Il ne l'avait pas rappelée de la journée, mais à présent, il avait visiblement décidé de lui demander quelques explications. Elle sortit le portable de sa poche et regarda l'écran sur lequel s'affichait le nom de son fiancé suivi d'un cœur. Connor, face à elle, remarqua la crispation sur son visage et, d'un seul regard appuyé, lui intima de décrocher.

Il avait raison. Elle ne pouvait pas continuer à fuir éternellement. Ce n'était pas juste pour Philip. Elle fit glisser son doigt sur l'écran et s'éloigna de quelques pas avant de porter le téléphone à son oreille.

— Alicia ? lança la voix tendue de son compagnon à l'autre bout du fil.

Sachant que cette discussion pouvait rapidement tourner au vinaigre, elle s'éloigna encore et longea la façade latérale du garage pour éviter d'être à portée de voix de ses collègues.

Le regard perdu sur les amoncellements d'épaves de voitures qui se dressaient face à elle, l'enquêtrice prit une grande inspiration avant de répondre :

— Philip, je suis vraiment désolée. Je ne pouvais vraiment pas…

— Alicia, est-ce que tu veux qu'on annule le mariage ?

Un frisson remonta dans le dos de la détective lorsqu'elle comprit qu'il ne posait pas cette question sous le coup d'une colère spontanée. Il l'interrogeait avec froideur et détachement, totalement conscient de l'impact que sa réponse pourrait avoir sur l'avenir de leur couple.

— Je… bafouilla-t-elle avant de se ressaisir. Pourquoi tu me demandes ça ?

Elle entendit un soupir à l'autre bout du fil. Le genre de soupir que Philip poussait à l'issue d'une dure journée de travail ou lorsqu'ils devaient se rendre chez un couple d'amis alors qu'ils auraient cent fois préféré rester sur le canapé à regarder une série sur Netflix.

Un soupir de lassitude.

Elle l'imaginait se pincer l'arête du nez en faisant les cent pas dans leur appartement, agacé et épuisé par cette situation. Par tout ce qu'*elle* lui infligeait.

— Alicia, je vois bien que tu n'es pas aussi emballée que moi à propos de ce mariage. Je sais bien que ça n'a jamais été un rêve pour toi ni même une priorité, mais je ne pensais pas que ça te pèserait autant. Alors, il faut que tu me dises : est-ce qu'on doit tout annuler ?

La jeune femme resta bouche bée, le regard perdu entre une pile de pneus et les pins qui camouflaient l'horizon derrière le grillage entourant la cour du garage. Que pouvait-elle répondre à une telle question ? Alors qu'ils étaient à plus d'un millier de kilomètres l'un de l'autre, qu'elle traquait une créature sanguinaire au péril de sa vie dans une ville au milieu du Montana.

Que pouvait-elle bien lui dire ? Que fallait-il…

— J'ai besoin de réfléchir, lâcha-t-elle dans un élan soudain.

Les mots semblaient s'être frayé un chemin à travers ses lèvres malgré elle, animés d'une volonté propre. Pourtant, ce simple aveu avait suffi à la libérer d'un poids dans le fond de sa poitrine. Son soulagement fut cependant de courte durée quand Philip répondit dans un souffle :

— Je vois.

À nouveau, elle perçut toute sa lassitude. Son épuisement.

— Philip, je ne veux pas t'imposer tout ça, je suis désolée. Et je comprendrais si tu…

— Alicia, la coupa-t-il. Prends ton temps. Réfléchis. Je préfère que tu sois vraiment sûre de toi plutôt que de vivre dans un doute permanent.

Sur ces quelques mots, il mit fin à l'appel, laissant Alicia seule avec un nouveau poids dans la poitrine.

Celui de la culpabilité.

Chapitre 30

Anna appuya sur l'interrupteur du bureau de Tom et les plongea, elle et Will, dans une obscurité à peine troublée par la lumière tamisée d'une lampe de bureau et celle plus vive de l'écran d'ordinateur du détective de la BAP.

Face à lui, l'imposant séquenceur ADN lançait déjà l'analyse de l'échantillon sanguin du wendigo. Ce nouvel indice allait peut-être enfin leur permettre de découvrir l'identité de la créature. Avec cette information, ils pourraient facilement retrouver sa trace, surtout si un complice opérait à ses côtés, comme ils le soupçonnaient.

Les bottes en cuir d'Anna claquèrent contre le parquet lorsque celle-ci s'approcha de Will d'un pas lent. Un silence quasi-religieux régnait dans la pièce, tandis que la machine ronronnait sous leurs yeux ébahis.

— Combien de temps dure l'analyse ? demanda la secrétaire à voix basse, comme pour ne pas troubler le séquenceur dans sa recherche.

— Une dizaine de minutes à peine, mais la transformation de notre sujet en wendigo aura altéré son ADN. Je vais donc devoir lancer une recherche complémentaire pour déterminer sa séquence d'origine.

— Tu veux dire, l'ADN qu'il avait quand il était humain ? tenta de comprendre la jeune femme.

— C'est ça. La marge d'erreur est faible, mais elle existe. Néanmoins, dans une ville aussi peu peuplée que Lewistown, ça ne sera pas trop dur de trouver à qui correspond l'ADN du wendigo. Surtout que Tom m'a accordé l'accès à la base de données locale, qui regroupe beaucoup de monde ; des criminels endurcis à ceux qui ont passé une nuit en cellule de dégrisement. Il y a de grandes chances que notre coupable s'y trouve aussi.

Anna hocha la tête, se penchant devant la machine qui ressemblait à une grosse imprimante toner. Achetée quelques années plus tôt à un laboratoire d'analyses médicales en faillite, elle les suivait à chacune de leurs excursions à travers le pays et avait aidé Will dans un nombre incalculable d'affaires. Autant dire que l'investissement avait été largement rentabilisé.

— Ça doit être incroyable comme boulot, murmura Anna d'un air rêveur.

— C'est assez fou, oui, admit Will. On voyage à travers le pays en quête de créatures dont la majorité des êtres humains ne soupçonnent même pas l'existence. Moi-même, avant d'arriver à la BAP, je ne croyais pas du tout aux fantômes ou aux monstres tapis dans le noir.

— Qu'est-ce qui t'a convaincu ? lui demanda-t-elle en détournant ses yeux azur de la machine pour croiser le regard de Will.

Il réfléchit quelques instants, se remémorant ses débuts au sein de la brigade. Un souvenir lui revint en mémoire, et un sourire nostalgique courba légèrement le coin de ses lèvres.

— C'était après deux semaines de travail. Au début, on recevait tout un tas de témoignages farfelus et de demandes loufoques. Puis, un jour, une femme nous a appelés. Elle était totalement paniquée. Je me souviens, c'est moi qui avais décroché. À l'autre bout du fil, elle hurlait « Venez nous aider ! Vite ! Il va leur faire du mal ! ».

Will mima la panique de la femme à coup de grands gestes effarés. Anna poussa un petit rire en s'appuyant sur le bureau à côté de lui, les bras croisés.

— J'ai quand même réussi à obtenir son adresse au bout de longues minutes à essayer de la calmer, poursuivit-il. Et, avec David et Connor, on a foncé chez elle aussi vite que possible. Elle vivait dans un vieil appartement au nord de Denver, dans un immeuble miteux qui puait la pisse et la moisissure. Quand on est arrivés à sa porte, on entendait des hurlements de l'autre côté. On a frappé comme des dingues, mais personne ne nous a ouvert, et elle continuait d'hurler. Alors, Connor a décidé de défoncer la porte. Et là…

Il fut pris d'un frisson en se rappelant la scène qu'il avait découverte dans le salon. Il en avait fait des cauchemars toutes les nuits au cours des semaines qui avaient suivi.

— Et là, quoi ? s'impatienta Anna, absorbée par son récit.

— Et là… l'appartement semblait vivant. Tous les meubles tremblaient comme s'il y avait un tremblement de terre, de la vaisselle était projetée contre les murs, et surtout, le rideau du salon était en feu. Et dans les flammes, j'aurais juré voir un visage qui hurlait à la mort. Je ne suis pas le seul à l'avoir vu, Connor et David aussi. La femme qui nous avait appelés et ses deux filles étaient prostrées dans un coin, en panique. Et pour être franc, je n'en menais pas large non plus.

— Mais qu'est-ce que c'était ? l'interrogea Anna, bouche bée.

— Un poltergeist, révéla Will. David en avait déjà croisé un par le passé, alors il a géré la situation. Il s'avère qu'un tel esprit cherche surtout à se faire remarquer, et pas forcément à blesser ou tuer les personnes qu'il hante. On a quand même dû procéder à un exorcisme des lieux mais on est finalement parvenus à libérer le fantôme. La maman nous a envoyé trois ou quatre paniers garnis dans les semaines qui ont suivi pour nous remercier.

Un sourire ému tracé sur ses lèvres, Will repensa au soulagement de cette mère et de ses filles lorsqu'ils les avaient débarrassées de l'esprit vengeur.

— C'est ce jour-là que j'ai été convaincu de l'existence d'êtres surnaturels, conclut-il.

— Ça doit être incroyable de vivre ce genre d'expériences au quotidien, réagit Anna avec un air rêveur.

— Ça te plairait ? s'intéressa Will en jetant tout de même un coup d'œil à la machine face à lui.

Celle-ci ronronnait encore vivement, il savait donc qu'il leur restait quelques minutes à tuer en attendant les résultats.

— J'adorerais, répondit la jeune femme sans hésiter. Depuis mes douze ans, je dévore tous les romans d'Edgar Allan Poe, je les connais par cœur. Et quand j'étais gamine, je regardais des films d'horreur en cachette. J'ai toujours été fascinée par tout ce qui est lugubre et surnaturel.

— T'étais du genre gothique aux cheveux noirs qui écrivait des poèmes torturés en classe ? plaisanta Will.

— Quelque chose comme ça, avoua-t-elle. Je crois que c'est pour ça que j'ai mis un pied dans la police. Mais bon… à part quand une créature monstrueuse massacre les habitants, ma vie de secrétaire n'est pas vraiment palpitante.

Will pouvait sans mal imaginer ce qu'elle ressentait. Après avoir passé moins d'une semaine ici, l'agitation citadine lui manquait déjà.

À Denver, chaque rue était animée à toute heure de la journée. La ville dégageait une énergie presque palpable. Ici, seul le *Sixties* semblait encore vivant au-delà de vingt heures. Hormis le bar de Kenneth, Lewistown dégageait une atmosphère de ville fantôme une fois la nuit tombée.

— Et tu n'as jamais envisagé de t'en aller ? De quitter la ville ou même le Montana ?

Anna baissa la tête, une lueur de tristesse voilant ses yeux azur.

— J'y pense tous les jours, admit-elle.

— Et qu'est-ce qui t'en empêche ? insista Will en tentant de capter son regard.

Anna fit une moue hésitante, semblant gênée d'avouer ce qu'elle avait sur le cœur. Finalement, après un instant, elle releva les yeux vers Will pour lui avouer :

— Je crois que j'ai peur. J'ai grandi à Lewistown, je suis devenue une femme ici. Tous mes proches sont ici. Mes amis, ma famille… Et si je perdais tout en quittant cette ville ?

Will ne pouvait que comprendre ses doutes. Lui-même n'avait jamais quitté sa maison familiale en périphérie de Denver. Elle le raccrochait à ses racines et avait cet aspect rassurant qu'il n'avait trouvé nulle part ailleurs. Même après la mort de sa mère, il n'avait pas pu se résigner à vendre la demeure. Ces murs faisaient partie de lui. Alors, comment aurait-il pu blâmer Anna de ne pas oser quitter la ville dans laquelle elle avait passé toute sa vie ?

— C'est un risque, effectivement. Tu sais ce que tu perds en quittant Lewistown, mais tu ne sais pas ce que tu gagnes. C'est aussi ce qui fait le charme d'une telle aventure, tu ne crois pas ?

Avec cette réflexion, il parvint à faire naître un sourire timide sur les lèvres de la jeune femme. Du haut de ses vingt ans, elle semblait nourrie d'autant d'espoirs que de craintes face à l'avenir. En ça, elle rappelait beaucoup à Will le jeune homme qu'il avait été en sortant de l'adolescence.

D'un air peu assuré, la jeune femme acquiesça d'un signe de tête avant de répondre :

— Tu crois que ce serait possible de demander à David s'il…

Trois bips rapides résonnèrent depuis le séquenceur ADN, interrompant la question de la jeune femme et attirant immédiatement leurs regards. Sur l'écran de l'ordinateur de Will, une page s'ouvrit, affichant les résultats du test.

Pour n'importe qui, les données sur le document auraient eu l'air d'un charabia indéchiffrable, mais pour le détective, il s'agissait d'une mine d'informations cruciales pour l'issue de leur enquête. Comme il l'avait imaginé, l'ADN du wendigo comprenait quelques spécificités qui n'avaient rien à voir avec de l'ADN humain. Il ouvrit donc un logiciel spécialisé et, en quelques clics, lança une nouvelle analyse.

— Le logiciel compare l'ADN du wendigo avec la base de données de la police, expliqua Will en pointant l'écran du doigt. Il émet des hypothèses sur l'ADN d'origine de notre créature, et si l'une d'entre elles correspond à un habitant de la ville, mon ordinateur devrait émettre un petit…

DING !

Le son de cloche résonna comme une délivrance dans le bureau du détective adjoint.

La réponse était sous leurs yeux.

Le nom apparut sur l'écran en lettres capitales.

— On le tient, réagit Will dans un soupir soulagé.

Chapitre 31

— Je les ai ! s'exclama Tom en pénétrant dans la salle de réunion, une main levée tenant une pile de feuilles.

Connor, un café fumant posé devant lui, attendait impatiemment aux côtés d'Alicia et David. Et si l'arôme puissant du café noir avait ce don presque magique de le détendre, ses vertus miraculeuses ne pouvaient rien face à la crispation qui envahissait le détective à l'approche des conclusions de cette semaine d'enquête.

Tom posa les feuilles sur la table d'un geste vif et plaqua un doigt dessus.

— Les résultats des analyses balistiques sont clairs. On a affaire à une cartouche de calibre douze, une Super Magnum chargée en plomb cuivré pour être très précis. Avec une munition comme celle-ci, le tireur n'avait aucune envie de blesser Kenny. Cette balle était destinée à le tuer, et avec un tir aussi net en pleine tête, il y a fort à parier que son meurtrier savait viser.

— Un chasseur, donc ? supposa David en se penchant en avant pour se saisir du tas de feuilles afin de consulter les résultats.

— En tout cas, c'est quelqu'un qui se sert régulièrement d'armes à feu, si on en croit les conclusions du labo de Livingston, précisa Tom en se frottant le menton. En plus des chasseurs, on a quelques retraités de l'armée en ville. Ça vaudrait le coup de nous pencher sur eux.

— Mais pourquoi iraient-ils tuer un ado en pleine forêt ? interrogea Connor en tapotant la table du bout des doigts.

— Pourquoi *n'importe qui* irait tuer un ado en pleine forêt ? fit remarquer Alicia, à sa gauche, sa tasse de café dans la main.

— Clairement, il y a encore de nombreuses zones d'ombre dans cette histoire, confirma Tom en faisant les cent pas face aux trois détectives. Mais le labo m'a aussi fourni une liste d'armes capables de tirer de telles cartouches. Elles sont nombreuses, mais nous n'avons qu'une seule armurerie à Lewistown.

Connor sentit un picotement d'enthousiasme monter dans sa poitrine.

— Si l'arme utilisée pour tuer Kenny a été achetée là-bas, on pourra grandement réduire notre liste de suspects, précisa le détective adjoint.

— Ce ne sera pas la peine, intervint Will depuis l'encablure de la porte.

Talonné par Anna, il pénétra à son tour dans le bureau, tenant lui aussi quelques feuilles dans sa main. Une lueur de détermination brillait dans son regard. Sans même qu'il ne dise quoi que ce soit, Connor sut ce qu'il s'apprêtait à leur annoncer.

Son ami leva les feuilles devant lui, les agitant légèrement.

— Les analyses ADN ont été concluantes. On connaît l'identité du wendigo.

Toutes les paires d'yeux se braquèrent sur lui, mais Connor remarqua du coin de l'œil la fébrilité dans la posture de Tom. La main du policier tremblait légèrement, et son corps sembla se raidir dans l'attente de la révélation de Will.

Pour lui, cette information ne représentait pas seulement la résolution d'une affaire qui occupait son esprit depuis des semaines. Il s'agissait aussi de découvrir lequel de ses concitoyens, de ses voisins, peut-être même de ses amis, était responsable de plusieurs tueries atroces. Lequel d'entre eux était désormais piégé dans le corps d'une bête sanguinaire et impitoyable, dévoré par des instincts prédateurs incontrôlables.

— Robert Ford, déclara finalement Will.

Connor sentit sa mâchoire se décrocher.

— Ford comme dans… Angela Ford ?

— C'était son mari, précisa Tom, visiblement sonné par la révélation. Il est mort au mois de juin. Enfin, c'est ce que je pensais.

— De quoi est-il censé être mort ? lui demanda David.

— D'un cancer du foie.

— Des problèmes d'addiction ? insista le directeur de la BAP.

— On… on devrait en parler à Jeff, bafouilla-t-il. C'était son cousin.

Connor se leva et contourna la table pour poser une main sur le coude du shérif adjoint. Celui-ci était de plus en plus pâle et semblait encaisser la nouvelle avec difficulté.

— Ça va aller ? s'inquiéta le détective.

— C'est juste que… Bob était un type bien. Je n'aurais jamais imaginé qu'il puisse…

Tom laissa sa phrase en suspens, clairement incapable de prononcer des mots qui rendraient la situation bien trop réelle à ses yeux.

— N'oublie pas : ce n'est pas Bob qui a fait ça, c'est la créature qui s'est emparée de son corps.

Tom hocha la tête d'un air absent, acquiesçant presque mécaniquement aux paroles rassurantes de Connor.

— Je... je vais chercher Jeff.

L'instant d'après, le shérif adjoint s'éloigna de Connor pour s'enfoncer dans le couloir du poste de police sous le regard attristé des détectives.

— Merde, souffla Will. Je ne pensais pas qu'il le prendrait aussi mal. Je n'aurais jamais annoncé ça comme ça si...

— Même moi, je ne savais pas qu'il l'appréciait autant, tenta de le rassurer Anna, toujours postée derrière lui telle une ombre.

— Son lien de parenté avec le shérif Peterson explique tout de même beaucoup de choses, lança David.

Tous les regards se tournèrent vers lui, le poussant à préciser le fond de sa pensée :

— Même si le shérif n'avait pas l'air de nous croire, son père était lui-même un wendigo. Il est possible que le gène circule dans leur famille depuis plusieurs générations, ce qui expliquerait pourquoi Robert Ford a été infecté à son tour.

— Quand Tom et moi l'avons confronté à ce sujet, il nous a avoué que son père était alcoolique, précisa Connor. Si Ford avait lui aussi un problème d'addiction, ça appuie encore plus cette thèse.

— Et ça explique pourquoi il rôdait autour de la maison d'Angela Ford l'autre soir, ajouta Will. Les wendigos sont attirés par des lieux qu'ils fréquentaient lorsqu'ils étaient humains.

— Je crois que Bob était chasseur, intervint Anna en contournant Will pour faire face à tous les détectives. Les chasseurs du coin fréquentent surtout les bois au nord-est de la ville, là où il y a le moins de monde.

— Et là où Kenny a été tué, compléta Alicia.

Un silence s'abattit sur la pièce. Tous les éléments se mettaient en place pour former un puzzle où chaque pièce s'assemblait à la perfection. Néanmoins, il restait encore un mystère à éclaircir.

— Mais alors… qui a tué Kenny ? s'interrogea Connor à voix haute.

— Certainement un autre chasseur, lança la voix rauque du shérif Peterson à la porte.

Tous les regards se tournèrent vers lui. Il pénétra dans la pièce, suivi de Tom. Tous deux affichaient une mine grave, marquée par le poids des réponses que la BAP venait de leur apporter.

Le shérif s'arrêta face à la grande table en bois laqué et laissa ses poings tomber lourdement sur celle-ci avant de reprendre :

— Bob était un type très populaire parmi les chasseurs. Si l'un d'eux était au courant de sa transformation, il n'aurait pas hésité un seul instant à faire tout son possible pour le protéger.

— Même tuer quelqu'un ? rétorqua Alicia, ne semblant pas croire à cette théorie.

— Les chasseurs sont comme une famille, par ici. Bon nombre d'entre eux ont été impactés par l'exode industriel à la fin des années quatre-vingt, alors ils se sont serrés les coudes pendant des années pour remonter la pente. Bob était l'un d'entre eux. Il avait à peine la vingtaine à l'époque mais il a vécu un cauchemar lorsqu'il a perdu son emploi à la scierie. C'est là qu'il a sombré dans l'alcool.

— Alors, il avait vraiment un problème d'addiction ? demanda David.

Peterson se passa une main dans la nuque en grimaçant, comme si cette simple question lui ramenait en mémoire un passé douloureux.

— Ça s'était arrangé pendant un bon moment. Je pensais que tout ça était derrière lui. Et puis, il y a deux ans, il a replongé. Ça a été terrible. Il s'est coupé de notre famille, de la plupart de ses amis. Finalement, il est parti en cure de désintoxication en début d'année. On ne l'a plus jamais revu. J'ai appris son cancer à sa mort, pas avant.

Une atmosphère pesante planait désormais dans la salle de réunion. Si la découverte de la vérité avait été un moment d'euphorie pour les détectives de la BAP, il était désormais temps pour eux de se confronter aux secrets que celle-ci camouflait.

Malgré tout, David ne sembla pas se laisser atteindre par l'émotion. Il se leva de sa chaise, le visage déterminé. Dans son regard, Connor percevait clairement son objectif : retrouver le wendigo et mettre fin aux souffrances de cette ville.

— Je suis désolé de vous faire ressasser ces souvenirs, shérif, mais nous devons en passer par là pour retrouver le wen… commença David avant de s'interrompre. Pour retrouver Robert. Est-ce que vous savez qui sont les amis avec qui il était encore en contact ?

Peterson baissa les yeux sur la table qu'il frottait nerveusement, creusant visiblement au plus profond de sa mémoire.

— À part Rick, je ne vois pas.

— Rick ? intervint Will. Vous voulez dire Richard Maxwell ? Le voisin de Tobey Langston ?

— Oh merde, souffla Tom.

— Qu'est-ce qui se passe ? demanda Connor, confus, en regardant alternativement le détective et le shérif adjoint.

— Rick est la dernière personne à avoir vu Tobey en vie, expliqua Tom.

— Merde, soupira à son tour le shérif. Il va falloir qu'on ait une petite discussion avec lui.

— Qu'est-ce qu'on attend ? les pressa David. Allons-y.

— J'ai promis à Angela Ford que l'un de nous passerait la voir aujourd'hui, intervint Will en se levant à son tour de sa chaise. Je peux m'en charger, si vous voulez.

— Tu n'y vas pas seul, réagit son responsable. Pas tant que le wendigo rôde dans les parages, c'est trop dangereux.

— Alors je t'accompagne, proposa Tom.

Connor ressentit une légère déception et une petite pointe de jalousie en voyant Tom partir une nouvelle fois en mission avec son ami plutôt qu'avec lui. Il aurait aimé avoir l'opportunité de faire un point sur leur relation, surtout maintenant que l'enquête semblait se rapprocher peu à peu de sa conclusion.

Pour autant, il savait aussi que ce n'était pas le moment de se focaliser sur ses sentiments. Il avait vu le wendigo la nuit précédente, et il avait plus que jamais conscience de la menace que celui-ci représentait. Sa seule priorité devait être de mettre fin au bain de sang causé par la créature. Sa vie amoureuse allait devoir attendre un peu.

— Bien, annonça le shérif Peterson. Tom et Will, vous vous rendez chez Angela. Nous autres, on va tenter de tirer les vers du nez de notre ami Rick. Anna, j'ai besoin que tu restes ici pour assurer la communication entre les deux équipes. C'est compris ?

— Parfaitement, shérif, répondit la jeune femme en relevant les épaules, visiblement fière de se voir confier un tel rôle.

— Alors, allons-y !

Chapitre 32

Tom engagea la voiture de police dans le chemin de terre qui menait au domicile des Ford. Plus prudent que jamais, Will parcourait les alentours du regard, craignant de voir apparaître l'immense créature que Connor et lui avaient affrontée la veille. Heureusement pour eux, il n'y avait rien d'autre que des peupliers sur le bord du chemin, semblant s'élever jusqu'au ciel et camouflant partiellement les champs de maïs cernés par la forêt de chaque côté.

Devant eux, la maison du couple Ford se dressait à côté du hangar duquel les deux tracteurs du mari n'avaient pas bougé depuis la précédente visite de Will quatre jours plus tôt. Le détective repensa à la femme qui les avaient accueillis. C'était une ménagère bien sous tous rapports qui semblait n'avoir aucun défaut, aucune faille. Pourtant, derrière cette apparence trop belle pour être totalement vraie se cachait une femme blessée, probablement brisée par la mort de son mari et la solitude qui en avait découlé, une femme qui avait dû affronter l'alcoolisme de celui qu'elle aimait avec force et courage. Par bien des aspects, elle lui rappelait sa propre mère, abandonnée par le père de Will avant même la naissance de celui-ci. Pour s'en sortir et offrir la meilleure vie possible à son fils, elle avait dû cumuler deux emplois. Malgré sa fatigue permanente, son sourire n'avait jamais failli et elle avait toujours rayonné d'une aura de bonté incroyable. À sa mort, Will avait eu le sentiment de perdre le rayon de soleil qui réchauffait son cœur et illuminait ses journées.

— Tout va bien ? demanda Tom d'un ton soucieux en lançant un regard en coin au jeune détective. Tu m'as l'air ailleurs.

— Désolé, la nuit a été courte, se justifia Will. Et puis, je crains la réaction de cette pauvre femme. Personne n'est jamais prêt à entendre ce qu'on s'apprête à lui annoncer.

— Ça, c'est certain, confirma Tom en relevant les sourcils.

Le shérif adjoint stationna la voiture devant la petite allée menant au porche de la maison. Les fleurs étaient toujours aussi belles, et l'herbe toujours aussi bien taillée. Pourtant, à présent, Will percevait la tristesse et la solitude qui se camouflait derrière cette façade parfaite.

Cette solitude, il l'avait ressentie lui aussi à la mort de sa mère. Il avait passé des jours et des nuits enfermé dans la demeure familiale, à chasser le moindre grain de poussière qui se figeait sur les photos jaunies de son enfance, à arracher la moindre fleur desséchée dans les jardinières pour les empêcher de perdre leur éclat. Chasser la mort pour maintenir la vie. Il avait fait tout son possible pour y parvenir.

Il sortit du véhicule en secouant la tête, tentant de mettre de côté ses idées noires. Même s'il pouvait comprendre la douleur de cette veuve, il ne devait pas laisser ses émotions prendre le dessus sur son professionnalisme. Il claqua donc la portière et s'engagea sur l'allée de gravillons, emboîtant le pas à Tom.

Ce dernier frappa à la porte, et les deux hommes attendirent en silence que l'occupante des lieux les accueille. Lorsque la porte s'ouvrit, une odeur de pain chaud s'échappa de la maison, et le sourire chaleureux d'Angela Ford les accueillit derrière sa robe rose pâle et son tablier vert pomme.

— Messieurs, je suis soulagée de vous voir, démarra-t-elle sans leur laisser le temps de prendre la parole. J'ai eu si peur cette nuit quand j'ai vu cette créature rôder autour de la maison. Je ne savais pas quoi faire.

Empoignant fermement la porte entrouverte de sa main droite, Angela semblait plus agitée que lors de leur dernière rencontre. Comment ne pas l'être après s'être retrouvée nez-à-nez avec le wendigo ?

— Est-ce qu'on peut entrer, Angela ? lui demanda poliment Tom en pointant le doigt vers l'intérieur de la demeure.

— Bien sûr, je vous en prie, répondit-elle avec douceur en ouvrant la porte. J'ai préparé quelques biscuits et lancé une cafetière au cas où vous passeriez.

Ford s'engageait déjà dans le couloir menant jusqu'à la cuisine, visiblement pressée d'accomplir son devoir d'hôtesse des lieux. Outre l'odeur du pain tout juste sorti du four, Will repéra aussi un parfum de fleurs fraîches qui trouvait certainement sa source dans le vase de roses posé sur la table de la salle à manger.

— Vous prendrez bien une tasse de café ? leur lança-t-elle depuis la cuisine.

— Volontiers, confirma Tom.

— Merci beaucoup, ajouta Will en parcourant la pièce du regard.

Rien ne semblait avoir bougé depuis sa dernière visite. Tout était parfaitement agencé, chaque objet semblant avoir sa place et ne jamais la quitter.

— Comment allez-vous depuis mardi, madame Ford ? lança Will d'une voix puissante pour être sûr qu'elle l'entende depuis la cuisine.

À sa grande surprise, elle apparut la seconde d'après dans l'encablure de la porte qui séparait les deux pièces, un généreux plateau dans les mains.

— Je vous ai déjà dit de m'appeler Angela, dit-elle d'une voix teintée d'une pointe d'agacement en le déposant sur la table.

Elle en retira deux tasses posées sur des soucoupes et les remplit de café fumant, avant de déposer une assiette de biscuits au beurre face aux deux places que Will et Connor avaient occupées lors de leur précédente visite.

— Installez-vous, je vous en prie, proposa-t-elle en tendant le bras devant elle.

Le détective avait une véritable impression de déjà-vu. Telle une danseuse de ballet répétant sa chorégraphie à la perfection, l'hôtesse des lieux semblait connaître chaque geste par cœur et les répéter mécaniquement.

Will s'exécuta, ne souhaitant pas la froisser une nouvelle fois.

— Alors, comment allez-vous, Angela ? insista-t-il.

Celle-ci s'installa à son tour en face d'eux et, comme la fois précédente, son regard s'échappa par la fenêtre, se fixant sur les bois au fond de son jardin.

— Je me remettais à peine de ce que j'ai découvert dimanche dernier, et il a fallu que cet animal immense vienne rôder dans mon jardin. Vous l'avez vu, vous aussi ?

Elle se tourna soudain vers Will. Pour la première fois depuis leur rencontre, elle le regardait droit dans les yeux. Ses iris vert olive lui rappelaient ceux de sa mère.

Concentre-toi, pensa-t-il soudain en plongeant les yeux dans sa tasse afin de camoufler son malaise.

— Oui, je l'ai vu cette nuit aussi. Il est… impressionnant.

— C'est le moins que l'on puisse dire, confirma-t-elle. Vous l'avez blessé ? Tué ?

Elle déglutit, semblant attendre la réponse avec une certaine anxiété. Elle craignait certainement que le wendigo revienne rôder chez elle.

— C'est dur à dire, avoua-t-il. On l'a blessé, mais les wendigos sont des créatures robustes. Il devrait s'en remettre rapidement.

Elle détourna de nouveau le regard vers la forêt en hochant la tête d'un air absent. Angela Ford était difficile à déchiffrer. Elle semblait avoir passé sa vie à se cacher derrière son masque de femme au foyer parfaite, si bien qu'elle en maîtrisait toutes les facettes, ne dévoilant absolument rien de ce qu'elle pensait véritablement.

— Alors, il pourrait revenir ? demanda-t-elle dans un souffle.

— C'est une possibilité, avoua Will d'une voix compatissante.

Tom, discret jusque-là, se racla la gorge et se pencha en avant.

— Angela, nous étions justement venus vous parler de certaines choses concernant la créature.

Leur hôtesse se retourna de nouveau vers ses invités, scrutant le visage fermé du shérif adjoint. Malgré son malaise apparent, il ne détourna pas le regard lorsqu'il lui annonça :

— Nous avons de nombreuses raisons de penser que la créature serait en vérité votre mari, Angela.

Il marqua une pause dans l'attente d'une réaction de sa part. Mais contre toute attente, elle garda les yeux rivés sur lui, la bouche légèrement entrouverte et les poings serrés. Le shérif adjoint semblait déstabilisé par ce silence inattendu. Will voyait bien qu'il ne savait pas comment poursuivre, alors le détective décida de voler à son secours :

— Angela, je comprends que ce soit déstabilisant, mais il faut que vous gardiez à l'esprit que cette créature s'est emparée du corps de votre mari. Robert n'est en aucun cas responsable des morts causées par le wendigo. Votre mari est bel et bien mort, cette chose ne fait que…

— Taisez-vous, l'interrompit-elle dans un quasi murmure qui ne souffrait pourtant aucun refus.

De nouveau, son regard se tourna vers l'extérieur. Vers la fenêtre et le bois au loin. Toutefois, il n'était plus pensif ou perdu désormais. Il était noir, empli d'une colère palpable qui se percevait jusque dans le bout de ses ongles qui tapotaient nerveusement le bois de la table.

— Pardon ? réagit Will, décontenancé.

— Vous ne savez pas ce que vous racontez, c'est ridicule.

Encore une fois, sa réponse fut glaciale, dévoilant peu à peu une facette bien plus sombre d'elle-même, à l'opposé du masque de femme au foyer idéale qu'elle portait en permanence.

— Je suis vraiment désolé, Angela, insista-t-il malgré tout. Je sais que c'est dur à encaisser, et même à croire. Je ne connais que trop bien ce sentiment. Et il ne faut surtout pas que ce drame occulte le souvenir de l'homme qu'était votre…

— *Taisez-vous !*

Cette fois, elle avait fait volte-face et ses yeux chargés de rage étaient rivés sur Will. Si un regard avait pu tuer, le détective aurait juré que celui-ci l'aurait conduit six pieds sous terre.

Le corps d'Angela fut parcouru d'un frémissement, comme si tous ses muscles avaient décidé de se contracter au même moment. Visiblement submergée par ses émotions, elle se leva d'un bond et fit quelques pas en direction de la fenêtre. Elle semblait trouver une forme de répit dans la contemplation du décor inanimé de l'autre côté de la vitre, même si Will n'arrivait pas à en cerner les raisons. Se levant à son tour, il fit quelques pas vers elle, avant de se raviser, décidant de lui laisser quelques instants pour se ressaisir. Son souffle était tremblant, et Will aurait juré qu'elle était en train de pleurer.

Après de longues secondes d'un silence pesant, ce fut elle qui reprit la parole, sans toutefois se retourner vers ses invités :

— Mon mari est un homme bon. Tout ce qu'il a dû faire dans sa vie, il l'a fait pour le bien de sa famille. Pour moi.

— Et nous n'en doutons pas un seul instant, Angela. Simplement, il faut que vous compreniez…

Angela se retourna. Will fut troublé de constater qu'elle avait retrouvé la contenance à laquelle elle l'avait habitué. Son sourire de façade habitait de nouveau son visage, son dos était parfaitement droit et ses mains étaient jointes sur son ventre.

— Voulez-vous une autre tasse de café ? Je vais en relancer, juste au cas où.

Sans attendre leur réponse, elle se dirigea vers la cuisine d'un pas décidé. Pris de court, Will se retourna vers Tom. À la grimace perplexe que celui-ci lui adressa, il comprit que son collègue n'était pas plus avancé que lui.

— *Qu'est-ce qu'on fait ?* articula silencieusement Will.

Après quelques secondes de réflexion, le shérif adjoint décida de se lever pour s'approcher de la porte de la cuisine.

— Vous avez peut-être besoin d'aide, Angela ?

Il tentait de regagner la confiance de leur témoin, de faire un pas dans sa direction pour rétablir l'échange. C'était une approche intéressante, et surtout très maline.

— Avec plaisir, répondit-elle depuis l'autre pièce. Venez donc ici, Tom. Détective, pourriez-vous débarrasser la table, s'il vous plaît ?

Will tourna un regard décontenancé vers la table du salon, sur laquelle se trouvaient encore les tasses pleines de café ainsi que l'assiette qui débordait de biscuits. Cependant, il préféra jouer le jeu et se montrer coopératif avec l'occupante des lieux.

— Bien sûr, je fais ça tout de suite.

Tom prit la direction de la cuisine, tandis que Will se dirigeait vers la table en secouant la tête et en levant les yeux au ciel. C'était ridicule, il le savait. Cette femme était désespérée et souffrait clairement d'une solitude accablante depuis la mort de son mari.

En y réfléchissant bien, il se dit que c'était logique qu'elle craque en découvrant que l'homme avec qui elle avait partagé sa vie s'était transformé en un monstre sanguinaire. Comment pouvait-il en être autrement ?

Alors qu'il déposait l'assiette de biscuits sur le plateau au bout de la table, Will se dit que cette femme aurait certainement besoin d'une aide psychologique après leur départ. La laisser seule ici à la suite d'une telle révélation, c'était lui faire courir un grand danger, non seulement de se faire attaquer par le wendigo, mais aussi de décompenser totalement et d'attenter à ses jours. Il ne pouvait pas laisser une chose pareille arriver. Pas après tout ce que cette femme avait…

BAM.

Un bruit sourd résonna dans la cuisine. Will releva la tête des tasses qu'il s'apprêtait à débarrasser et tourna le regard en direction de la pièce voisine.

— Tout va bien, là-dedans ? se renseigna-t-il.

Personne ne lui répondit.

— Tom ? Angela ?

Sans réaction de leur part, Will s'avança d'un pas prudent vers la cuisine. À travers la porte, il vit immédiatement le corps de Tom étendu de tout son long sur le carrelage blanc de la pièce attenante.

— Oh merde, Tom… souffla Will.

Sans se poser de question, il courut vers le policier pour se mettre à genoux auprès de lui. Une épaisse mèche de cheveux camouflait quelque peu ses yeux clos, mais surtout, une tache sombre à l'aspect poisseux s'épaississait au sommet de son crâne.

Du sang.

Will comprit alors que Tom avait été attaqué, qu'une menace rôdait dans la maison et qu'il devait rester extrêmement vigilant. Mais lorsqu'il vit la sandale bleue d'Angela Ford se poser devant lui, il comprit qu'il était déjà trop tard. Il releva la tête et distingua la poêle en fonte dans sa main qui filait droit sur lui.

Le choc fut comme une décharge qui lui parcourut tout le corps. Une constellation d'étoiles éclatantes apparut devant ses yeux tandis qu'il sentit son corps s'affaisser. Il eut l'impression de tourner une bonne centaine de fois sur lui-même avant de sentir le contact frais du carrelage contre sa joue.

Il tenta de bouger les mains. De les poser au sol. De se redresser.

Aucun de ses muscles ne répondit.

Il sombrait dans le sommeil.

Un sommeil si apaisant.

C'était tellement doux.

Dormir quelques instants.

Rien qu'un tout petit peu…

Les étoiles s'éteignirent et laissèrent place à l'obscurité.

Chapitre 33

Alicia découvrit avec effroi ce que les habitants du coin appelaient la Poubelle du Diable. Un quartier défavorisé peuplé de marginaux abandonnés par des industriels véreux qui avaient fini par trouver de la main-d'œuvre plus intéressante ailleurs.

C'était ici qu'avait vécu Tobey Langston, et que vivait encore Richard Maxwell. Le mobil-home qu'il occupait était aussi délabré et terne que tous les autres, à la différence qu'un drapeau américain défraichi et à moitié brûlé était suspendu au-dessus de la porte d'entrée.

Une jolie métaphore du rêve américain qui part en fumée, pensa Alicia.

Le shérif Peterson, suivi de près par David, frappa à la porte de la maison de tôle installée sur d'imposants rondins de bois posés à même le sol. Alicia et Connor étaient restés légèrement en retrait, préférant laisser les enquêteurs expérimentés se charger du suspect. Tandis que Connor balayait les environs du regard, la jeune femme baissa les yeux pour constater le nombre impressionnant de mégots de cigarillos traînant à leurs pieds.

La porte du mobil-home s'ouvrit dans un grincement métallique, et l'homme face à eux toisa leur petit groupe avec un sourire en coin. Sous ses faux airs de Père Noël ventru à la longue barbe grisâtre, Rick Maxwell semblait cacher une profonde vulnérabilité. Difficile de dire si ses yeux étaient rougis par l'alcool ou par les larmes, ni si ses traits étaient tirés par l'âge ou les coups que la vie lui avait assénés. La seule chose dont Alicia était certaine, c'était que cet homme s'était forgé une carapace qu'il leur serait très difficile de percer.

— Eh bien, Jeff ! Je vois que t'as ramené ta bande de charlatans avec toi, lança le vieil homme d'une voix mutine en fixant un regard méfiant sur la détective.

— On voudrait te parler, lui répondit Peterson avec sérieux. Ça concerne Robert Ford.

— Ton cousin ? réagit Rick, son sourire s'effaçant soudain. Qu'est-ce qui se passe ?

— On peut entrer ?

— Désolé, shérif, mais les canalisations sont bouchées là-dedans, répondit-il en faisant un signe de tête vers l'intérieur du mobil-home. C'est une infection. On va plutôt se mettre sur la terrasse.

Leur hôte pointa le doigt vers ce qu'il appelait la « terrasse » : une petite table de jardin ronde entourée de deux chaises vertes rongées par la rouille qui paraissaient aussi fragiles qu'instables.

D'une démarche traînante, Maxwell s'avança jusqu'à l'une d'elles et se laissa tomber sur le fin coussin installé sur l'assise. Alicia se crispa lorsque ses fesses heurtèrent le siège, mais à sa grande surprise, celui-ci supporta le poids du vieil homme.

— Alors, qu'est-ce qui lui arrive, à ton cousin ? Il était pas mort aux dernières nouvelles ? demanda Rick en sortant une petite boîte métallique de la poche de sa chemise à carreaux.

D'un geste presque automatique, il glissa un cigarillo entre ses lèvres avant de déposer la boîte sur la table pour la troquer contre un briquet posé là. Il passa la flamme au bout du petit cigare, et un arôme boisé se répandit dans l'air tout autour d'eux.

Peterson décida de s'installer sur la seconde chaise, laissant les membres de la BAP debout face au duo de locaux.

— Justement, j'ai quelques interrogations à propos de sa mort, expliqua le shérif. Tu peux me rappeler quand tu as appris son décès ?

Rick fronça les sourcils, visiblement étonné par la question du shérif. Il finit par tirer une bouffée de son cigarillo, le regard perdu au loin, semblant creuser au fond de sa mémoire pour y trouver la réponse.

— Je dirais que c'était au début du mois de juin, répondit-il d'une voix éraillée. C'était peu de temps après le premier barbecue des chasseurs, je m'en souviens. On s'était demandé comment il allait ce soir-là.

— Mais toi, tu le savais, pas vrai ? rétorqua Peterson sur un ton un peu trop sec. Il te donnait de ses nouvelles, non ?

Les questions insistantes du shérif commençaient clairement à déranger le vieil homme, qui adressa un regard en coin aux trois détectives de la BAP.

— Qu'est-ce que vous me voulez, exactement ? s'agaça-t-il.

— Des réponses, répondit Peterson. Seulement des réponses.

Rick secoua lentement la tête en prenant une nouvelle bouffée de son cigarillo. Alicia remarqua la petite veine qui gonflait peu à peu sur le front du vieil homme.

— C'est étrange, j'ai l'impression que tu me traites comme un suspect, Jeff.

— Si tu réponds honnêtement à mes questions, je n'aurai aucune raison de te considérer comme un suspect.

Rick souffla, de plus en plus agacé, avant de lancer :

— Je ne sais pas vraiment quoi te dire, Jeff. Oui, Bob me donnait des nouvelles de temps en temps. Vu que j'étais l'un des seuls de la bande à savoir utiliser un foutu téléphone portable, c'est à moi qu'il envoyait ses textos.

— Ses textos ?

Alicia était intervenue presque malgré elle. Surpris, David et Connor se tournèrent vers elle. Peterson aussi la regardait, mais il n'y avait pas que de l'étonnement dans ses yeux mauvais. Il n'était clairement pas ravi qu'elle ait pris la parole.

Néanmoins, tout ce qu'il avait dit jusque-là n'avait fait que braquer un peu plus leur suspect, alors elle estimait qu'il était temps que quelqu'un d'autre s'invite dans la discussion.

— Ouais, il m'envoyait des messages deux ou trois fois par semaine, répondit Rick d'une voix plus détendue.

— Il ne vous appelait jamais ? insista-t-elle.

Le cigarillo bloqué au coin des lèvres, le vieil homme se frotta la barbe en réfléchissant.

— Ça ne me dit rien. J'ai voulu l'appeler une fois, mais il m'a expliqué que le réseau était très mauvais au centre de désintox. Du coup, j'ai pas insisté. J'aime pas beaucoup le téléphone, pour être franc. Même les textos, c'est pas mon truc. Je préfère voir les gens en face, moi.

— Et justement, vous n'avez jamais cherché à aller le voir ? continua Alicia.

La jeune femme savait qu'elle tenait là une piste intéressante. Et à en juger par le regard de plus en plus intéressé que Peterson lançait à Rick, le shérif était du même avis qu'elle.

— Une fois ou deux, je lui ai proposé de faire la route, mais il voulait pas que je le voie dans cet état. Il préférait attendre son retour.

— Donc tu ne lui as jamais parlé depuis son départ en centre de désintoxication ? intervint Peterson en se penchant en avant.

Après une courte réflexion, Rick confirma leurs doutes :

— Non, jamais.

Les trois détectives et le shérif s'adressèrent des regards appuyés. Si Rick Maxwell n'avait pas revu Robert Ford depuis son supposé départ en cure de désintoxication, il ne pouvait pas être le complice qu'ils cherchaient.

— Rick, est-ce que tu sais qui d'autre était en contact avec Bob au cours des mois qui ont précédé sa mort ?

La question du shérif replongea leur hôte dans ses réflexions. Alors qu'il écrasait son cigare dans le petit verre rempli de mégots qui trônait sur la table, il se perdit dans la contemplation du sol argileux à ses pieds.

— À part Angela, personne n'avait vraiment de ses nouvelles. C'est elle qui en donnait aux chasseurs et à ses amis en ville.

Soudain, l'évidence sembla tous les heurter de plein fouet.

— Dites-moi, Rick… se manifesta David d'une voix légèrement tendue. Pouvez-vous me dire si Angela sait se servir d'un fusil de chasse ?

— Évidemment, répondit-il sans hésiter. Bob l'a amenée plusieurs fois à la chasse avec nous, et elle a tiré à quelques occasions. C'était pas la meilleure, mais pour une débutante, elle se débrouillait bien.

Un frisson parcourut le dos d'Alicia. Ils tenaient leur coupable.

Le seul problème, c'était qu'ils avaient envoyé Will et Tom en plein dans la gueule du loup.

Chapitre 34

Lorsque Will reprit connaissance, il eut l'impression d'avoir littéralement une chape de plomb sur la tête. Une douleur aiguë tambourinait dans son crâne, et il lui fallut quelques secondes pour reprendre ses esprits et voir au-delà du flou verdâtre qui voilait son regard. Après avoir cligné des yeux à plusieurs reprises, il s'aperçut que la forme indistincte face à lui était en réalité de la mousse au pied d'un grand pin.

Il s'aperçut alors qu'il se trouvait dans une forêt. À côté de lui, une brouette et plusieurs morceaux de corde traînaient sur le tapis de feuilles mortes. Comment avait-il atterri ici ? Était-ce le résultat d'une soirée trop arrosée ?

Alors qu'il tentait de se remémorer les événements qui l'avaient entraîné dans cette situation, il voulut se passer la main sur le visage. À sa grande surprise, ses deux poignets étaient bloqués au-dessus de sa tête, retenus au tronc de l'arbre contre lequel il était appuyé par ce qui lui semblait être des menottes.

Avait-il été arrêté par la police ?

La police !

Le souvenir de Tom étendu sur le sol d'une cuisine lui revint soudain en mémoire.

Une cuisine… Chez Angela Ford… J'étais auprès de Tom… Et là… Et là…

— Vous voilà réveillé, détective, résonna une voix féminine à quelques mètres de là. Je commençais à m'ennuyer.

Will releva la tête pour découvrir la silhouette d'Angela Ford entre deux immenses pins, toujours vêtue de sa robe rose pâle et de son tablier vert pomme. Le coucher du soleil répandait sa lumière orangée dans son dos, lui donnant un aspect presque angélique. Pourtant, à mesure que les souvenirs lui revenaient, Will fut de plus en plus convaincu que cette femme n'avait rien d'un ange.

— C'était vous ? marmonna-t-il, la gorge asséchée.

Elle lui répondit par un sourire morose, comme si la fierté se mêlait à égale mesure à un lourd sentiment de culpabilité. Le masque qu'elle avait tant cherché à conserver tombait enfin, dévoilant un être torturé en proie à des démons intérieurs qui la dévoraient.

La grimace nerveuse qu'elle lui adressait pouvait tout aussi bien être le signe annonciateur d'une montée de larmes, d'un cri de colère ou d'un éclat de rire. Si, jusqu'à présent, cette femme n'avait rien montré de ses émotions, elle les dévoilait désormais toutes dans un torrent anarchique.

Elle fit quelques pas vers Will, le coin de son œil droit pris de soubresauts.

— Je n'ai pas eu le choix, détective, répondit-elle d'une voix traînante. Est-ce que vous êtes déjà tombé amoureux ?

La question d'Angela le prit de court. Où voulait-elle en venir ?

Il s'interrogea tout de même, tentant de se rappeler ses relations passées. Il n'avait fréquenté que très peu d'hommes dans sa vie. Ils étaient bien trop nombreux à faire du sexe une priorité, à se permettre d'aimer seulement après avoir consommé le plaisir charnel. Et puisque Will se savait asexuel depuis ses dix-neuf ans, bon nombre d'entre eux l'avaient repoussé sans même tenter de le découvrir, sous prétexte qu'ils ne pouvaient pas vivre sans leur dose de sexe quotidienne. Il avait bien tenté de rencontrer des personnes qui se définissaient elles aussi asexuelles, mais les quelques rendez-vous qu'il avait connus n'avaient tourné qu'autour de cette question. Oui, Will était un homme asexuel, mais il était aussi bien d'autres choses. Un ami prévenant, un mordu de paranormal, un fils dévoué, un fan repenti de jeux vidéo en ligne et de tous les films d'Andrew Garfield.

Face à son silence, Angela s'accroupit devant lui pour mieux défier son regard.

— Vous n'êtes jamais tombé amoureux. Si c'était le cas, vous n'auriez pas hésité une seconde pour me répondre.

Elle avait raison. Sa plus longue relation n'avait duré que trois mois, durant lesquels il avait vu son compagnon une dizaine de fois tout au plus. Toutefois, ce n'était pas le sujet le plus urgent à ses yeux.

— J'imagine qu'on n'est pas là pour faire ma psychanalyse, alors vous pourriez m'expliquer où vous voulez en venir avec vos questions ?

Angela ricana, et un nouveau tressautement agita le coin de son œil.

— Lorsque mon mari a commencé à se transformer, je n'ai pas compris ce qui lui arrivait. Imaginez… Il perdait ses cheveux par poignées, ses dents tombaient les unes après les autres, ses ongles pourrissaient, et aucun médecin n'était capable d'expliquer son état. Deux d'entre eux l'ont renvoyé à la maison avec une boîte de paracétamol, et le troisième m'a prise à part pour m'affirmer que la seule explication était que mon mari consommait des drogues dures en cachette.

Angela baissa les yeux, et pour la première fois, son corps parut se détendre. L'espace d'un instant, elle laissa la tristesse l'envahir et les larmes lui monter au coin des yeux. Puis, aussi vite que cette fragilité était apparue, elle s'évanouit lorsqu'elle leva la tête pour poursuivre d'une voix glaciale :

— Et en janvier, tout a basculé. Ça faisait deux semaines que je partais au travail chaque matin en le laissant dans le lit, complètement abattu, et que je rentrais le soir pour le retrouver dans le même état. Mais ce soir-là, il n'était plus là. Je l'ai cherché dans toute la maison, j'étais paniquée. Vous savez où je l'ai retrouvé ?

Will, horrifié par le récit d'Angela, se contenta de secouer lentement la tête.

— Il était descendu au sous-sol pour dévorer la viande stockée dans le congélateur. Il avait tout vidé et rongeait chaque morceau encore couvert de glace. J'ai essayé de l'arrêter, mais j'ai vu dans son regard que c'était plus fort que lui. Alors, je l'ai laissé faire. Je l'ai regardé engloutir des kilos de viande avec un appétit insatiable en craignant le moment où il arriverait au bout.

— Pourquoi n'avez-vous pas demandé d'aide ? la questionna Will d'une voix compatissante.

— À qui ? Aux médecins qui l'avaient repoussé ? À ses amis qui ne voyaient en lui qu'un alcoolique raté et qui n'ont eu besoin que d'un faux certificat de décès pour en faire de l'histoire ancienne ? Personne d'autre que moi ne pouvait l'aider.

Angela se redressa et fit volte-face, semblant cacher les larmes qui menaçaient de couler sur ses joues. Dos à Will, elle continua d'une voix tremblante :

— J'ai fait ce que n'importe quelle épouse digne de ce nom devrait faire dans une telle situation. J'ai soutenu mon mari. À mesure qu'il se nourrissait, il retrouvait des forces. Alors, j'ai acheté des kilos de viande au supermarché ou chez le boucher de la ville. Parfois, je faisais même des dizaines de kilomètres pour aller me fournir ailleurs et éviter que les habitants de Lewistown ne soupçonnent quoi que ce soit. Je nourrissais mon mari chaque jour pendant des heures. Et puisque ça me prenait un temps fou, j'ai dit à tout le monde qu'il était parti en cure de désintoxication et j'ai pris un congé en prétextant devoir être à ses côtés. Ce n'était pas un mensonge. Pas vraiment.

Elle s'arrêta quelques instants et joignit ses mains sur sa poitrine. Le détective comprenait l'engrenage dans lequel elle avait été embarquée malgré elle. Il savait ce que ça signifiait de vouloir faire le bien pour une personne qu'on aime sans se rendre compte du moment où on va trop loin.

— Mais sa transformation a continué, pas vrai ? supposa-t-il.

— C'était terrible, confessa-t-elle dans un souffle. Jour après jour, sa peau se recouvrait de fourrure, ses ongles se transformaient en griffes acérées. Peu à peu, il perdait la parole. Au départ, il avait juste des difficultés à articuler, puis un jour, il s'est mis à pousser des espèces de brames. Mais il était encore là, je le voyais dans ses yeux. Il *est* encore là.

Soudain, Will comprit la réaction de colère qu'elle avait eue lorsqu'il avait parlé de son mari au passé, lorsqu'il lui avait affirmé qu'il était bel et bien mort. À ses yeux, il n'était toujours pas mort. Pour elle, le wendigo *était* son mari.

D'une voix calme, il tenta tout de même de la raisonner :

— Angela… Vous devez comprendre que, si votre mari est encore en vie, il souffre terriblement dans le corps de cette créature.

— *Taisez-vous !* hurla-t-elle en se retournant soudain, sa voix se répercutant contre les arbres dans un écho qui sembla durer une éternité.

Ce fut à cet instant que Will entendit des brindilles craquer sur sa droite. Il tourna la tête, décalant légèrement son bras bloqué contre le tronc pour tenter de distinguer l'origine du son. Il découvrit alors Tom, lui aussi menotté à un anneau fixé sur le tronc au-dessus de sa tête, semblant reprendre lentement connaissance. Will remarqua la corde nouée autour de la taille du shérif adjoint. En baissant les yeux, il se rendit compte qu'il était lui aussi bloqué par un lien identique.

— Qu'est-ce qu'on fait ici, Angela ? l'interrogea-t-il, alors que Tom ouvrait les yeux avec peine.

Le regard noir de leur ravisseuse fixa les traits abattus de Will, et un sourire triste se dessina au coin de ses lèvres.

— J'ai fait tellement de sacrifices pour mon mari. Je ne peux pas vous laisser tout gâcher maintenant. J'ai bien essayé de me débarrasser de votre petite équipe la nuit dernière, mais vous avez failli *tuer* mon Bobby.

— Alors, vous m'avez appelé simplement pour nous tendre un piège ? comprit Will.

— Qu'aurais-je pu faire d'autre ? Kenneth racontait à qui voulait bien l'entendre que son fils avait été assassiné. Je savais que je devais faire vite.

— Alors, j'imagine que c'est aussi vous qui avez tué Kenny, supposa le détective sans parvenir à camoufler la haine et le dégoût qui l'envahissait.

— Ce sale gosse voulait s'en prendre à mon mari, cracha-t-elle. Il rôdait dans la forêt où je retrouvais Bob pour le nourrir. Tous les jours, je gardais un œil sur lui avant d'aller chasser. Je voulais m'assurer qu'il ne tente pas d'approcher Bobby. Puis, un jour, je l'ai vu arriver avec son fusil. Il appelait mon mari pour qu'il vienne jusqu'à lui. J'ai donc fait ce qu'il fallait pour protéger l'homme que j'aime.

— Et Tobey Langston ? lança Tom d'une voix rauque et groggy. Et Stanley Hendricks ? Dwight Carrell ? Selena et Betty, les deux jeunes femmes mortes le soir d'Halloween ? Isabella Douglas ? Alan Taylor ? Comment vous justifiez la mort de tous ces gens, Angela ?

— Tobey n'était qu'un vieux fou qui ne manque à personne, se défendit-elle d'une voix tonnante. Pour les deux ados, c'était une erreur. Je n'ai pas pu arrêter Bobby. Je m'en suis tellement voulu.

Elle baissa la tête, sincèrement honteuse. À nouveau, cet aveu de faiblesse ne dura qu'un instant, puisqu'elle releva les yeux vers le policier en poursuivant :

— C'est pour ça qu'après eux, j'ai demandé à Bobby de ne s'attaquer qu'aux étrangers. Je ne voulais pas qu'il s'en prenne à nos amis, à nos voisins ou à nos familles. Alors, j'ai fixé des limites. Quand il n'avait aucune proie à disposition, je le nourrissais de viande fraîche. Ça a été particulièrement difficile en septembre et en octobre. Il n'y avait personne. Et je voyais bien que la viande animale ne lui suffisait plus.

Will était effaré par le naturel avec lequel Angela confessait ses actes. Tout cela semblait parfaitement normal à ses yeux.

Cacher l'existence d'un wendigo, le nourrir, traquer ses futures victimes… C'était devenu son quotidien malgré elle. Sa nouvelle vie.

— Angela, il faut que vous compreniez que plus vous le nourrirez, plus Bob deviendra incontrôlable et dangereux, tenta de la raisonner Will. Ce n'est qu'une question de temps avant qu'il ne s'en prenne à vous.

— Vous vous enfoncez dans vos mensonges, cracha Angela, le visage crispé par une colère froide. Bob ne s'en prendrait jamais à moi.

— Je vous en prie, Angela, intervint Tom, désemparé. Will s'y connaît dans ce domaine, vous pouvez lui faire confiance.

Elle riva son regard glacial sur le policier, pointant un doigt accusateur sur Will en lançant :

— Cet homme ne connaît pas mon mari. Il n'a aucune idée de l'amour qu'il me porte, de tous les sacrifices qu'il a faits pour moi. Je donnerai ma vie pour le protéger s'il le faut.

— Ce n'est pas *votre* vie qui a été sacrifiée jusqu'à présent ! répliqua Will, incapable de réprimer plus longtemps la colère qui le submergeait. Ce sont celles de jeunes gens innocents qui avaient encore tant de choses à accomplir !

Will ne put s'empêcher de penser à Kenny Dixon, lui qui avait tant de rêves et un tel désir de s'affirmer et de tordre le cou aux préjugés. Il n'aurait jamais l'opportunité de devenir celui qu'il voulait être, de prendre son envol, de rencontrer l'amour. Tout ça à cause de la folie d'Angela, de son désir de protéger son mari coûte que coûte.

Face au coup de sang de Will, les traits de la femme se crispèrent un peu plus. Il n'avait jamais vu de sorcière noire dans sa vie, mais d'après les récits qu'il avait entendus à leur sujet, Angela n'avait rien à leur envier à cet instant. Devant l'éclat rougeâtre du coucher de soleil, elle dégageait à présent une aura démoniaque.

— Angela, c'est terminé, indiqua Tom d'une voix apaisante. Je vais devoir vous arrêter pour le meurtre de Kenny et vous serez jugée pour tous les autres aussi. Vous ne pouvez plus continuer ainsi.

Le shérif adjoint avait raison. La police allait devoir fournir une explication rationnelle à toutes ces morts, et Angela serait sûrement jugée coupable de chacune des tueries. Son avocat plaiderait sûrement la folie, ce qui expliquerait la sauvagerie des meurtres. Si cela ne suffisait pas, alors les autorités lanceraient peut-être des rumeurs de cannibalisme qui seraient relayées dans les médias du monde entier. La presse se délecterait de cette histoire sordide, et Angela finirait sûrement par être la vedette d'un documentaire macabre sur Netflix ou sur une chaîne du câble.

Tout ça servirait à masquer une réalité bien plus terrible et tragique.

— C'est terminé, Angela, souffla Will.

Le visage entier de leur ravisseuse semblait à présent parcouru de spasmes. Le coin de ses lèvres, de ses yeux, ses pommettes et son menton s'agitaient sous l'effet de la tension qui parcourait son corps. Elle semblait presque sous l'emprise d'une créature paranormale, elle aussi.

— Vous n'avez toujours pas compris ce qu'on fait là, pas vrai ? les interrogea-t-elle avec un sourire tordu. Je suis venu faire disparaître les preuves *et* offrir un festin à Bobby par la même occasion. Il sera tellement heureux.

Elle avait prononcé cette dernière phrase d'une voix traînante, comme si elle rentrait chez elle avec un beau cadeau pour son mari. Mais ce cadeau, c'était eux. *Ils* étaient le festin qui allait ravir les papilles de Robert Ford.

— C'est ridicule, Angela, rétorqua Tom d'une voix tremblante. Jeff ne tardera pas à découvrir la vérité. Vous ne pourrez pas…

— Alors, il le mangera aussi, le coupa-t-elle. S'il le faut, je laisserai Bob dévorer tous ceux qui tenteront de nous faire du mal.

Elle avait totalement perdu la raison, Will en était certain à présent. Ce n'était pas seulement l'amour qui parlait, ni même le dévouement d'une femme pour son mari. Entre le début de la transformation de son époux et cet instant, un ou plusieurs événements l'avaient fait plonger dans la folie. Rien de ce que Tom ou lui pourraient dire ne permettrait de la raisonner. Il était trop tard.

Angela glissa une main dans son tablier et en sortit un petit sifflet en métal. Un frisson de panique parcourut le dos de Will lorsqu'il comprit qu'il s'agissait d'un sifflet à ultrason. Tout comme les chiens et d'autres espèces animales, les wendigos avaient la capacité d'entendre cette fréquence sonore spécifique.

— Ne faites pas ça, l'implora-t-il.

— Je suis désolée, répondit Angela avec une voix qui semblait sincère. Je n'ai pas le choix.

Elle se retourna et souffla dans le petit bec en métal. Un son à peine audible résonna aux oreilles de Will.

L'espace d'un instant, lorsqu'elle s'arrêta de siffler, le silence s'abattit sur la forêt. Un silence presque apaisant, à peine rompu par le souffle du vent contre les branches au-dessus de leurs têtes.

Puis, soudain, une première vibration secoua le sol. Elle était légère, tout juste perceptible. La seconde fut un peu plus forte. Puis la troisième. La quatrième. Chaque secousse semblait plus proche que la précédente. Will scruta la forêt face à lui, crispé par la perspective de voir apparaître la créature.

Au bout de quelques secondes, il distingua sa silhouette entre deux arbres au loin.

Ses bois qui se dressaient au-dessus de sa tête. Ses yeux d'un jaune perçant. Ses babines retroussées dévoilant des crocs acérés.

Il semblait aussi majestueux que féroce.

Le wendigo.

Chapitre 35

— Angela, vous êtes là ? appela le shérif en tambourinant pour la troisième fois contre la porte de la maison. Ouvrez, s'il vous plaît !

Connor tapait du pied devant le porche. À l'intérieur, toutes les lumières étaient éteintes, alors même que le soleil était désormais masqué par la haute forêt de pin au loin et que l'obscurité avait repris ses droits sur la propriété.

— Elle n'est pas là, c'est évident, s'agaça le jeune détective.

Peterson lui adressa un regard noir mais ne répondit rien. De toute évidence, il était de son avis.

— On ne peut pas simplement forcer l'entrée ? demanda David, tout aussi frustré que ses collègues.

— C'est impossible, il me faudrait un mandat et une raison valable de le faire.

— Votre adjoint et l'un de nos collègues ont disparu, lança Alicia. Ça ne vous suffit pas comme raison ?

— Certainement, avoua le shérif. Mais à cette heure-là, ce sera impossible pour moi de trouver un juge qui acceptera de signer un mandat…

C'en était trop pour Connor. Sans même attendre que Peterson termine sa phrase, il s'élança sur le porche et donna un grand coup de pied dans la porte.

Une vive douleur lui parcourut la jambe droite, mais le verrou ne céda pas.

— Putain de… souffla -t-il, plié en deux.

— Vous savez que je pourrais vous coffrer pour ça ? l'avertit Peterson sans s'émouvoir de sa douleur.

— D'accord, répondit-il, les dents serrées. Alors, autant aller jusqu'au bout.

À nouveau, il se jeta en avant. Cette fois, ce fut son épaule droite qu'il lança contre la porte. À son grand soulagement, celle-ci céda enfin. La douleur dans sa jambe, et désormais dans son épaule, était tenace mais ne l'emportait pas sur son soulagement.

— Après vous, fanfaronna-t-il en laissant entrer ses collègues.

Derrière son ton sarcastique, Connor cachait une véritable inquiétude qui menaçait de prendre le dessus sur lui. Son meilleur ami et l'homme pour lequel il commençait à avoir des sentiments avaient disparu en compagnie de la femme qui protégeait un wendigo depuis des mois. Les pires hypothèses traversaient déjà l'esprit du détective, qui s'imaginait découvrir les cadavres éventrés des deux hommes au fond de la cave.

Il tenta de faire taire ses idées macabres, s'avançant dans la maison à la suite de ses collègues.

En pénétrant dans le séjour, Peterson alluma le lustre au plafond, qui diffusa sa lumière jaunâtre dans toute la pièce. Sur la table de la salle à manger, un plateau rempli de deux tasses de café pleines et d'une assiette de biscuits reposait là, attirant quelques mouches curieuses venues picorer les sablés.

— On dirait que tout a été laissé en plan, estima David en posant ses doigts sur l'une des tasses. Le café est froid, c'est là depuis longtemps.

Alicia s'avança dans le fond de la pièce, jusqu'à la fenêtre qui donnait sur un large jardin délimité par la grande forêt de pin qui s'étendait au-delà.

— On est dans quelle partie de la forêt, ici ? demanda la détective à Peterson.

— On est à l'est de la ville. Par là-bas, démarra-t-il en pointant le doigt vers le fond du jardin, ça remonte vers le nord.

— Donc, là où on a retrouvé le corps de Kenny ? réagit-elle.

— Il y a un petit bout de chemin, mais oui.

Cet aveu du shérif ne fit qu'appuyer la théorie de plus en plus cohérente selon laquelle Angela Ford était celle qui avait couvert les tueries du wendigo. Il leur restait désormais à la retrouver et à découvrir ce qui était advenu de Will et Tom.

Face au silence pesant qui emplissait les lieux, Peterson se décida à sortir son téléphone de la poche de sa chemise.

— Je vais rappeler Anna pour savoir si elle a du nouveau, dit-il avant de reprendre le chemin de l'entrée.

Laissés seuls dans la pièce principale de la maison, les trois détectives de la BAP tiraient des mines préoccupées.

— Ne vous en faites pas, ils ne doivent pas être bien loin, affirma David dans une tentative de se montrer rassurant.

Le responsable de la brigade passerait le restant de ses jours à s'en vouloir s'il arrivait quoi que ce soit à l'un de ses détectives. Ils étaient comme ses enfants, et il était prêt à tous les sacrifices pour assurer leur sécurité. Il était même prêt à leur pardonner d'avoir embouti sa précieuse voiture. C'était pour dire à quel point il les aimait.

— Oui, je suis certaine qu'ils vont bien, surenchérit Alicia avec un sourire crispé.

Connor, peu enclin à se voiler la face, quitta la pièce pour rejoindre la cuisine. Après avoir allumé la lumière du plafonnier, il découvrit une pièce parfaitement propre et rangée. Il était véritablement possible d'y manger par terre, tant le carrelage resplendissait d'un éclat…

Attends voir…

Une tâche sombre à ses pieds attira son attention. Le détective s'accroupit pour l'observer de plus près. La lumière au plafond était masquée par le bord de la petite table au milieu de la pièce, alors Connor décida de sortir son portable et d'activer la lampe torche.

Son cœur manqua un battement. Le doute n'était plus permis : la petite goutte au sol était bien du sang.

— Les gars ! lança-t-il d'une voix tremblante.

Rapidement, Alicia et David arrivèrent dans la pièce. Sans un mot, Connor pointa un doigt vers l'épais liquide qu'il éclairait de sa lampe torche. C'était une minuscule goutte, à peine visible, mais il n'eut pas besoin d'en expliquer l'origine pour que ses collègues comprennent de quoi il s'agissait.

— Oh merde, souffla David.

— Il faut fouiller toute la maison. En vitesse, s'emballa Alicia, visiblement prise de panique.

Sans attendre, elle quitta la pièce pour arpenter la demeure.

David s'élança derrière elle, mais Connor se releva sans se presser. Il resta planté dans la cuisine, préférant réfléchir quelques instants plutôt que de courir dans tous les sens.

Il tenta de se mettre à la place d'Angela Ford, une femme qui couvrait un monstre et qui l'aidait à accomplir ses massacres depuis des mois. Un shérif adjoint et un détective privé avaient débarqué chez elle pour lui annoncer que son défunt mari n'était pas tout à fait mort.

Sauf que ça, elle le savait déjà, pensa Connor en balayant la pièce du regard dans l'espoir que cela ferait avancer sa réflexion.

Qu'avait-elle bien pu faire ensuite ? Elle n'allait certainement pas les aider à retrouver le wendigo, ni leur avouer qu'elle était en partie responsable de toutes ces morts, voire l'unique meurtrière de Kenny Dixon.

Une meurtrière… se répéta-t-il.

Elle n'avait visiblement pas hésité à abattre un adolescent innocent pour protéger son mari. Que serait-elle capable de faire à deux hommes venus mettre leur nez dans ses mensonges ?

Son regard s'arrêta sur la fenêtre, par laquelle il distinguait la forêt au loin, recouverte par l'obscurité du crépuscule. Le refuge du wendigo. Et aussi son garde-manger, visiblement.

Alors qu'il s'apprêtait à rappeler ses amis, Connor fut pris de court par une voix en provenance du sous-sol.

— Connor ! David ! les appela Alicia. Venez voir !

Le regard du détective s'attarda quelques instants sur les bois obscurs au fond de la propriété. C'était forcément là-bas qu'Angela s'était réfugiée, aux côtés de celui qu'elle estimait être encore son mari.

Finalement, il s'éloigna de la fenêtre pour rejoindre la porte entrouverte sous l'escalier de l'entrée. Une lumière vacillante éclairait partiellement les quelques marches qui menaient au sous-sol de la demeure.

— T'es là ? lança le jeune homme par l'encablure de la porte.

— Oui, viens voir ça, répondit son amie.

Connor s'engagea sur les planches de bois, qui craquèrent l'une après l'autre sous son poids. Alicia n'était pas bien lourde, mais lui était plus grand et plus massif qu'elle. Si les marches avaient supporté le poids de la jeune femme, rien n'indiquait qu'elles supporteraient le sien.

Finalement, après quelques secondes de tension, Connor atteignit le sol terreux de la cave. Tout comme l'escalier, le grand espace poussiéreux était éclairé par une ampoule suspendue au plafond par un simple fil dénudé. Pourtant, une autre source de lumière attira l'attention du détective. Un vif éclat blanc, accompagné d'un brouillard glacial, s'échappait d'un imposant coffre congélateur à priori presque neuf qui dénotait avec le reste des lieux, chargé de vieilles babioles envahies de toiles d'araignées. Alicia se tenait debout face à l'appareil. D'un regard par-dessus son épaule, elle invita son ami à se rapprocher.

Connor s'exécuta et découvrit avec stupeur le contenu du coffre. Il débordait d'imposantes pièces de viande, aussi bien des côtes de bœuf que des jambonneaux, et même une tête de porc entière.

— Je suppose qu'on n'a pas affaire à un couple de végans, ironisa Connor.

— Il y en a d'autres, indiqua Alicia en tournant la tête vers deux autres appareils similaires.

— De quoi nourrir un wendigo affamé ? intervint la voix de David derrière eux.

Alicia hocha la tête en ouvrant le couvercle du second congélateur.

— Ça m'en a tout l'air. Surtout que ça… démarra-t-elle en plongeant la main dans le bac, ça ne m'a pas l'air d'être de la viande animale.

Elle sortit sa prise : un bras congelé grossièrement tranché au niveau de l'épaule, comme s'il avait été arraché par une bête déchaînée.

— Ça pourrait être celui d'Alan Taylor, pas vrai ? supposa Alicia.

— Ce qui expliquerait pourquoi on n'a jamais retrouvé son corps, compléta David.

— Tout cette viande pourrait aussi expliquer pourquoi il n'a tué personne pendant plus de deux mois avant Halloween, supposa Connor. Sa femme a peut-être essayé de…

Le détective chercha ses mots un instant, mais David conclut sa phrase à sa place :

— Le domestiquer ?

Connor grimaça face à cette hypothèse, qui semblait toutefois la plus plausible aux vues de cette découverte. Si Angela avait tenté de garder la créature auprès d'elle, lui fournir une énorme quantité de nourriture était sûrement le meilleur moyen d'y parvenir. Toutefois, aucune viande ne remplaçait la chair humaine aux yeux des wendigos. Tôt ou tard, il aurait fini par faire de nouvelles victimes, par chasser ses repas lui-même. C'était ce qu'il avait fait avec les deux jeunes femmes le soir d'Halloween, puis avec Alan Taylor et Isabella Douglas.

— Vous êtes là ? les appela la voix de Peterson depuis les marches. Anna n'arrive pas à les joindre. Du nouveau de votre côté ?

— On peut dire ça, répondit David sans donner plus de détails.

— Aucune trace d'Angela Ford ? insista le shérif.

Connor se raidit en entendant la question. Son instinct le guidait vers un seul et unique lieu.

— La forêt, murmura-t-il.

David lui adressa un regard confus, qui le poussa à répéter d'une voix plus assurée :

— La forêt. C'est là-bas qu'elle les a amenés. J'en suis certain.

Chapitre 36

— Tout va bien, mon Bobby, lança Angela d'une voix presque mielleuse. Je t'ai apporté le dîner.

La nuit était tombée sur la forêt lorsque le wendigo s'approcha de leur ravisseuse d'un pas prudent. Will craignait qu'à tout moment, la créature étende son immense patte pour asséner un coup de griffe mortel sur sa frêle silhouette, mais il n'en fit rien. Une fois suffisamment proche de lui, Angela glissa une main au sommet de son crâne pour caresser son pelage noir et rêche.

La créature était immense, plus imposante encore qu'un grizzly. Elle paraissait pourtant bien plus agile, perchée sur ses quatre pattes fléchies, semblant prête à bondir à tout instant. Son museau allongé laissait apparaître d'énormes crocs entre lesquels coulaient de fins filets de bave. Ses yeux étaient deux billes à l'éclat d'un jaune presque doré qui fixaient le détective avec appétit.

Toutefois, le plus impressionnant demeurait les immenses bois qui s'élevaient au sommet de son crâne. Semblables à deux épaisses branches qui s'élançaient dans les airs comme une toile d'araignée prête à piéger sa proie, ces armes mortelles étaient certainement capables d'étriper un être humain à elles seules.

— Vous voyez ? lança Angela sans arrêter de caresser la tête du wendigo. Bobby ne me ferait jamais de mal.

La créature poussa une espèce de ronronnement en appuyant un peu plus sa tête contre la main délicate de la femme. Will n'aurait jamais imaginé qu'il était possible de domestiquer un wendigo, mais de toute évidence, Angela y était parvenue. Néanmoins, il savait avec certitude qu'à la moindre contrariété, ou si sa maîtresse baissait la garde un seul instant, il la tuerait et la dévorerait sans ménagement.

— Angela, vous devez me croire quand je vous dis que les wendigos sont des créatures extrêmement dangereuses.

— Bob n'est *pas* une créature, siffla-t-elle, entraînant un grondement hargneux de la bête envers Will.

Un frisson parcourut le détective. Il voyait bien que l'animal était impatient de le dévorer, et s'il voulait avoir un quelconque espoir de survie, il allait devoir gagner du temps et croiser les doigts pour que ses collègues les retrouvent rapidement.

— Nous pouvons prendre soin de lui, mentit le détective. Lui trouver une place où il sera en sécurité, où il ne manquera de rien.

Will savait qu'il lui était impossible de faire une telle promesse. Lorsque les autorités découvraient l'existence d'êtres surnaturels, elles recevaient l'ordre de détruire toute preuve de leur existence et d'inventer des explications rationnelles à leurs méfaits. C'était ce que les initiés appelaient familièrement l'Ordre 66, en référence à la saga Star Wars. Si la police découvrait le wendigo, il serait abattu et incinéré sur-le-champ.

— La seule place de Bobby, c'est à mes côtés, répliqua Angela.

— Combien d'autres morts faudra-t-il avant que vous vous rendiez à l'évidence ? intervint Tom d'une voix nerveuse.

Angela, Robert a déjà tué trop d'innocents. Vous êtes la seule à pouvoir mettre fin à ce massacre. Votre mari n'est pas un assassin, il voudrait que vous fassiez ce qui est le mieux pour tout le monde. Il voudrait vous libérer du poids de cette souffrance.

Les propos du shérif adjoint semblèrent la toucher. Une lueur de tristesse voila son regard lorsqu'elle se tourna vers la créature. Angela semblait à bout de force, épuisée par tous les sacrifices qu'elle avait faits en refusant la mort de son mari.

— Laissez-nous vous aider, ajouta Will d'une voix compatissante. Je vous en prie.

Lorsque leur ravisseuse se tourna vers lui, il remarqua les quelques larmes qui coulaient le long de ses joues.

— Vous me promettez que vous ne lui ferez aucun mal ?

Will sentit ses muscles se crisper. Il n'avait aucune envie de lui mentir, mais elle n'était pas en mesure d'entendre la vérité. S'il voulait garder un espoir de sortir d'ici vivant, il n'avait pas le choix.

— Je vous le promets.

— Et que je pourrai rester avec lui ?

— Absolument, mentit une nouvelle fois le détective.

Dans un mouvement las, Angela baissa la tête et glissa sa main dans la poche de son tablier. Elle en sortit un trousseau de clés puis s'approcha de Will d'un pas lourd. Bien que soulagé, Will ne pouvait pas ignorer la créature qui continuait de le scruter avec envie et gourmandise, à quelques mètres seulement de l'arbre où il était attaché.

— Vous faites le bon choix, murmura-t-il lorsqu'elle se pencha vers lui pour ouvrir les menottes qui le retenaient prisonnier.

Angela ne répondit rien. Son regard était vide et ses gestes semblaient presque automatiques. Elle s'éloigna de lui pour défaire les liens de Tom, le laissant se libérer seul de la corde attachée à sa taille.

Will se releva difficilement en s'appuyant contre l'arbre, manquant de tomber à la renverse lorsqu'une douleur terrible lui parcourut le crâne. En passant une main dans ses cheveux, il sentit l'imposante bosse imbibée de sang au sommet de se tête. Angela n'y était pas allée de main morte lorsqu'elle l'avait frappé avec la poêle.

Tandis que Tom se libérait à son tour de ses liens, Will observa la créature qui se tenait à quelques mètres de là. Derrière son regard féroce et sa mâchoire sanguinaire, le wendigo semblait posséder un contrôle impressionnant de ses instincts primaires. Toutes les fibres de son corps semblaient prêtes à se jeter sur les trois humains face à lui, mais il n'en fit rien. Il resta immobile sur ses quatre pattes, ses babines vibrant légèrement à chaque geste un peu trop vif de l'un d'entre eux.

— Et maintenant ? demanda Angela. Qu'est-ce qu'on fait ?

Will était libre. Il leur suffisait d'attendre les renforts et de laisser ses collègues abattre le wendigo. Pourtant, en observant la créature face à lui, il se dit qu'il y avait peut-être une alternative. L'équipe de la BAP connaissait un nombre incalculable de férus de surnaturel. Peut-être que parmi eux, il existait un éleveur ou un soigneur suffisamment déterminé pour recueillir le wendigo et lui laisser la vie sauve. C'était une hypothèse totalement invraisemblable, presque aussi invraisemblable que de parvenir à dresser un tel animal. Et pourtant, Angela y était parvenue.

Alors, peut-être qu'on peut y arriver, nous aussi.

Armé de son optimisme hors du commun, Will adressa un sourire à Angela en répondant :

— Il faut déjà qu'on le ramène jusqu'à chez…

— Will !

Le cri résonna au loin, et immédiatement, le wendigo se cambra en poussant un grognement féroce. C'était la voix de Connor. Will se retourna et vit des lumières rayonner entre les arbres dans la pénombre de la nuit. Leurs amis les avaient pistés, et n'étaient plus qu'à une cinquantaine de mètres à présent.

— Qu'est-ce qu'ils font là ? l'interrogea Angela d'une voix crispée, tandis que les appels résonnaient toujours au loin.

— Je n'en ai aucune idée, lui répondit Will.

— Ils sont venus tuer Bobby, pas vrai ? se tendit-elle un peu plus. Vous m'avez piégée.

— Non, Angela. Je vous promets qu'on ne vous a pas…

— Taisez-vous ! s'emporta-t-elle. Je n'aurais jamais dû vous libérer. Vous êtes comme tous les autres.

Un voile de déception couvrit son regard. Elle avait vraiment espéré que Will pouvait lui venir en aide, mais à présent, elle n'y croyait plus.

— Angela, je vous en prie, écoutez, tenta-t-il de négocier en tendant ses bras tremblants devant lui. Je peux aller leur parler, leur expliquer notre plan et trouver une issue à cette situation. Il suffit que vous me fassiez confiance.

À côté d'elle, le wendigo avait désormais les babines retroussées, et sa position laissait supposer qu'il pourrait leur sauter dessus d'un instant à l'autre.

— Je ne peux faire confiance à personne, répondit Angela en secouant la tête. Je vais devoir protéger Bobby moi-même.

Elle glissa une main tremblante dans la poche de son tablier pour en sortir un objet que Will eut du mal à discerner dans l'obscurité. Ce ne fut que lorsqu'elle le pointa dans sa direction en le tenant fermement des deux mains qu'il comprit qu'il s'agissait d'un revolver. Et à en juger par la grimace sur le visage de Tom lorsqu'il passa une main à sa ceinture, il s'agissait de celui du shérif adjoint.

— Bobby, fuis, souffla Angela. Je ne les laisserai pas te tuer.

La bête sembla hésiter, son regard ambré passant des deux hommes à celle qui fut son épouse dans une autre vie.

— Va-t'en ! gronda-t-elle d'une voix qui sembla résonner dans toute la forêt.

Cette fois, la créature n'hésita pas et partit en arrière, filant entre les pins sans faire le moindre bruit.

Angela, quant à elle, avait toujours son arme pointée sur Will.

— Je suis désolée, confessa-t-elle sans le quitter des yeux. Si vous aviez connu le véritable amour, vous comprendriez pourquoi je fais tout ça.

Les jambes tremblantes, Will ferma les paupières pour ne pas la voir appuyer sur la détente. Alors qu'il vivait visiblement les dernières secondes de son existence, il se rendit compte qu'il avait déjà connu l'amour. Un amour irrationnel pour lequel il avait été prêt à tout, même à défier la mort elle-même. Un amour qui avait fait scintiller la flamme de son existence, mais qui l'avait aussi totalement consumée. L'amour qu'il éprouvait pour sa mère.

Il ferma les poings et imagina son doux visage. Ses boucles blondes qui retombaient sur son visage lorsqu'elle jardinait. Son rire quand elle regardait une comédie stupide à la télé. Sa voix lorsqu'elle chantait à tue-tête les tubes d'Aretha Franklin en préparant les lasagnes du dîner.

Il vit sa mère devant lui, et il savait qu'elle serait là pour l'accueillir dans la mort, comme elle avait toujours été là pour l'accompagner dans la vie.

Un sentiment de paix intérieure s'empara de Will. Il prit une grande inspiration, étira ses lèvres dans un léger sourire et…

PAN !

Chapitre 37

Après avoir récupéré les fusils chargés de balles en argent, ainsi que des lampes torches, dans le véhicule du shérif Peterson, le quatuor s'était engagé dans la forêt à la recherche de Will et Tom.

Cela faisait à présent vingt minutes qu'ils s'étaient élancés à travers les immenses pins, la sangle de leur fusil sous le bras, tentant désespérément de retrouver les deux hommes. Alicia se maudissait de ne pas avoir pris une paire de gants, tant le bout de ses doigts engourdis la faisait souffrir. Pour ne rien arranger, ses chaussures avaient commencé à prendre l'humidité, rendant sa progression de plus en plus insupportable. Toutefois, elle se contenta de serrer les dents et de poursuivre son chemin, car elle savait que l'enjeu était bien trop grand pour se soucier de ce genre de détails. Ils devaient s'assurer que leurs deux collègues étaient sains et saufs.

À quelques mètres devant elle, Peterson décolla son téléphone de son oreille pour le glisser dans sa poche.

— Toujours aucune nouvelle du côté d'Anna, les informa-t-il. Elle les a appelés plusieurs fois, mais ils ne répondent pas. Elle tente d'obtenir leurs coordonnées GPS, et me rappellera dès qu'elle en saura plus.

Angela prit une grande inspiration tremblante. Elle connaissait Will, elle savait qu'il donnait toujours des nouvelles et qu'il répondait au téléphone en toutes circonstances. S'il était injoignable, cela n'augurait rien de bon.

— Eh, l'interpella Connor sur sa gauche. Ça va bien se passer. Will est débrouillard. Qu'importe la galère dans laquelle il s'est fourré, il saura s'en sortir.

Alicia se demanda s'il tentait de la rassurer ou s'il essayait de se convaincre lui-même que tout irait bien. Dans les deux cas, cela ne fonctionnait pas vraiment. Alicia ne serait rassurée qu'en retrouvant son ami sain et sauf. Quant à Connor, à en juger par le sourire crispé qu'il lui adressait, il était lui aussi dévoré par l'inquiétude.

— C'est vrai, il est débrouillard, se contenta-t-elle de répéter d'une voix peu convaincue.

Elle ne voulait pas étaler son pessimisme à la face de ses collègues, préférant se concentrer sur ses pas pour faire taire ses craintes. Il faisait de plus en plus sombre dans la forêt, et malgré les lampes torches qu'ils avaient tous allumées, la progression entre les pins s'avérait plus difficile qu'elle ne l'avait imaginé. David avait déjà manqué de perdre l'équilibre à trois reprises, tandis qu'elle comptabilisait deux débuts de chutes à son actif. Même Peterson avait failli se tordre la cheville sur une racine.

Observant le sol devant elle, Alicia tentait au mieux de chasser les images du cadavre déchiqueté de Will, l'odeur de ses entrailles dévorées par le wendigo, le son de ses cris d'agonie.

Tout va bien se passer. Tout va bien se passer.

Depuis leur départ de Denver, Alicia avait eu l'impression de perdre pied. Dans son couple, dans son quotidien, dans ses choix. Elle ne pouvait pas perdre son ami, elle ne supporterait pas un tel choc. Will était comme un frère pour elle. Il était son confident, celui qui l'avait aidée à y voir plus clair dans sa relation avec Connor, qui avait fait taire ses doutes lorsqu'elle était tombée amoureuse de Philip. Will était sa boussole, elle ne pouvait pas se passer de lui.

Elle se rendit compte des tremblements qui agitaient ses mains en voyant le faisceau lumineux de sa lampe torche s'agiter dans l'obscurité. Ce ne fut que dans un second temps qu'elle sentit la goutte salée glisser au coin de ses lèvres.

Elle pleurait.

Tout va bien se passer. Tout va bien se passer.

— Arrêtez-vous, gronda soudain Peterson.

Il pointa la lumière de sa torche sur le tronc d'un arbre à sa droite. David l'imita et s'approcha de la marque creusée dans l'écorce. Quatre lignes parallèles tracées sur une vingtaine de centimètres. Aucun doute possible, il s'agissait de traces de griffes. Et à en juger par leur taille, elles ne pouvaient appartenir qu'à une seule créature : le wendigo.

Peterson pointa sa lampe torche vers les troncs alentours.

— Il y en a d'autres, les informa-t-il en orientant la lumière vers différentes marques semblables.

— On est sur son territoire, ajouta David en se retournant vers les deux autres détectives.

— Alors, si notre hypothèse est juste, Will et Tom ne sont pas loin ? l'interrogea Alicia.

— Oui, mais on ne peut pas simplement se mettre à cri…

— Will ! hurla Connor à pleins poumons.

Du coin de l'œil, Alicia vit son patron lever les yeux au ciel pour soutenir le soupir exaspéré du shérif Peterson.

Néanmoins, elle remarqua aussi un sourire en coin qui courbait légèrement les lèvres de David.

— Will, vous êtes là ? insista Connor. Tom ! Will !

— Faites-le taire, bon sang ! grogna Peterson, agacé.

Sans que David ait besoin de lui dire quoi que ce soit, Connor se tut et observa les environs à la recherche du moindre signe de vie. Alicia fit de même, scrutant l'obscurité en quête du moindre mouvement, de la moindre lumière, du moindre…

— Taisez-vous ! lança une voix féminine étouffée à quelques dizaines de mètres sur sa gauche.

Immédiatement, la détective fit volte-face et remarqua deux silhouettes masculines dans l'ombre. Will et Tom. Une vague de chaleur s'abattit sur sa poitrine. Son ami était en vie.

— Là-bas, murmura Alicia à ses collègues en pointant le doigt vers les deux hommes.

Sans attendre, les détectives et le shérif s'avancèrent. Tous éteignirent leurs lampes torches et préparèrent leurs armes. Connor, Alicia et David tenaient chacun un fusil chargé de balles en argent. Le directeur de la BAP en avait proposé un à Peterson, mais celui-ci avait rétorqué qu'il préférait largement garder son propre pistolet et ses bonnes vieilles balles en plomb. Certes, Jeffrey tolérait leur présence et leurs méthodes peu conventionnelles, mais il restait toujours sceptique face à l'aspect surnaturel de la menace qui rôdait dans ses bois. Alors qu'ils n'étaient plus qu'à une dizaine de mètres de Will et Tom, le shérif allait peut-être enfin découvrir de ses propres yeux la créature qui arpentait sa forêt.

— Va-t'en ! cria la voix d'Angela, camouflée derrière les fourrées.

Malgré ses doigts engourdis, Alicia leva son arme en direction du timbre tendu de la secrétaire médicale. Elle se savait capable de l'abattre si celle-ci menaçait ses proches.

Sans un mot, les trois détectives et le shérif s'écartèrent l'un de l'autre pour couvrir une zone aussi large que possible. Sur sa gauche, la jeune femme crut voir une ombre immense filer au loin. Était-ce le wendigo ? Si c'était le cas, elle avait clairement sous-estimé l'importance de la menace. Elle jeta un œil au fusil qu'elle empoignait fermement. Il n'allait peut-être pas suffire à éliminer la créature, finalement.

Tandis qu'Alicia se rapprochait peu à peu de Will, dont elle distinguait désormais nettement la silhouette de dos, la voix étouffée d'Angela marmonna quelque chose que la détective ne comprit pas. Elle perçut pourtant une tristesse dans sa voix, une fragilité qui ne correspondait pas à l'image de tueuse cruelle qu'elle s'en était faite.

Avançant d'un pas de plus, Alicia sentit une branche craquer sous son pied. Elle grimaça, craignant d'être repérée, et baissa le regard vers le bout de bois responsable.

Foutu morceau de…

Un flash éclata devant ses yeux, et une détonation glaçante fendit l'air. Elle sentit le sol vibrer sous l'effet d'un poids lourd s'écroulant à quelques mètres d'elle. Un corps ? Mais qui ? Son cœur s'emballa tandis que les événements s'enchaînaient autour d'elle. Peterson se précipita hors de sa planque en pointant son arme devant lui, bientôt rejoint par David et Connor. Abasourdie, Alicia secoua vivement la tête pour se remettre les idées en place avant d'imiter les trois hommes. Une branche du buisson par-dessus lequel elle sauta lui érafla la jambe, mais elle se fichait bien de la douleur brûlante qui lui parcourait la cuisse. Pour l'instant, elle n'avait qu'une idée en tête : comprendre ce qui venait de se passer.

La première chose qu'elle vit en sortant du buisson fut Angela Ford, l'arme pointée droit devant elle, l'air hagard sous sa chevelure brune en bataille.

— Baisse ton arme, Angela, lui lança Peterson d'une voix menaçante.

Celle-ci tourna un regard hébété vers le shérif mais ne bougea pas d'un centimètre. Elle était clairement sous le choc.

Profitant de ce moment de flottement, Alicia parcourut la zone du regard. À quelques mètres d'elle, les corps immobiles de Will et Tom étaient étendus sur le sol.

Oh non ! Will !

Connor, quelques mètres derrière les deux hommes, découvrit avec horreur la même vision que son amie. Une rage froide voila son regard, et il plaqua la crosse de son fusil contre son épaule en s'avançant d'un pas déterminé vers la femme.

— Baissez votre arme, Angela, ou je vous abats sur-le-champ ! la menaça-t-il.

Agacé, Peterson ouvrit la bouche pour protester contre les menaces du détective, mais Connor ne lui en laissa pas le temps, relançant :

— Baissez ce flingue, Angela !

Cette dernière sembla finalement sortir de sa torpeur. Sa tête se redressa d'un coup pour faire face à Connor, et elle laissa tomber son bras le long de son corps avant de lâcher le revolver, qui s'écrasa au sol dans un craquement de feuilles mortes. Rapidement, Connor et Peterson filèrent dans sa direction pour la mettre hors d'état de nuire.

Alicia, quant à elle, lâcha son fusil et courut en direction de Will, se laissant tomber à genoux auprès de lui. Le corps de Tom reposait sur le sien, comme s'il l'avait poussé par terre. Alicia retourna délicatement le shérif adjoint, qui heurta le sol dans un bruit sourd malgré toute la douceur de son geste.

Les paupières fermées de Tom s'agitèrent, et il poussa un grognement de douleur. Il souffrait, mais au moins, il était en vie.

Légèrement rassurée, Alicia se concentra rapidement sur Will. Il ne bougeait pas, et semblait inconscient. Après avoir balayé son corps du regard, la détective ne remarqua pas de blessures visibles.

— Will ? Tu m'entends ? l'interrogea-t-elle. Will ?

Son ami ne réagit pas.

Elle remarqua alors une trace noire sous sa tête. Elle se saisit de sa lampe torche et l'alluma pour la pointer vers la marque suspecte. Du sang imbibait le lit de feuilles mortes. Alicia glissa sa lampe torche dans sa bouche et mordit dedans pour la caler entre ses dents tout en soulevant délicatement la tête de Will. Elle découvrit alors une pierre pas plus grosse qu'un poing derrière le crâne du jeune homme. Elle était couverte d'une tache de sang brune. Alicia se saisit de la pierre pour la déposer plus loin.

Lorsqu'elle reposa la tête de son ami contre le lit de feuilles, celui-ci grogna en battant lentement les paupières.

— Will ? réagit-elle d'une voix remplie d'espoir

Celui-ci lui répondit par un grognement endormi.

Il va bien, se rassura-t-elle. *Il est juste blessé. Tout va bien se passer.*

Elle referma ses mains tremblantes et releva les yeux devant elle pour balayer son regard sur l'écorce des arbres. Après quelques secondes, elle repéra ce qu'elle avait espéré y trouver et poussa un soupir de soulagement. Un impact de balle était creusé dans l'un des troncs. En plaquant Will au sol, Tom lui avait certainement sauvé la vie.

— Le… wendigo… commença le détective d'un souffle traînant, attirant de nouveau l'attention d'Alicia. Vous… l'avez eu ?

Au même moment, un hurlement grave résonna dans l'obscurité autour d'eux. Il semblait venir de partout à la fois, et cela ne pouvait vouloir dire qu'une seule chose.

Le wendigo était tout près.

Chapitre 38

Le cri grave et profond de la bête résonna dans la nuit tout autour d'eux. Connor, le genou appuyé dans le dos de la secrétaire médicale plaquée au sol, releva les yeux pour parcourir la zone du regard. L'écho se répercuta de tous les côtés, l'empêchant de déterminer avec précision où se trouvait la créature, et l'obscurité qui s'était installée dans les bois ne l'aidait pas le moins du monde. Alors, il chercha un signe, n'importe lequel. Un mouvement dans la nuit, l'étincelle fugace d'un regard bestial entre deux pins, un craquement au sol. Mais il ne vit rien de plus que le bruissement naturel des feuilles et l'air frais qui balayait les lieux.

— Laissez-moi faire, l'implora Angela.

Après qu'elle eut relâché son arme, Peterson et le détective s'étaient chargés de plaquer la veuve au sol, les mains dans le dos, pour l'empêcher de menacer qui que ce soit d'autre. Cette femme était bien trop instable pour qu'ils puissent lui faire confiance.

— Faites ce qu'elle dit, la soutint Tom, qui se redressa sur le tapis de feuilles mortes où il gisait encore quelques secondes auparavant, quand Connor l'avait cru mort. Elle peut raisonner le wendigo, je l'ai vue faire.

Le shérif adjoint tenta de se relever, chancelant avant de trouver un équilibre précaire. Inquiet pour lui, Connor scruta son corps de bas en haut. Hormis quelques traces de terre sur sa chemise grise, il ne remarqua rien d'anormal. À première vue, le policier ne saignait pas. C'était une excellente nouvelle que tenait à savourer Connor.

Il n'eut cependant pas vraiment le temps de le faire, puisqu'un grognement féroce résonna entre les arbres. Cette fois, Connor fut capable d'en percevoir plus distinctement l'origine. La créature était quelque part sur sa gauche, tapie derrière d'épais buissons. Elle pouvait jaillir à tout moment et les tuer l'un après l'autre à grands coups de ses énormes griffes tranchantes.

— Connor, souffla Tom. Fais-moi confiance.

Le détective plongea son regard dans celui du policier. Il avait envie de le croire. Depuis le début de l'enquête, le lien qui les unissait dépassait celui d'une simple relation de travail, ou même d'une amitié naissante. Et si Tom était incapable de s'en apercevoir – ou n'était pas prêt à l'admettre – ce n'était pas le cas de Connor. Il était lassé de taire son affection naissante pour Tom, de craindre ce lien qui se tissait entre eux.

Alors, malgré son instinct et malgré sa peur qu'elle ne sorte un nouveau revolver pour attaquer l'une des personnes qui comptaient le plus à ses yeux, Connor relâcha sa pression dans le dos d'Angela. Sans attendre, celle-ci se leva d'un bond et inspecta les alentours.

— Bobby, tu es là ? implora-t-elle d'une voix tremblante. J'ai besoin que tu te calmes, ils ne te veulent aucun mal.

Connor fronça les sourcils. Évidemment qu'il lui voulait du mal. Il n'y avait rien qu'il désirait plus au monde que d'abattre ce monstre qui avait tué tous ces innocents. Néanmoins, il préféra taire ce qu'il pensait réellement et laisser faire Angela.

Après un silence au cours duquel tout le monde parut retenir son souffle, elle retenta :

— Bobby, je t'en prie.

Cette fois, la créature poussa un grognement. Il était bien moins rauque et agressif que le précédent, presque doux. Et surtout, Connor en détermina aisément l'origine. Il provenait d'une ronce épaisse derrière laquelle se camouflait le wendigo. Celui-ci s'avança de quelques pas, permettant au détective de discerner ses larges bois qui balayaient les branches au-dessus de sa tête, ainsi que son épais manteau de fourrure, et son regard perçant à travers le feuillage de plus en plus mince du buisson.

Connor resserra sa prise autour de son fusil, tenté de le lever pour abattre le wendigo une bonne fois pour toutes. Pourtant, alors qu'Angela s'approchait de plus en plus, la créature continua de grogner lentement, réduisant à son tour la distance qui les séparait. C'était presque un ronronnement de chat, un son régulier et paisible.

À la gauche de Connor, le shérif poussa un juron en écarquillant les yeux dans une expression aussi stupéfaite que terrifiée. L'homme n'était jamais parvenu à croire les membres de la BAP lorsqu'ils affirmaient que les créatures surnaturelles existaient bel et bien. Cette fois, il ne pouvait plus nier l'existence de cette bête plus grande qu'un ours brun, aux longs bois solides comme de la roche et aux griffes aiguisées encore tachées du sang des malheureuses bêtes sauvages qui avaient croisé sa route.

Alors que le shérif commençait à lever son fusil vers le wendigo, Connor posa lentement la main sur le canon de l'arme pour l'en empêcher. En plus de risquer d'énerver la créature, les cartouches classiques qu'elle contenait ne pouvaient rien contre leur adversaire. S'ils comptaient fendre la chair du wendigo, ils allaient avoir besoin de balles en argent.

Sans remarquer les gestes de Connor et Peterson, Angela leva lentement le bras en direction de la bête qui fut autrefois son époux. Lorsque le bout de ses doigts vint caresser son épais manteau de fourrure, Connor sentit un frisson glacial remonter dans son dos. Pourtant, le wendigo se laissa faire sans opposer la moindre résistance.

— Il faut que tu me suives, Bobby, lui demanda-t-elle dans un souffle que Connor entendit à peine. Ils ne te feront aucun mal.

Cette fois, le grognement de la créature se fit plus sévère, et un bruit de craquement de feuilles résonna sous son poids. Connor vit les griffes du wendigo s'extraire lentement de ses deux pattes avant. Déployées, elles devaient bien mesurer trente centimètres et semblaient aussi tranchantes que des lames de rasoir. Il leva légèrement son fusil, prêt à faire feu au moindre geste brusque du wendigo. D'un coup d'œil à sa gauche, il s'assura que Peterson ne bougeait pas, mais le shérif semblait captivé par l'interaction qui se déroulait sous ses yeux.

— Tout va bien, mon chéri, murmura Angela en faisant glisser sa main sur la mâchoire de la créature dans une caresse délicate. Ils vont te mettre en sécurité.

Connor eut tout juste le temps de remarquer la lueur de rage dans les yeux jaunes de la bête avant que celle-ci ne lève une patte, assénant un coup violent sur le visage d'Angela. Le détective pointa immédiatement son fusil vers le wendigo, rapidement imité par David et le shérif Peterson.

— Bo… Bobby… marmonna Angela d'une voix étouffée avant de s'effondrer au sol.

Avachi sur le tapis de feuilles et de mousse, le corps sans vie de la secrétaire médicale se couvrit du sang qui s'échappait abondamment de son visage méconnaissable. Trois profondes entailles lui parcouraient la figure de part en part. Sur la trajectoire de l'une d'elles, son œil droit avait été tranché en deux et sortait de son orbite. Ses lèvres étaient fendues, et même sa mâchoire semblait s'être détachée de son crâne. D'abondantes giclées de sang jaillaissaient encore de sa carotide pour se répandre sur le tapis sombre des bois.

— Démon !

Le hurlement de Peterson résonna comme un coup de tonnerre, et le wendigo détourna immédiatement son regard affamé du corps de sa victime pour se tourner vers le shérif. Plus enragé que jamais, ce dernier fit quelques pas en direction de la bête pour faire feu sur celle-ci.

Le premier coup fit tout juste sursauter le wendigo, qui encaissa les éclats de plomb sans sourciller.

— Celle-là, c'est pour Stanley et Dwight !

Le deuxième tir sembla l'agacer.

— Celle-ci, pour Tobey !

Au troisième coup, les babines de l'animal se retroussèrent et ses yeux se plissèrent face à son assaillant, qui ne cessait de réduire l'écart entre eux.

— Pour Kenny !

Le quatrième coup heurta l'une des dents de la créature, la déstabilisant un court instant, mais elle fut remise du choc lorsque la cinquième balle la frappa au col sans lui infliger la moindre blessure.

— Crève, suppôt de Satan ! proféra Peterson en continuant d'appuyer sur la détente malgré le fait que son chargeur soit désormais vide.

— Jeff, qu'est-ce que tu fous ? s'exclama Tom, prêt à bondir pour voler au secours de son supérieur. Reviens par ici, merde !

Mais Connor savait que la bête était bien plus rapide qu'eux. Alors, sans se laisser le temps d'établir une stratégie d'attaque, il appuya sur sa détente. Dans un bruit sourd, la balle en argent s'échappa de l'arme pour s'enfoncer dans le creux de l'oreille du wendigo et ressortir à l'arrière de sa nuque. Le choc fit vaciller la bête en arrière dans un hurlement de douleur terrible. Sans attendre une seconde de plus, Tom se précipita en direction de Peterson pour l'éloigner de la bête.

Lorsque Tom repoussa le shérif et que la créature se jeta dans leur direction, Connor eut l'impression que le temps se mit à défiler au ralenti. L'ombre du wendigo se dressa au-dessus de Peterson et son adjoint, l'éclat de la lune se reflétant dans les griffes acérées du monstre pointées droit sur le visage de Tom. Ce si beau visage, aussi intrigant qu'insondable, que Connor mourait d'envie de caresser avec désir et affection. Ce visage dont il avait rêvé la nuit précédente sans oser l'avouer à qui que ce soit. Ces lèvres qu'il aurait tant aimé embrasser. Ces yeux qui lui promettaient monts et merveilles.

Le temps reprit sa course, et la patte du wendigo vint s'abattre de tout son poids sur la tête de Tom, qui fit quelques pas titubants vers l'arrière, le visage trempé de sang écarlate. Comme si cela ne suffisait pas, la créature baissa la tête pour lui asséner un coup violent avec ses bois, le propulsant au pied d'un arbre voisin, puis se tourna vers Peterson, sa véritable proie.

Un coup de feu résonna, et une balle transperça le dos de la bête. Celle-ci fit volte-face en direction de David, qui tira une deuxième balle, la dernière de son magasin, qui atteignit cette fois la bête en pleine poitrine. Le monstre poussa un cri de douleur mêlée à une rage sans équivoque, mais elle était loin d'être à l'agonie.

À son tour, Connor leva son fusil. Il savait qu'il ne lui restait plus qu'une balle. Il avait vu Alicia lâcher son arme lorsqu'elle avait accouru vers Will, et d'un regard rapide en direction de son amie tétanisée d'effroi, il comprit qu'elle ne l'avait pas récupérée. Dans l'obscurité environnante et dans leur situation chaotique, elle ne parviendrait jamais à remettre la main sur son arme à temps. Cette balle représentait donc leur dernier espoir, leur seule chance de venir à bout du wendigo.

Plus déterminé que jamais, Connor s'exclama d'une voix puissante :

— Eh, Bobby !

La créature se détourna de David pour se concentrer sur le jeune détective. Leurs regards se croisèrent, et un frisson d'effroi remonta dans le dos de Connor. Il avait vu bien des horreurs au cours de ses années à la BAP : des enfants possédés par des entités démoniaques à la cruauté sans limites, des esprits assoiffés de vengeance, ou des créatures plus hideuses les unes que les autres. Mais ce qu'il vit dans le regard du wendigo fut totalement nouveau pour lui : une bestialité brute. Une soif de chair et de sang insatiable.

Pourtant, malgré la terreur que lui inspirait la bête, il n'appuya pas immédiatement sur la détente. Une dizaine de mètres les séparait, et s'il voulait être certain d'abattre sa cible, il devait faire en sorte qu'elle se rapproche. Alors, malgré le tremblement de ses mains, il resta immobile devant la bête qui le toisait, un large filet de bave dégoulinant au coin de ses babines retroussées.

— Viens me chercher, murmura Connor, inflexible.

Il ne parvint pas à savoir combien de temps s'était écoulé avant que la créature ne daigne enfin bouger, mais l'attente lui parut durer une éternité, durant laquelle les battements frénétiques de son cœur s'étaient mêlés au son délicat de la brise qui soufflait dans la pinède. La sensation de moiteur de sa chemise contre sa peau s'ajoutait désormais à la sueur qui perlait sur son front.

Le temps reprit finalement sa course lorsque les pattes du wendigo s'enfoncèrent dans le sol, impulsant un mouvement rapide en direction de sa proie. En un instant, la bête fut dans les airs, bondissant sur Connor, toutes griffes dehors.

Pas encore.

La gueule du wendigo s'ouvrit, dévoilant ses dents pointues et sa langue baveuse.

Pas encore.

Il pouvait presque sentir la chaleur qui émanait du corps de la bête à présent.

Maintenant !

Son doigt enfonça vigoureusement la détente et une déflagration envoya une balle au fond de la gueule du wendigo. Sans attendre de voir s'il avait achevé sa cible, Connor se détourna, évitant de justesse l'énorme masse qui s'écrasa sur le sol terreux où il s'était tenu l'instant d'avant.

Sous le choc, Connor fut incapable de lâcher son arme. Il ne voyait plus rien du monde qui l'entourait, hypnotisé par le sifflement dans ses oreilles et la vue du canon fumant de son fusil. Des voix résonnèrent autour de lui, mais il ne parvenait pas à discerner ce qu'elles disaient. Des corps s'agitaient, faisant de grands gestes et filant dans toutes les directions.

Une voix se détacha des autres, plus douce et posée. Une voix féminine.

— Connor, souffla Alicia. Tu as réussi, Connor. Tu nous as sauvés.

Sauvés… Alicia, sauvée. Will, sauvé. David, sauvé. Tom…

Tom !

Écarquillant les yeux, Connor balaya les environs du regard. À quelques mètres de là, sur sa gauche, David était accroupi auprès du shérif Peterson, adossé contre un large tronc. Will, quant à lui, était à genoux auprès d'un corps immobile.

Le corps de Tom.

— Non, marmonna Connor avant de filer en direction des deux hommes.

Lorsqu'il arriva à leur niveau, il remarqua la main de son ami posé sur le torse du shérif adjoint.

— Tout va bien se passer, ne t'en fais pas, souffla Will à la victime d'une voix rassurante.

S'il lui parlait, cela ne pouvait signifier qu'une chose : Tom était vivant. Il respirait. Il était même sûrement conscient. Animé d'un espoir nouveau, Connor se laissa tomber auprès de celui qu'il avait cru mort. Lorsqu'il baissa les yeux sur le visage qu'il affectionnait tant, une grimace d'horreur déforma pourtant ses traits.

La figure tuméfiée et ensanglantée du policier n'avait rien à voir avec l'apparence que Connor lui connaissait. Une impressionnante balafre descendait de son front jusqu'à la commissure de ses lèvres en traversant l'arête de son nez. La chair meurtrie n'était pourtant rien face à l'effroi qui se lisait dans les yeux de Tom. Par chance, ils étaient intacts, mais Connor y lisait une douleur accablante et une terreur paralysante.

— Je suis là, murmura-t-il en lui saisissant la main, comme s'il avait le pouvoir d'apaiser la souffrance du policier. Je m'occupe de toi, Tom.

Étonnamment, ces quelques mots semblèrent avoir l'effet espéré, puisque le regard terrifié de Tom s'apaisa légèrement. Alors, Connor continua de lui parler, de le rassurer, de le soutenir. Pendant de longues minutes, il n'arrêta pas. Il resta à ses côtés jusqu'à ce que deux ambulanciers viennent lui demander de s'éloigner.

Il recula, pourtant réticent à l'idée de détourner le regard des yeux ambrés de Tom. Malgré le sang et les plaies qui défiguraient le policier, ils restaient les plus belles choses qu'avait vues Connor.

Et il n'avait aucune envie de les perdre.

Chapitre 39

Lorsque les trois hommes en costume noir passèrent la porte du poste de police, Will consulta sa montre d'un œil curieux.

7h27, ils n'ont pas perdu de temps.

Prenant les devants, le détective s'approcha des nouveaux arrivants.

Le plus âgé, un type rasé de frais aux cheveux grisonnants et au regard perçant, tendit la main à Will en se présentant :

— Gregory Jones, CIA. Je suppose que vous êtes l'un des détectives ?

Il prononça le dernier mot avec une pointe de dédain manifeste. Will avait déjà eu affaire à la CIA sur de précédentes affaires, lorsque les preuves d'une présence surnaturelle étaient trop complexes à effacer et nécessitaient alors l'intervention du gouvernement. Dès qu'ils arrivaient, les agents se prenaient généralement pour les maîtres des lieux sans se soucier de qui que ce soit d'autre. Ils se fichaient bien que ce soit le shérif du coin, son adjoint et une bande de détectives de Denver qui avaient fait le sale boulot à leur place, ils embarquaient les preuves en déballant leur discours menaçant aux témoins de la manifestation surnaturelle.

« Si vous dévoilez quoi que ce soit au sujet des événements de cette nuit, nous vous ferons interner » … « Le gouvernement peut faire de votre

vie un enfer » … « Vous connaissez la zone 51 ? C'est des rigolos à côté de nous ».

Au bout de la douzième fois, leurs tentatives d'intimidation fonctionnaient beaucoup moins bien.

Alors, sans se laisser démonter, Will serra vigoureusement la main de l'agent face à lui en répondant :

— Will Arling, Brigade des Affaires Paranormales. Je suppose que vous voulez voir la dépouille.

Jones lui répondit par un simple hochement de tête. Ça n'avait pas l'air d'être un type très bavard.

Ce matin, Will n'était pas non plus d'humeur à discuter. Il se retourna donc pour traverser le poste de police, passant devant la salle de repos où Peterson buvait un café seul, le regard perdu dans des souvenirs qu'il aurait certainement préféré oublier. Il longea ensuite la salle de réunion qui avait servi de QG à l'équipe de détectives. À l'intérieur, David remplissait son carnet de notes en vue du compte-rendu qu'il rédigerait à leur retour à Denver. Alicia, quant à elle, tentait de rassurer Anna sur l'état de santé de Tom, que Connor avait rejoint à l'hôpital une heure plus tôt.

La jeune secrétaire tenait une tasse sur laquelle était imprimée la tête d'un carlin tirant la langue au-dessus d'une légende inscrite en rose qui disait « Chienne de vie ». Sans s'en apercevoir, Anna était sûrement celle qui avait sauvé la vie de Tom. Après avoir géolocalisé les téléphones de Will et du shérif adjoint, elle avait envoyé une patrouille de police et une ambulance au domicile d'Angela Ford. Si les secours n'étaient pas arrivés aussi vite, Tom se serait sûrement vidé de son sang dans ces bois sombres. Même s'il n'était pas encore sorti d'affaire, les médecins semblaient confiants sur ses chances de survie.

Après avoir traversé le poste de police, Will ouvrit la lourde porte en métal qui menait à l'arrière-cour du bâtiment. Un pick-up était garé face à lui, et un drap noir recouvrait la masse difforme installée à l'arrière du véhicule.

— C'est la créature ? demanda Jones d'une voix blanche.

La créature.

Will et ses collègues avaient utilisé tant de fois ce terme sans se poser de questions, mais maintenant que le wendigo gisait mort à l'arrière du véhicule de police, ce mot lui semblait tellement réducteur. Comme s'il s'agissait d'une manière de se distancier des horreurs commises par cet être maudit qui fut autrefois un homme. Un mari. Un citoyen apprécié. Celui qui avait autrefois répondu au nom de Robert Ford allait finir disséqué dans un laboratoire gouvernemental avant d'être réduit en cendres et jeté aux ordures comme un vulgaire tas de poussières. Quant à sa femme, ces mêmes agents allaient certainement trafiquer son rapport d'autopsie, et l'histoire de cette secrétaire médicale tuée par une bête sauvage ferait sûrement les gros titres de la presse locale avant de tomber dans l'oubli. Ni ses amis ni sa famille ne découvriraient jamais la vérité sur la mort d'Angela Ford. Et cette sombre histoire ne serait qu'un fait divers dont les gens du coin se souviendraient, accoudés au comptoir du *Sixties* en fin de soirée. Et si, par malheur, l'un des témoins ne parvenait pas à tenir sa langue, l'histoire du wendigo deviendrait une légende urbaine qui se transmettrait de génération en génération.

C'était toujours le cas lorsque la BAP résolvait une affaire. La vérité disparaissait aussi vite qu'elle était apparue.

Lassé d'attendre une réponse, Jones souleva le drap pour s'assurer qu'il s'agissait bien de la bête qu'il était venu chercher. La fourrure tachée de sang séché voleta sous la brise fraîche de novembre. Elle paraissait presque douce à présent. Parfaitement inoffensive.

— Ce sera tout. Merci, s'impatienta l'agent de la CIA en voyant que Will ne rebroussait pas chemin.

Le détective lui adressa un sourire poli et repartit en arrière, laissant la porte en métal se refermer derrière lui.

Il était temps pour lui de laisser la mort emporter les défunts, et de rejoindre les vivants. En tout cas, c'était ce qu'il faisait généralement. Mais certains deuils étaient plus durs à faire que les autres.

* *

Dès le lendemain matin, David décida qu'il était temps pour les membres de la BAP de reprendre la route de Denver. Leur mission à Lewistown était terminée et ils allaient devoir se tourner rapidement vers une nouvelle affaire. Ce n'était pas ce qui manquait. Depuis la naissance des réseaux sociaux, des témoignages d'événements paranormaux affluaient de tout le pays, et le surnaturel attirait de plus en plus de curieux. Il ne faudrait pas deux jours à leur directeur pour leur trouver un nouveau client, et bien vite, l'histoire du wendigo ne serait qu'un dossier parmi tant d'autres classés dans leurs archives. Parfois, Will repensait à des témoins comme Kenneth Dixon, et ce que le passage de la BAP dans leur vie avait changé à leur quotidien. Kenneth allait-il parvenir à faire son deuil grâce aux réponses apportées par les détectives ? S'accrocherait-il éternellement au souvenir de son fils, ou réussirait-il à refaire sa vie ? Will ne le saurait sûrement jamais, mais au fond de lui, il espérait avoir aidé tous ces gens qui avaient croisé sa route.

Sur le parking du motel, Will chargea la dernière valise dans le coffre de Christine lorsqu'il remarqua la voiture du shérif s'engageant sur l'aire de stationnement. Après un passage chez le garagiste du coin, le vieux pick-up avait presque retrouvé la vigueur de ses jeunes années. Les réparations, dont Will avait trouvé la facture dans la boîte à gants, allaient leur coûter un bras et certainement réduire à néant leurs chances de faire du bénéfice cette année encore. Mais, depuis la création de la Brigade, les comptes avaient toujours été dans le rouge. C'était presque devenu une habitude pour Will, le trésorier officieux du bureau, de trouver mille-et-une solutions pour éponger les dettes.

Malgré cela, il avait profité du trajet entre le garage et le motel pour négocier une dépense imprévue auprès de David. À sa grande surprise, le directeur n'avait pas mis très longtemps à se laisser convaincre par sa proposition. Il était passionné par son métier, et transmettre cet amour du surnaturel était essentiel à ses yeux.

Lorsque le moteur de la voiture du shérif Peterson se coupa et qu'Anna quitta le siège passager pour les rejoindre, Will fut bien incapable de contenir un sourire malicieux. Il espérait que sa surprise allait ravir la jeune secrétaire autant qu'il l'imaginait. Il avait discerné en elle un intérêt manifeste pour le surnaturel, et cette rencontre-là, il n'avait aucune envie de la laisser derrière lui.

— Prêts pour le départ ? lança-t-elle aux trois détectives face à elle.

Connor, toujours à l'hôpital au chevet de Tom, avait demandé quelques jours de congés à David pour rester auprès du shérif adjoint. Puisque David n'était pas aveugle, et avait remarqué – comme tout le monde – l'attirance naissante qui liait les deux hommes, son employé n'avait pas eu à lutter longtemps pour obtenir gain de cause. Que Connor soit prêt à faire passer sa vie sentimentale avant son travail relevait du miracle, et personne ne comptait lui mettre de bâtons dans les roues.

— Prêts ! répondit joyeusement David en refermant le coffre du pick-up.

Contrairement au soleil radieux qui rayonnait dans le ciel, le visage du shérif Peterson affichait une mine maussade lorsqu'il arriva auprès des détectives.

— Quelque chose ne va pas, shérif ? s'inquiéta le directeur de la BAP.

Baissant la tête en se frottant l'arrière de la nuque, il répondit d'une voix peu assurée qui ne lui ressemblait pas :

— Je tenais simplement à… m'excuser de vous avoir pris pour des charlatans. J'ai fait entrave à votre enquête, alors que vous tentiez seulement de nous venir en aide. Je suis… désolé.

La sincérité de Peterson toucha bien plus Will qu'il ne l'aurait cru. Le shérif n'était pas le premier à leur compliquer la tâche par son scepticisme, mais généralement, ces personnes-là ne venaient pas leur présenter d'excuses après avoir fait face à l'irréfutable. Certains trouvaient même le moyen de persévérer dans le déni, certainement par crainte d'un monde où l'existence des monstres cachés sous le lit ne relevait pas du simple cauchemar.

— Merci, shérif, répondit sobrement David en lui tendant la main.

Peterson la serra volontiers en laissant même paraître l'ombre d'un sourire au coin de ses lèvres.

— Si vous revenez un jour dans le Montana, je serai ravi de vous aider.

Les deux hommes échangèrent encore quelques banalités, rapidement rejoints par Alicia lorsqu'ils se mirent à parler d'itinéraires de randonnées dans la région. Will profita de cette opportunité pour s'approcher d'Anna et lui glisser à l'oreille :

— Je peux te parler deux minutes ?

La jeune femme acquiesça, et tous deux se rapprochèrent de la réception du motel. Anna s'arrêta devant les vitres qui entouraient la petite cabine.

— Tout va bien ? demanda-t-elle, ses mèches blondes voletant sous la brise légère.

— J'ai discuté avec David tout à l'heure, et… il est d'accord pour te proposer de rejoindre l'équipe de la BAP si tu en as envie.

Les yeux bleu azur de la jeune femme s'illuminèrent instantanément, et un large sourire courba ses lèvres fines.

— C'est pas vrai ? réagit-elle, stupéfaite. Je… Oui ! Oui, bien sûr.

Will tendit les bras devant lui pour calmer son emballement.

— Attends un peu, ce ne serait qu'un poste de secrétariat au départ.

— M'en fiche ! J'accepte.

— Vu qu'on ne roule pas sur l'or, tu serais payée au salaire minimum.

— Pas de souci.

— On n'a vraiment pas de gros moyens, et nos bureaux sont assez étroits, rien que pour nous quatre, alors avec toi en plus, ce sera peut-être un peu…

— Will ! le coupa fermement Anna. J'ai dit oui. Et tu pourrais bien me dire que je vais bosser dans un placard à balais au fond d'une cave, je dirais quand même oui.

— C'est vrai ? souffla Will, étonnamment soulagé.

— Il va juste me falloir un peu de temps pour organiser mon déménagement. Il faudra aussi convaincre mon oncle. Et annoncer ça à Jeff et Tom. Ils risquent d'être déçus. Oh, j'espère qu'ils ne m'en voudront pas trop.

— Anna ! l'interrompit à son tour Will. Ne t'en fais pas, on te laissera le temps qu'il te faudra.

Anna poussa un soupir de soulagement avant de retrouver son sourire radieux. Elle se redressa ensuite à la manière d'un soldat prêt à se mettre au garde-à-vous et tendit une main déterminée à Will en s'exclamant :

— Merci beaucoup, collègue.

Will ne put retenir un petit éclat de rire avant de lui tendre la main à son tour en répondant :

— Bienvenue dans l'équipe… collègue.

Chapitre 40

À chaque fois qu'elle rentrait d'une longue enquête loin de Denver, Alicia ressentait un sentiment étrange de nostalgie et de tristesse, comme certains pouvaient le ressentir en revenant de vacances ou d'un week-end à Disney World. L'euphorie de ces quelques jours d'évasion disparaissait au profit du quotidien et de sa routine morne. Mais dans son cas, ce n'étaient pas une plage de sable fin ou Mickey qui allaient lui manquer, mais l'extase et l'adrénaline de ces enquêtes dans un ailleurs si proche du sien, mais si différent. Elle avait trouvé un petit nom à ce phénomène, elle l'appelait le « blues du démon ».

Mais cette fois, le retour lui pesait un peu plus que les précédents, et un autre sentiment accompagnait le blues du démon : la crainte. Lorsque Will et David s'éloignèrent au volant du pick-up, la laissant seule avec ses valises devant l'entrée de son immeuble éclairée par les lampadaires, elle sentit un nœud se former au creux de son ventre.

Elle n'avait pas parlé à Philip depuis leur dernière discussion par téléphone, durant laquelle il lui avait demandé si elle souhaitait annuler leur mariage, et qu'elle n'avait pas su quoi répondre. Depuis, cette question ne cessait de hanter son esprit, mais elle n'y voyait toujours pas plus clair. Elle ne voulait pas faire attendre son fiancé éternellement, mais elle craignait de faire un choix qu'elle regretterait ensuite.

Après deux longues minutes passées devant le portail du bâtiment en briques rouges, elle se décida finalement à ramasser ses valises et à s'avancer dans ce lieu si familier. L'odeur de chili con carne qui l'accueillit dans le hall lui remit un peu de baume au cœur. C'était sûrement madame Diaz, au rez-de-chaussée, qui avait invité ses petits-enfants à dîner en leur préparant, comme d'habitude, une quantité dix fois trop grande de chili. Elle viendrait certainement sonner à leur porte le lendemain matin pour leur en proposer une portion.

Avec un petit sourire au coin des lèvres, Alicia gravit les marches jusqu'au premier étage et se planta devant la porte du 12B, fouillant dans son sac à main à la recherche de ses clés.

Elle ouvrit la porte et traîna toutes ses affaires dans l'entrée d'un geste maladroit.

— Philip, je suis rentrée, appela-t-elle.

Généralement, elle l'appelait « mon chéri », mais cette fois, elle décida de jouer la carte de la prudence. Elle ne savait pas s'il lui en voulait encore après leur dernière conversation, et elle préférait éviter d'afficher une mine trop rayonnante à son arrivée.

Seul un silence lourd lui répondit. Elle constata que toutes les lumières de l'appartement étaient éteintes, et que la télé ne résonnait pas dans le salon. Philip avait l'habitude de s'assoupir devant le journal du soir, et puisqu'il était vingt-deux heures passées, elle n'aurait pas été étonnée de le trouver endormi sur le canapé.

Mais l'appartement semblait totalement vide. Après avoir allumé la lumière de l'entrée, elle referma la porte derrière elle et déposa ses clés dans la petite coupelle posée sur la console à sa droite. D'un pas prudent, elle s'aventura jusqu'au salon.

Quelque chose n'allait pas, elle en était certaine. Tout était bien trop calme.

Lorsqu'elle activa l'interrupteur du salon et découvrit le bout de papier griffonné sur la table de la salle à manger, un frisson la parcourut. En se retournant vers le porte-manteau, elle s'aperçut qu'il n'y avait ni blouson ni veste pendus dessus. Dans le salon, l'ordinateur portable de Philip ne traînait pas, comme à son habitude, sur la table basse.

Alicia s'avança vers la feuille de papier pour s'en saisir, mais elle savait déjà ce qu'elle allait y découvrir. L'écriture de son fiancé semblait plus hésitante qu'à son habitude, mais les mots étaient tout de même bien lisibles :

Alicia,

Je suis désolé de ne pas avoir eu le courage de te le dire autrement que dans une lettre, mais je ne peux pas rester ici. Tout dans cet appartement me fait penser à toi. Ton odeur sur l'oreiller, tes épingles à cheveux qui traînent un peu partout, tes dizaines de livres dans la bibliothèque, et même tes fichus yaourts allégés dans le frigo. J'aurais aimé me la jouer cool et te laisser réfléchir sans pression, mais j'en suis incapable. Toute cette incertitude me fout une pression de dingue, et je ne peux pas supporter de rester ici sans toi. Et je ne sais pas si j'en serai capable avec *toi. Pas tant que tu ne t'es pas décidée.*

Alors, je suis parti. Tony accepte de me loger autant de temps qu'il le faudra. Prends le temps de réfléchir. Fais le point sur tes sentiments. Et donne-moi une réponse quand tu auras fait un choix.

En attendant, sache que tu vas me manquer. Follement.

Je t'aime, Alicia.

Philip

Alicia relut la lettre trois fois de suite avant de la reposer sur la table, le regard perdu dans le vague. À nouveau, elle sentit que quelque chose n'allait pas. Mais pas dans l'appartement, cette fois. En elle.

Elle aurait dû se sentir triste, désespérée, apeurée, ou un autre sentiment similaire. Mais non. Elle se sentait… soulagée. Elle avait l'impression qu'un poids venait d'être retiré de sa poitrine et qu'elle pouvait enfin respirer convenablement pour la première fois depuis des mois.

Après avoir subi une lutte intérieure la contraignant à choisir entre son travail et son couple, le choix ne lui appartenait finalement plus. Philip était parti, lui rendant la liberté d'être celle qu'elle souhaitait, celle qu'elle était. Et soudain, tout lui parut limpide. Cette histoire de mariage n'était qu'un vaste écran de fumée, ses amis l'avaient compris avant elle. Elle n'était pas faite pour un tel engagement avec un homme, elle n'avait aucune envie de céder une part d'elle-même pour Philip.

Penchée sur la table, le mot de son fiancé sous les yeux, elle se permit une réflexion qu'elle n'avait jamais osé se formuler à elle-même.

Et si c'était Philip, le problème ? Et si nous n'étions simplement pas faits l'un pour l'autre ?

Malgré elle, un visage se dessina dans son esprit.

Celui de Connor. Sa crinière brune plaquée en arrière, dont une mèche retombait constamment sur ses yeux. Ses yeux, d'ailleurs, avaient toujours eu le don de soulager les doutes et les peines de la jeune femme. Deux orbes vert émeraude capables de lui apporter du réconfort en toutes circonstances.

Il n'avait jamais jugé la passion qu'elle éprouvait pour son travail, il l'encourageait même sur cette voie. Tout comme il la soutenait dans son désir d'indépendance, dans son choix de ne pas fonder une famille, de s'épanouir autrement qu'en devenant mère.

Elle glissa alors la main dans la poche de son jean et en sortit son téléphone.

— C'est totalement fou, souffla-t-elle pour se persuader de renoncer.

Mais elle n'avait aucune envie de renoncer. Elle avait perdu assez de temps à douter, à hésiter. Désormais, il était temps d'affirmer ce qu'elle ressentait au plus profond d'elle-même.

Alors, elle trouva le numéro de Connor dans son répertoire et l'appela.

Qu'allait-elle lui dire ? Qu'elle l'aimait ? Non, elle n'avait aucune certitude à ce sujet. Qu'elle quittait Philip ? Certainement. Ça en avait tout l'air, en tout cas.

Pourquoi ne pas simplement l'inviter à boire un verre à son retour de Lewistown ?

Lorsque la première sonnerie résonna, le visage lumineux de Connor lui revint en mémoire. Mais ses yeux ne rayonnaient pas lorsqu'ils croisaient ceux d'Alicia. C'était Tom qui les faisait scintiller.

Deuxième sonnerie.

Mais qu'est-ce que tu fous, putain ?

Elle ne laissa pas la troisième sonnerie retentir dans le combiné et raccrocha précipitamment avant de jeter brusquement le téléphone sur la table, comme s'il lui brûlait les doigts.

Alicia resta de longues minutes à observer le téléphone et le mot laissé par Philip, posés côte à côte sur la table face à elle.

Jamais elle ne s'était sentie aussi perdue. Et si elle était bien certaine d'une chose, c'était que sa vie sentimentale venait de prendre une tournure particulièrement chaotique.

Chapitre 41

Le portable de Connor se mit à vibrer sur la tablette installée auprès du lit d'hôpital de Tom. Le détective, assoupi sur une chaise particulièrement inconfortable au chevet du shérif adjoint, se réveilla dans un sursaut et parcourut la pièce du regard avant de s'apercevoir d'où provenait le son qui l'avait sorti de son sommeil.

Il repéra le téléphone et s'en saisit pour mettre fin à ses vibrations incessantes. Tom avait encore besoin de se reposer. Et si les infirmières l'avaient autorisé à passer la nuit auprès du policier, ce n'était certainement pas pour perturber son sommeil.

Connor jeta un œil au nom inscrit sur l'écran. C'était Alicia. D'abord surpris, il se dit qu'elle souhaitait certainement le prévenir qu'elle était bien arrivée et prendre, au passage, quelques nouvelles de Tom. Pourtant, lorsqu'il s'apprêta à décrocher pour prendre l'appel dans le couloir, celle-ci ne lui en laissa pas le temps. Il fronça les sourcils face à l'écran grisé qui lui indiquait que son amie avait mis fin à la communication avant même qu'elle ne démarre. Il se promit de la rappeler à la première heure le lendemain.

— Eh ! souffla Tom d'une voix enrouée.

Connor laissa immédiatement tomber son téléphone sur les draps blancs et leva les yeux vers le policier.

— Je suis vraiment désolé, répondit Connor avec une moue gênée. Je ne voulais pas te réveiller. J'ai…

— T'inquiètes, le coupa Tom en posant sa main entourée d'un bandage sur celle de Connor. J'ai assez dormi.

Il était vrai que, depuis son arrivée à l'hôpital presque vingt-quatre heures auparavant, Tom avait passé le plus clair de son temps inconscient, se réveillant de temps à autre pour déblatérer quelques réflexions sans queue ni tête causées par les analgésiques.

— Tu peux… démarra Tom en pointant le doigt vers le verre posé sur la console.

— Oui, bien sûr, s'empressa de répondre Connor en se redressant.

Il remplit le verre dans lequel les infirmières avaient déposé une paille, et le tendit à Tom. Au début, celui-ci sembla perplexe de découvrir la paille, mais il comprit vite qu'elle lui serait nécessaire pour boire. Son visage, en partie recouvert par un bandage enroulé d'un côté de son crâne jusqu'à sa mâchoire à l'opposé, avait souffert de sa confrontation avec le wendigo. Sa bouche était enflée sur tout le côté gauche, et des marques allant du rouge au bleu, en passant par toutes les nuances de violet, cernaient une large moitié de ses lèvres habituellement si fines.

Avec un peu d'aide de Connor, il parvint à glisser la paille entre celles-ci pour avaler quelques gorgées. Il tenta ensuite de reposer le verre sur la console mais manqua de le faire tomber lorsqu'il tendit le bras. Heureusement, Connor le rattrapa au vol avant que celui-ci ne heurte le carrelage.

— Le wendigo t'a brisé deux côtes, l'informa-t-il en posant le verre sur la console. J'aurais dû te prévenir. Désolé.

— Tu vas arrêter de t'excuser ? le taquina Tom en esquissant un léger sourire qui se transforma rapidement en grimace sous le coup de la douleur.

— Je suis dé… commença Connor avant de laisser sa phrase en suspens en pouffant de rire. C'est juste que…

Son visage revêtit soudain un air plus sérieux. Baissant les yeux sur les draps, il glissa de nouveau sa main dans celle de Tom avant de poursuivre :

— J'ai l'impression d'être en partie responsable de ce qui t'est arrivé. C'est nous, les experts du surnaturel. On aurait dû prendre la situation en main et empêcher le wendigo de blesser qui que ce soit. Surtout toi.

Tom serra un peu plus fort ses doigts dans ceux de Connor.

— Surtout moi ? répéta-t-il, visiblement curieux de ces derniers mots.

Le détective releva la tête pour croiser le regard du shérif adjoint.

— Tom, tu me plais. Énormément. Et je ne sais pas si tu es prêt à l'accepter ou à envisager quoi que ce soit avec moi, mais je sais que je te plais aussi. Ça crève les yeux. Et je suis un idiot car, si j'ose t'avouer tout ça, c'est parce que j'ai failli te perdre. J'aurais dû te le dire bien avant, je n'aurais pas dû te sortir mon numéro de charme habituel. J'étais simplement perdu, car… l'attirance que j'éprouve pour toi, je ne l'ai jamais éprouvée pour qui que ce soit d'autre. Pas aussi fort. Pas aussi vite. Je… je suis…

— Ne dis pas que tu es désolé, le coupa Tom en relevant un doigt moqueur vers lui.

Connor s'esclaffa, libéré du poids de ses aveux. À présent, les cartes étaient entre les mains de Tom. Le détective avait ouvert son cœur, et il se dit qu'il ne pourrait pas regretter de l'avoir fait, même si le policier décidait de le repousser.

Les yeux humides, Tom prit une profonde inspiration avant de répondre. Connor eut l'impression que cet instant dura une éternité, et vu l'état de fébrilité dans lequel se trouvait Tom, il était bien possible qu'il ait duré un bon moment.

— Connor, tu n'es pas le seul idiot dans cette histoire. Je n'ai pas arrêté de te repousser, simplement parce que je craignais mon attirance pour toi. J'ai déjà été attiré par d'autres hommes, mais je n'ai jamais envisagé de construire une relation sérieuse avec qui que ce soit. Pas dans une petite ville au fin fond du Montana. Pas en espérant être nommé un jour au poste de shérif. Mais tu as foutu en l'air toutes mes certitudes.

Les lèvres de Connor se courbèrent dans un sourire soulagé.

— Alors, tu accepterais que… je ne sais pas, que je t'invite au resto par exemple ?

Lorsque Tom baissa les yeux en desserrant sa prise sur la main de Connor, le sentiment de libération de ce dernier disparut aussitôt, remplacé par un nœud terrible au creux de son ventre.

— Connor, je… Je vis toujours dans une petite ville au fin fond du Montana. Et j'ai toujours envie de devenir shérif un jour. Et toi… Toi, tu es détective à Denver, tu voyages partout, tout le temps. Et puis, je suis…

Des larmes embuèrent les yeux du policier, brisant un peu plus le cœur de Connor.

— Tu es quoi ?

— Je suis défiguré, Connor, répondit-il en détournant le visage, honteux.

Soudain, une terrible vérité sauta aux yeux du détective. L'assaut du wendigo n'avait pas seulement failli lui coûter la vie, il lui avait arracher une partie de ce qu'il était. Son visage, ses traits si parfaits qui plaisaient tant à Connor, les deux orbes ambrés dans lesquelles il aimait se perdre. La marque indélébile laissée par la créature ne lui infligeait pas qu'une douleur physique, elle était la source d'une souffrance morale terrible.

— Tom, soupira Connor, se retenant de lui dire une nouvelle fois qu'il était désolé. Ça ne sert à rien que je te dise que tu resteras beau malgré tout, que ça ne changera rien à ta vie ou que la cicatrice finira par disparaître. Car, très franchement, je n'en sais rien. Tout ce que je peux dire, c'est qu'à mes yeux, ton charme est toujours intact. Ton humour, ta passion quand tu parles de ton boulot ou de ta vie ici, ton dévouement pour ta communauté. C'est toutes ces choses qui me plaisent chez toi. D'accord, tes yeux y sont aussi pour quelque chose. Mais si j'ai envie de tenter ma chance avec toi, et si j'ai réussi à surmonter mes peurs pour me livrer à toi, ce n'est pas une fichue cicatrice qui me fera renoncer.

Les doigts de Tom glissèrent entre ceux de Connor, et, cette fois, au lieu de resserrer sa prise, il caressa avec délicatesse le dos de sa main.

— Tu en es sûr ?

— Je n'ai aucun doute là-dessus.

— Mais… commença-t-il, hésitant. Je ne suis pas certain de réussir à assumer ce que je suis, à assumer d'être avec un homme. Et puis, il y a la distance. Je n'arrive même pas à imaginer comment ça pourrait fonctionner.

— On pourra y réfléchir ensemble, proposa Connor d'une voix tremblante.

Le regard de Tom rencontra celui du détective, qui retrouva alors ce qui l'avait fait craquer dans ses yeux d'ambre. Cette vulnérabilité teintée d'un courage et d'une détermination palpables. Alors, malgré les peurs qui les animaient tous deux, malgré les obstacles qui se dressaient devant eux, Connor eut l'intime conviction que leur relation avait une chance de fonctionner.

— Dans ce cas, choisis le restaurant dans lequel tu veux m'inviter, répondit finalement Tom, les yeux pétillants.

Chapitre 42

Will coupa le moteur de la vieille Pontiac GTO de 1972 qui ne quittait le garage de sa maison qu'en de rares occasions. La voiture avait appartenu à son grand-père, qui l'avait ensuite confiée à sa fille après la naissance de Will. Au décès de sa mère, il en avait finalement hérité mais s'en servait assez peu, préférant le vélo ou les transports en commun pour les trajets du quotidien.

Mais, ce soir-là, le patron du *Aldo's Pub* lui avait passé un coup de fil que le jeune homme pensait ne plus recevoir. Après tout, cela faisait deux mois qu'il ne l'avait plus contacté.

En arrivant sous l'enseigne en néon rouge, il poussa un soupir avant d'ouvrir la lourde porte en aluminium. Une odeur tenace de fumée de cigarette et de whisky lui agressa les narines. Le *Aldo* n'avait rien d'un bar chic fréquenté par des hommes en costume trois-pièces. C'était plutôt le genre d'endroit qui faisait passer le *Sixties* pour un palace. À l'intérieur, le calme régnait après une soirée qui avait dû être, comme toutes les autres, relativement mouvementée. En balayant la salle du regard, Will ne remarqua personne d'autre qu'Aldo, le gérant des lieux, un quinquagénaire aux larges épaules et à la chevelure brune aussi longue et fournie que sa barbe. Celui-ci essuyait une pinte propre avec un torchon.

— Salut, Will, l'accueillit-il avec un hochement de tête. Banquette du fond.

Ils ne s'embêtaient plus avec les formalités d'usage. Il fallait dire qu'au cours de ces trois dernières années, Will était venu de nombreuses fois ici. Toujours sur les coups d'une heure du matin, à la fin du service. Et toujours pour la même raison.

Le jeune homme s'avança jusqu'à la table indiquée par Aldo. C'était presque toujours sur celle-ci qu'il le retrouvait, de toute façon. Il ne lui avait jamais demandé s'il y avait une raison à ce choix, ou si c'était un pur hasard. Il fallait dire qu'ils évitaient d'en parler lorsque son ami dessaoulait. Will se demandait même parfois s'il se souvenait qu'il était venu le chercher.

— Salut, David, lança-t-il à son patron, avachi et somnolant sur la table.

Devant lui, Will compta deux pintes et un verre à shooter, mais il se doutait que David ne s'était pas contenté de si peu. Il avait besoin de bien plus que ça pour s'oublier, désormais.

— On y va ? proposa Will en faisant cliqueter ses clés de voiture dans sa main.

Pour seule réponse, David poussa un grognement étouffé. Il prit ça pour un « oui », s'avançant déjà vers lui pour hisser son bras sur son épaule. Au fil du temps, il avait pris le coup de main et ne rencontra donc aucune difficulté à soulever son patron de la banquette pour l'escorter vers la sortie.

— Bonne nuit, Will, le salua Aldo sur son passage.

— Bonne nuit, lui répondit le détective, le souffle court. Merci de m'avoir appelé.

— Pas de quoi.

En deux minutes à peine, Will avait bouclé la ceinture de David, installé sur le siège passager. Ça devait être un record.

Comme d'habitude, il fouilla les poches de son patron à la recherche des clés de sa maison, mais ne les trouva pas.

— Qu'est-ce que t'as foutu de tes clés, David ? l'interrogea-t-il d'une voix puissante, espérant le sortir de sa torpeur.

— Je… pas trouvé… tomber… pas là, marmonna l'ivrogne.

— Putain, tu fais chier.

Will se redressa et referma la portière côté passager avant de se passer une main dans les cheveux. Il savait qu'il ne lui restait plus qu'une solution, mais celle-ci ne lui plaisait pas du tout.

— Ça peut le faire, se souffla-t-il à lui-même dans une tentative de se rassurer. Il est bien trop ivre pour voir quoi que ce soit, de toute façon.

Malgré ses réticences, le jeune homme grimpa au volant de la Pontiac et prit la route en direction de son domicile. Il n'avait aucune envie de ramener David dans sa demeure familiale, mais quel autre choix avait-il ? Il n'allait pas laisser son ami à la rue, et il lui avait promis de ne jamais rien dévoiler de ses problèmes d'alcool à Connor ou Alicia.

— Helen, marmonna l'homme à moitié endormi sur le siège à sa droite. Pete…

David ne s'était plus saoulé comme ça depuis près de deux mois, et Will avait cru, à tort, qu'il était sur la voie de la rémission complète. Pourtant, l'histoire semblait sans cesse se répéter. Un événement, au cours d'une enquête, faisait ressurgir le souvenir de sa femme et de son fils décédés et, à son retour, David prenait une cuite monumentale afin d'oublier leur absence. À une époque, il le faisait une à deux fois par semaine et, à chaque fois, Aldo appelait Will pour qu'il le reconduise chez lui. La première fois, le gérant du bar s'était contenté d'appeler le dernier numéro de la liste d'appels du patron de la BAP. Puis, finalement, une habitude s'était installée, et Will était devenu le chauffeur attitré de David à chacune de ses beuveries.

Après tout, il était bien placé pour comprendre le deuil de son supérieur. Au décès de sa mère, il avait lui-même plongé dans un désespoir total, qu'il n'était parvenu à surmonter que par des mesures extrêmes qu'il n'avait jamais osé avouer à personne.

En coupant le moteur de la voiture devant la vieille maison sur deux niveaux qui abritait sa famille depuis trois générations, il se mit à craindre que David découvre ses secrets. Comment réagirait-il ? Le comprendrait-il ? Ou jugerait-il que ses actes étaient contre-nature ? N'en aurait-il pas fait autant s'il en avait eu l'opportunité ?

Il sortit tant bien que mal son ami endormi de la voiture et grimpa les quelques marches du perron avant d'entrer chez lui. Lorsqu'il alluma la lumière, le calme des lieux lui glaça le sang. Il ne supportait pas le silence qui animait la grande maison à chaque fois qu'il rentrait chez lui. Il allait devoir y remédier rapidement, malgré le risque que David ne découvre ce qui se passait entre ces murs. Mais, à en juger par les ronflements sourds de ce dernier, il n'avait rien à craindre. Pas ce soir, en tout cas.

Il traîna son patron dans l'ancienne chambre de son grand-père, à l'étage, lui retira ses chaussures et sa veste de cuir, puis le glissa sous les draps. David le gratifia d'un petit grognement satisfait lorsque sa tête s'enfonça sur l'oreiller, et Will décida de prendre ça pour un « merci ».

Il quitta la chambre après avoir éteint la lumière derrière lui, et s'avança dans le couloir pour rejoindre le rez-de-chaussée. Un courant d'air lui frôla la nuque, et il sut que c'était elle. Elle était impatiente qu'il termine de lui raconter le récit de son séjour à Lewistown. Il avait été interrompu par l'appel d'Aldo au moment où il lui relatait leur communication avec Kenny. Elle était certainement impatiente de connaître la suite et de découvrir le fin mot de l'histoire.

En arrivant dans l'entrée le jeune homme ouvrit le boîtier électrique installé sous l'escalier et activa tous les capteurs spectraux du rez-de-chaussée. Il laissa ceux de l'étage éteints. Les petits boîtiers avaient tendance à émettre un petit sifflement sourd, et Will ne tenait pas à réveiller David en les allumant inutilement.

Lorsque chacun des dix capteurs qu'il avait installés un peu partout dans la cuisine, le salon, la salle à manger et l'entrée se mirent en route, il sentit immédiatement sa présence dans son dos. Un sourire se dessinant sur ses lèvres, il se retourna pour admirer la sublime silhouette féminine qui occupait les lieux depuis près de quatre ans. Vêtue de sa fine robe de chambre blanche, ses cheveux châtains détachés ondulant sur ses épaules, elle lui adressa le sourire malicieux qu'elle ne réservait qu'à lui. Malgré la transparence de sa silhouette partiellement matérialisée, Will pouvait voir son regard pétiller.

Il était si heureux de la retrouver. Et malgré tout ce que les autres auraient pu penser de sa décision, ce regard avait le pouvoir de faire disparaître tous ses doutes et ses remords.

— Bonsoir, maman, la salua-t-il.

Remerciements

Cette brigade si chère à mon cœur n'aurait pas pu exister sans une myriade de personnes toutes plus extraordinaires les unes que les autres.

En premier lieu, je tiens à remercier tout particulièrement mes deux « zozos », Mandi Eelis et Clément Flahaut. Amis formidables, auteurs de talent et bêta-lecteurs géniaux, ce livre ne serait pas tout à fait le même sans vous. Votre présence quotidienne à mes côtés me nourrit de créativité et de motivation dans chacun de mes projets. Quant à vos retours et vos conseils, ils m'ont permis de rendre ce roman bien meilleur qu'il ne l'était à l'origine – en plus de m'avoir fait beaucoup rire parfois (Oui, Roundup n'est pas qu'une marque de désherbant diabolique ; et non, Tom n'est pas mort à la fin du roman, désolé).

Car les meilleurs mousquetaires sont toujours au nombre de trois, je n'oublie pas ma très chère Camille, alias @ellydesmots pour les adeptes d'Instagram et de YouTube. Sa présence bienveillante à mes côtés depuis le début de cette aventure littéraire me rassure et me porte. Elle a cru en moi et en mon premier roman, *HOTAK*, et j'espère qu'elle sera tout aussi séduite par cette brigade de choc.

Et puisque je parle de *HOTAK*, j'aimerais remercier tous ceux qui m'ont nourri de leur amour et de leurs compliments depuis sa sortie (un an déjà !).

Merci Muriel, toi qui dévores mes créations depuis mon premier manuscrit pas franchement réussi jusqu'à ce roman que je vais m'empresser de te transmettre dès que j'aurai terminé d'écrire ces lignes.

Merci Hugo. Malgré ton désamour pour la fiction et la romance, tu es allé au bout de *HOTAK* et tu y as même pris du plaisir. Puisque tu m'as dit que tu ne lisais qu'un livre par an, voilà celui de cette année.

Merci à ma famille, qui m'a soutenu et encouragé dans ce projet un peu fou de me lancer dans l'écriture en plein milieu d'une pandémie, et alors que je venais d'obtenir mon diplôme d'éducateur spécialisé. Ce n'était pas le premier changement de cap que j'effectuais dans ma vie, mais je crois bien que cette fois, c'était le bon.

Merci aux éditions Bookmark, et particulièrement à Angélique. En me permettant de devenir traducteur, vous m'avez offert une opportunité de vivre de ma plume en faisant honneur à celle des autres. Je n'en serais pas là aujourd'hui sans vous.

Merci à BoD, ma plateforme d'auto-édition. On m'avait dit que la publication d'un livre était un chemin de croix semé d'embûches… et c'est vrai. Mais grâce à vous, elles ont été bien moins nombreuses que je l'avais craint. Et surtout, je suis fier des romans que je propose à mes lecteurs.

Merci à tous mes autres amis, proches, connaissances, qui suivent mon parcours de près ou de loin avec une éternelle bienveillance. Clément, Mélanie, Jeremiah, Tom, et même ma coiffeuse et ma coach sportive.

Merci aussi à mon psy, qui m'a permis de retrouver le goût des autres et l'envie d'aller à votre rencontre lors de salons et de festivals en tous genres. L'anxiété peut être une vraie saloperie, mais elle m'a aussi permis de saisir la chance que j'ai d'exercer un métier aussi incroyable que celui d'artiste.

Et enfin, merci à toi qui lis ces lignes. Tu me connais peut-être depuis la publication de *HOTAK* sur Wattpad, ou bien tu m'as tout juste découvert en ouvrant ce livre. Mais c'est grâce à toi, lecteur, lectrice, que je peux poursuivre mon travail avec toujours plus de passion et d'envie.

Le métier d'auteur est ingrat à bien des égards, mais le soutien et les encouragements d'un.e lecteurice touché.e par mes mots, c'est la plus belle chose qui soit. Je n'échangerais ça pour rien au monde.

J'espère que tu as aimé cette brigade pas comme les autres et que tu poursuivras l'aventure à ses côtés. Car, crois-moi, le mystère ne fait que commencer.

Steven Cuvelliez

Traducteur littéraire et auteur auto-édité, Steven Cuvelliez est un amoureux de romans en tout genre. Ses passions pour la science-fiction, la fantasy et les jeux vidéo se ressentent autant dans ses écrits que son envie d'aborder l'amour sous toutes ses formes.

Son premier roman, *HOTAK*, représente le début de son rêve d'écriture. Souhaitant explorer de nombreux genres, cet auteur aura de quoi vous surprendre à chacune de ses nouvelles publications.

Avec *La Brigade des Affaires Paranormales*, il adopte les codes du roman policier pour explorer le mystère qui entoure les créatures surnaturelles qui nous font tous frissonner.

Touche-à-tout, il écrit en parallèle une trilogie de fantasy, dont le premier tome, *Timothy : La naissance d'un guerrier*, est disponible gratuitement sur la plateforme Wattpad.

Dans un futur proche, Léo et Wyatt jouent ensemble au jeu vidéo Heroes of the Ancient Kingdom, ou HOTAK pour les initiés. Léo est passionné par ce battle royale immersif qui lui permet d'oublier ses angoisses face au monde réel. Surtout, Léo est follement amoureux de Wyatt.

Mais les deux garçons ne se sont jamais rencontrés en dehors du jeu. Alors quand Wyatt les inscrit à un tournoi pour lequel ils devront passer un week-end ensemble à Paris, Léo perd tous ses moyens. Ces deux jours pourraient pourtant changer sa vie et lui permettre de quitter la misère dans laquelle il a grandi.

Son amour secret l'empêchera-t-il de réaliser ses rêves ? Ou réussira-t-il à conquérir le coeur de Wyatt ainsi que la victoire ?